IIIFで拓く［トリプルアイエフ］デジタルアーカイブ

コンテンツの可能性を世界につなぐ

【監修】一般財団法人人文情報学研究所

【編者】大向一輝／永崎研宣／西岡千文／橋本雄太／吉賀夏子

文学通信
Bungaku-Report.com

目次

はじめに

永崎研宣

世界の文化機関が手を取り合って開始した試み

「デジタルアーカイブ」を多くの人に使ってもらえる、よりよいものにしたい。これはデジタルアーカイブに関わる人なら誰でも考えたことがあるでしょう。本書が紹介するIIIF（International Image Interoperability Framework）は、まさにそれを目指した世界中の人々が集まって創られ、広まってきている枠組みです。

Webの発展とともにデジタルコンテンツはさまざまな形で提供されるようになり、それらを利活用する方法もとても多様になってきているようにみえます。これまで開発者・公開者は、それぞれに予算の範囲内で対応可能な最高のものを提供したり、既存の何らかの仕組みを利用して公開したりしてきました。個々に見ていけば、それぞれに独自の利便性や合理性を備えていて素晴らしいものです。しかし一方で、何もかもが多様であれば、使い方も、長期的に維持していくための方法も、それぞれにバラバラになってしまい、やがて数が増えていったときには、利用者にとっても公開する側にとっても大きな負担になってしまいます。特に、安定的な予算確保が難しくなりつつある文化的事業に関して、さらに負担を増やすような状況をそのまま続けていってしまうなら、ごく近い将来、大きな困難に突き当たってしまうことでしょう。こうした課題は世界的にも大きな悩みの種となってきていました。それを解決するための取り組みの一つとして、世界の文化機関が手を取り合い、各地の独立したWebサイトにある個々のコンテンツの間を自由に横断的してそれらを活用できるIIIFという試みを開始したのは10年と少し前のことでした。

コンテンツの可能性が世界に向けて開かれた

日本の「デジタルアーカイブ」にとってIIIFが興味深いのは、国際的な潮流であるにも関わらず、日本に独特な「デジタルアーカイブ」の概念とちょうどうまくマッチしているという点です。この点については詳しくは第1部をご覧ください。結果として、日本ではIIIFが比較的早く普及することになりました。その結果、次の新しい展開を拓くことができる環境が、いままさにWeb上に仮想的に整ったところです。

IIIFの素晴らしいことの一つは、「自分の（ここでは自組織という意味も含みます）デジタルアーカイブですべてを提供する」必要がなく、むしろ「自分のコンテンツを用いてどこかの誰かがもっとよいサービスを提供することでコンテンツの価値を高めてくれる」仕組みが提供されたということです。これまでであれば、詳細な内容から便利な機能まで、すべてを自分のデジタルアーカイブで提供する必要があり、それ以上のものを提供することは、ほとんどできませんでした。どんなによいコンテンツを持っていても、それにあわせた高度なデジタルアーカイブ構築能力を持ち合わせていなければ宝の持ち腐れになってしまいかねなかった、つまり、自分のコンテンツの可能性がデジタルアーカイブ構築能力によって制約されてしまうという状況だったのです。しかし、IIIFが登場したことで、詳細なメタデータを付与できなくても、高度な技術を駆使できなくても、あるいは、高精度なテキストデータを提供できなくても、ただIIIFに準拠して公開すれば、同じコンテンツに関心を持っているどこかの誰かが独自に詳細なメタデータを付与したり、より高度なコンテンツとして統合・連携させたり、文字起こししたテキストデータとあわせて利便性の高いサイトを提供したりすることが容易に可能となりました。まさに、コンテンツの可能性が世界に向けて開かれることになったのです。これを活かすことは、日本のデジタルアーカイブの将来を拓いていく上で極めて重要な鍵になっていくと期待されるところです。

コンテンツのよりよい在り方やさらなる利活用を考える方々に

本書は、デジタルアーカイブのよりよい在り方やさらなる利活用を考える方々に、新たな展開の手がかりを提供しようとするものです。第1部ではIIIFの概要の紹介、第2部ではIIIFに対応したデジタルアーカイブの構築手法、第3部では、具体的なIIIFの活用例を扱っています。これに加えて、インタビューやいくつかのコラムも配置しています。「デジタルアーカイブ」自体がそうであるように、本書もまた、内容には濃淡があり、分野的にもかなり広がりがありますので、すべてを理解していただくことを目指した本ではありません。読者の方々が、それぞれにお役に立つ情報を見つけて、デジタルアーカイブに関わるご自身の取り組みを充実させる一助としていただければ幸いです。

「IIIF［トリプルアイエフ］で拓くデジタルアーカイブ」
フォローアップサイトのご案内

https://www.dhii.jp/dh/iiif/

このサイトでは、IIIF に対応したデジタルアーカイブの構築手法について、
API・ツール・ソフトウェアのリンクのほか、プログラミングの例を中心に、
情報提供します。本書以降の最新情報についても提供していく予定です。
ぜひご覧ください！

第1部

IIIFの概要

永崎研宣

はじめに——IIIFとは何か[1)]

トリプル・アイ・エフ（IIIF, International Image Interoperability Framework）、すなわち、国際的な画像の相互運用のための枠組みとは、その名の通り、Web上で公開される画像を、組織や国・地域等の境界を越えて効果的に相互運用するための技術仕様として、欧米の複数の有力な研究図書館のエンジニアたちによって提案されたものである。2011年頃に始まった後、世界に広く普及し、フランス国立図書館・英国図書館・米国議会図書館・ハーバード大学図書館・ケンブリッジ大学図書館、世界各地の研究図書館がIIIFに対応したデジタル画像をWeb公開するようになった。日本でも国立国会図書館や国文学研究資料館をはじめ、さまざまなデジタル画像公開機関がこれに対応するシステムを導入してIIIFに準拠した画像公開を行うに至っている。

IIIFが急速に普及したのは何が理由だったのか。それは、IIIFがWebコンテンツをWebサイトから解放する仕組みを通じてWebコンテンツの利便性を大幅に向上する枠組みを提供しており、Webコンテンツを公開する側がそれを望んでいたからである。すなわち、IIIFに準拠してWeb画像を公開すると、自らのサイトだけでなく、他のサイトにおいても自由に表示したり部分的に引用したりでき、異なるサイトで公開されている二つの画像を持ってきて一つのブラウザ画面で並べて閲覧したり、それらを重ねて透過して比較するといったことも簡単にできてしまうのである。公開する側だけでなく、利用者にとってもありがたい枠組みである。

しかし、少し以前のWebの世界を思い出してみると、「自らのサイトで公開しているものを他のサイトで利用できるなんてけしからん」という雰囲気が強かった。その雰囲気が変わってきたのは、2010年頃からだったように思われる。技術的には、Web APIと呼ばれる技術が普及し、あるサイトでWeb APIを用いて公開しているデータを別のサイトに取り込んで表示する、という手法（当時は「マッシュアップ」と呼ばれていた）が広く行われるようになってきた時期である。また、デジタル化に過剰なまでの期待が寄せられ多額の予算がつけられていた熱狂的な雰囲気がやや収まってきた時期でもあった。2011年頃、すでに欧米の大手文化機関の中には、予算が絞られつつある文化機関でのデジタル画像公開をなんとかして効果的に進めなければならないと思っていたところが複数あったようであり、普及してきたWeb APIを活かしてデジタル画像の可用性を高め、ユーザーからの支持を高めようという模索が行われていたようである。そのような中で、スタンフォード大学図書館・英国図書館・オックスフォード大学図書館・フランス国立図書館等が連携して開始されたのがIIIFだった。

当初は、Andrew W. Mellon財団の研究助成金を用いて開始され、大学図書館としては全米でもトップクラスの強力なデジタル技術開発部門を有するスタンフォード大学図書館が開発の中心を担ったようである。各文化機関がWeb公開するデジタル画像を、Webサイトの壁を乗り越えて自由に利用できる規格とするために、Web APIを用いた仕組みが考案された。

IIIFの興味深い点の一つは、技術的な新規性の薄さである。このような仕組みは技術的には当時すでに容易に開発可能なものであった。しかし、こういった仕組みに実効性を持たせるために必要だったのは最先端の技術ではなく、むしろ、多くのWebサイトが共通して一つの仕組みに準拠すること、つまり、そのための合意形成であった。それができなければ、複数のWebサイトのコンテンツを、サイトの壁を越えて共通に扱うということは非常に困難である。そして、それを実現するにはどこかが音頭を取らなければならず、それに皆が従おうという気になる必要がある。皆が準拠できるようにするためには、導入が難しいものであってはならない。なるべく多くのエンジニアが容易に対応できるような仕組みにしておくことが求められる。とりわけ、欧米の大学図書館の多くはエンジニアを自前で雇用し、この種のことを内製で済ませる傾向が強く、そのようなエンジニアが、勤務時間内で対応できるものでなければならない。必然的に、新規技術というよりは十分に世間に広まっている「枯れた」技術で、皆が知っているものをよく知られたやり方で導入・運用できる技術仕様として、IIIFが形成されていったのである。

1. IIIFがもたらしたもの

それでは、IIIFはどのような状況において考案され普及したものだったのか。それによって何をもたらしたのか。ここでは、それについて少し詳しくみていこう。

1-1. IIIF以前の状況

2000年代に入ると、世界各地のさまざまなWebサイトで、いわゆる文化資料のデジタル撮影と公開が広く行われていくようになった。世界中の著名な図書館からは古文書・古典籍や古地図など、美術館や博物館からはそれぞれの所蔵資料、文書館からは公文書といったさまざまな資料が、それぞれの機関のWebサイトで閲覧できるようになったのである。公開する機関にとっては、自らの誇る所蔵資料を世界中の関係者に閲覧してもらえることは、その存在意義を確認し主張する上で重要なことであり、デジタル化技術のコモディティ化も手伝ってデジタル化公開は着々と進んでいった。しかし、これはやがて壁にぶつかることになる。その原因は、ユーザーのニーズとのずれであった。

ユーザーが見たいと思うのは「ロゼッタ・ストーンの画像」であって「大英博物館のWebサイトにあるロゼッタ・ストーンの画像」ではなく、あるいは、「ペリオ氏が収集した敦煌文書の画像」であって「フランス国立図書館のWebサイトにある敦煌文書の画像」ではない。つまり、見たい資料を閲覧できればよいのであって、各機関のWebサイトの使い方を覚えたいわけではない。Google検索が広まったことによって、各地のWebサイトの中のコンテンツもある程度は横断検索できるようになったもののすべてができるわけではないという状況では、やはり各機関のWebサイトにいって探してみる必要がある。欧州文化機関の目録データを横断検索できるサイト『Europeana』も公開されていたものの、すべての機関を網羅しているわけではなく、また、各機関のサイトや目録データの不統一を十分に横断した一括検索ができていたというわけでもなく、探すだけでも一苦労だった。各機関のサイトをめぐって共通のテーマでデジタルコンテンツを探してみようとすると、それだけでもかなり手間のかかることであり、さらに、一度探したものをもう一度たどり直そうとすると、そのたびにそれぞれ異なるWebサイトの使い方を思い出さなければならなかった。

ユーザーのニーズに関して他に挙げられるものとしては、各機関のWebコンテンツの全体をみたいわけではなく、その内容の一部のみに関心があるというニーズへの対応もある。たとえば、江戸時代の木版本に登場するある文字のみに焦点をあてて調査をしたいと思った場合、各地のWebサイトで公開されている木版本を構成する画像群のうち、その文字が入っている画像のその文字の箇所のみを横断的にみていくことになる。このように、各地のコンテンツの断片を横断的に扱いたいというニーズは潜在的にはさまざまにあり得る。しかしながら、各地で丁寧に作られたWebサイトで公開されていた（＝各サイトに閉じ込められていた）Webコンテンツは、基本的にそうした活用方法を許容していない場合が多く、また、許容していたとしてもWebサイトごとに公開手法が異なっているために、横断的に見ていくソフトウェアを開発しようとしたならその都度新たにソフトウェア開発を行わなければならないという状況であった。これを公開側から考えてみると、コンテンツがWebサイトごとに閉じていて相互運用が困難であるために、潜在的なニーズを大きく取りこぼしてしまっていたことになる。この点についての気づきが、世界の主要文化機関がIIIFの採用へと舵を切っていった理由であった。

1-2．IIIF登場後の状況

IIIFが登場した後、すぐに広まったわけではなく、大小の仕様の改良やツールの開発が必要であり、関連する文化機関やコミュニティによる技術仕様の検討・改良とオープンソースソフトウェアを中心とした共同開発が行われた。結果として、規模感を活かしたコンテンツ利用ができるほどに普及するまでには4～5年ほどの時間を要し、日本ではさらに3年ほどを要したが、現在では上述のような潜在的なニーズをかなり満たせるようになった。ここではその中でもいくつかの興味深い活用事例を概観してみよう。

1-3．統合的な横断検索サイト

統合的な横断検索サイトとして『Europeana』に言及したが、IIIFが普及した後、『Europeana』もIIIFに対応した。具体的には、横断検索した後に、ヒットしたコンテンツが元のWebサイトで画像をIIIF対応公開していた場合、わざわざ元サイトに行かずとも、『Europeana』のサイト上で直接、拡大画像を閲覧することができるようになったのである。この仕組みは、日本の文化機関の目録情報を統合的に検索するサイト『ジャパンサーチ[2)]』にも採用され、ここでも、元サイトがIIIF対応で画像を公開している場合、『ジャパンサーチ』上でヒットした画像を拡大縮小しつつ閲覧できるようになっている。さらに、有志グループによって開発・公開された、海外も含めた日本文化コンテンツの横断検索サイト『カルチュラル・ジャパン[3)]』でも同様のIIIF対応を行っている。横断検索をした後に、各機関のWebサイトの使い方の違いに振り回されずにコンテンツの詳細を閲覧できるようになったことは、利便性の向上に貢献していると言っていいだろう。

1-4. コンテンツ横断型

大規模統合横断検索だけでなく、IIIF はテーマを絞り込んだ小さな横断コレクションにおいてもその威力を発揮する。たとえば、「富士川文庫デジタル連携プロジェクト試行版[4]」は、京都帝国大学医科大学や慶應義塾大学医学部などで医学史を講じた文学博士・医学博士の富士川游氏（1865–1940）の旧蔵書のうち、京都大学、慶應義塾大学、東京大学で所蔵し IIIF 対応で公開されたデジタル化画像を横断的に検索・閲覧できるようにしたものである。各機関に分置されたものをいちいち見て回るのはなかなか骨の折れる作業だが、これが各機関の Web サイトから IIIF 対応で公開されていることによって、一カ所でまとめて検索・閲覧する仕組みを比較的容易に提供できるようになり、このようなサービスが実現した。同様のものとして、たとえば、『IIIF@Biblissima』では、世界各地で公開されている西洋中世写本の IIIF 画像を統合検索できるサービス[5]を提供している。あるいは、『IIIF Manifest for Buddhist Studies[6]』では、世界各地の仏典の画像を対象とした検索閲覧サービスを開発・公開している。特定のテーマに関心を持つ人に向けて、統一的なインターフェースの下に各地のデジタルコンテンツを集約的に提供するというサービスは、IIIF の特徴を活かした典型的なものの一つであり、Omeka S[7] 等の既存のコンテンツ管理システムでも実現可能であることから、今後も広く展開されていくことが期待される。

1-5. 各地の IIIF コンテンツを横断的に活用する

各地の IIIF コンテンツを横断的に閲覧するだけでなく、それに対して何か別のデータを付与してより使いやすいものとする仕組みというのも IIIF がその特徴を発揮できるものの一つである。これについては、イェール大学で開始された The Ten Thousand Rooms プロジェクト[8]がその走りだろう。論語や仏画に英訳や解説を付与したりすることに始まり、コンテンツにさまざまなアノテーションを付与できるようにした上で、さらに、ユーザーが自分で IIIF 対応コンテンツを登録できるようにもしていた。日本でも、クラウドソーシングで古文書などの文字起こしを行うサイト『みんなで翻刻[9]』が IIIF 対応画像を対象にできるようになり、世界各地の機関で公開されているデジタル画像に対して共同でデジタル文字起こしが行われている。この共同作業はすでに 1,200 万字を超えてさらに着々と進行中である【図 1】。

1-6. 横断的に画像を活用して提供されるサービス

一方、IIIF の仕組みを活かして世界各地の画像に対してアノテーションを付与することで新たなサービスを提供する取り組みも行われている。その代表的なものに人文学オープンデータ共同利用センター（CODH）で公開されている「顔貌コレクション[10]」がある。各地の図書館の Web サイトで公開されている室町時代末から近世初期に作られた絵本・絵巻物のデジタル画像

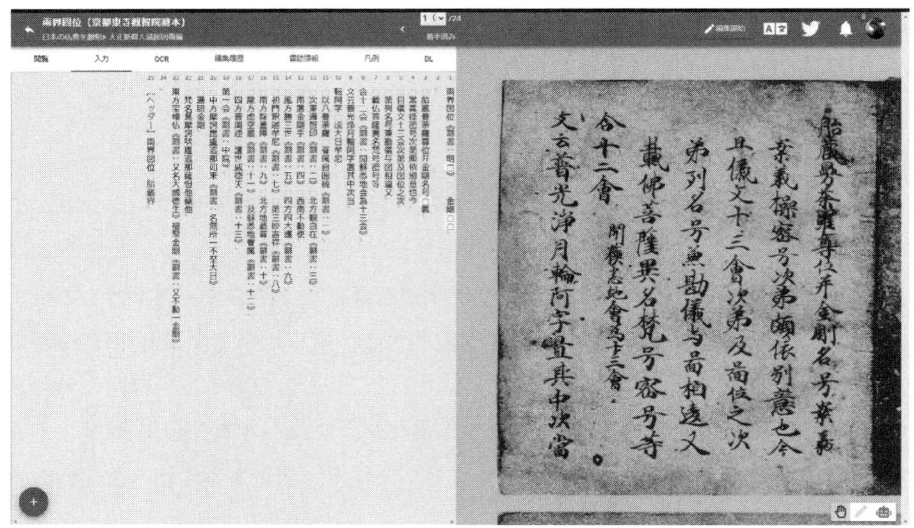

図 1 『みんなで翻刻』の翻刻作業画面の一例

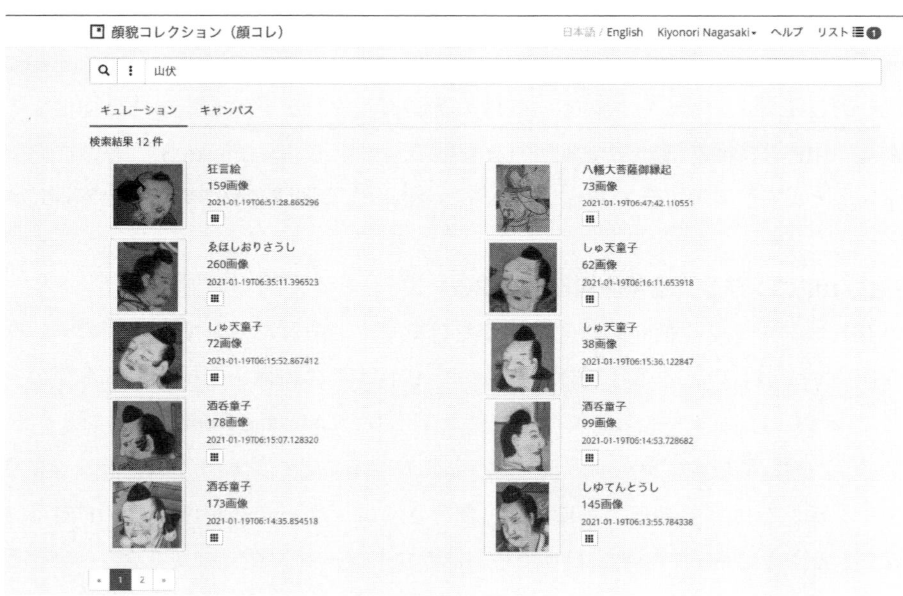

図 2 『顔貌コレクション』で「山伏」で検索した例

に含まれる顔貌、すなわち顔の表現を切り出して検索・分析できるようにしたものである。それぞれの顔についてのさまざまな情報（少年・少女・老人・病人・仙人・盗賊等々）がタグとして付与されており、たとえば「山伏」で検索すると【図 2】のように山伏の顔の部分のみが切り出されて表示される。用意されたタグに沿って眺めているだけでも味わい深いものがある。詳細は第 3 部第 2 章を参照されたい。

また、複数の機関とまではいかないが、異なる本における図像の一部を比較できるようにするサービスとして、中世・ルネッサンス期の文書遺産を扱うフランスの『Biblissima [11)]』によるオ

Titres des chapitres (groupés par livre) :

Livre IV　Livre V

IV, f. 46v Cy commence l'istoire de la belle Danes et comment Jupiter en pluie d'or engendra en elle le vaillant Perseus

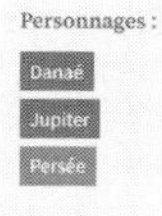

IV, f. 47v Cy commence l'istoire du noble et vaillant Perseus et comment il osta l'ueil aux trois filles du roy Forses

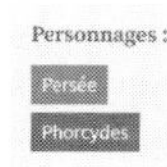

図 3　「Persée（ペルセウス）」のタグがつけられた挿絵

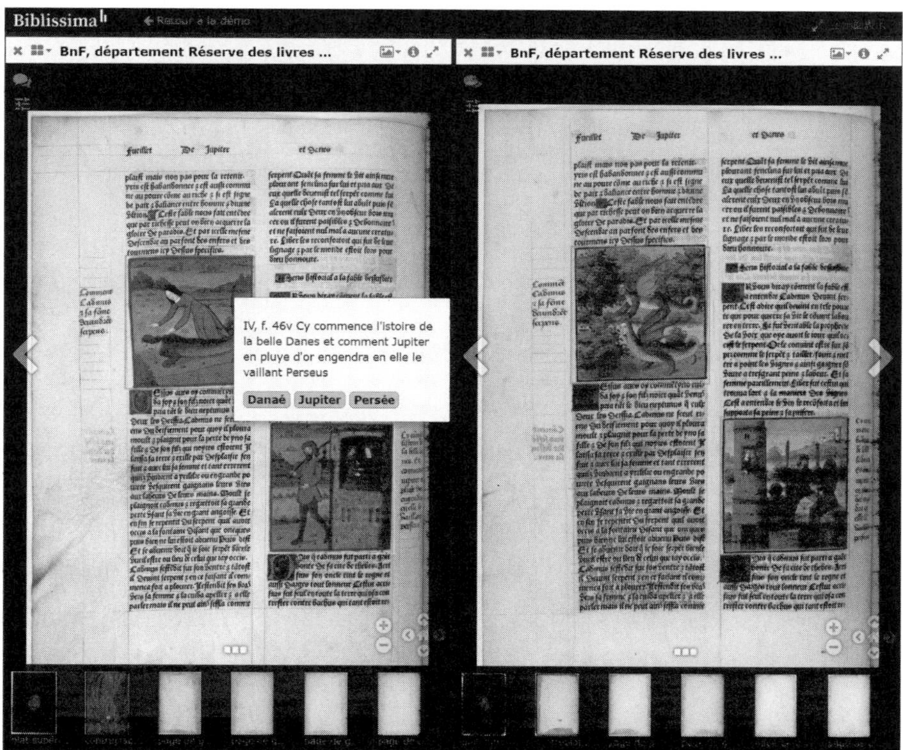

図 4　「Persée」の挿絵を含む二つの版のページの全体を表示

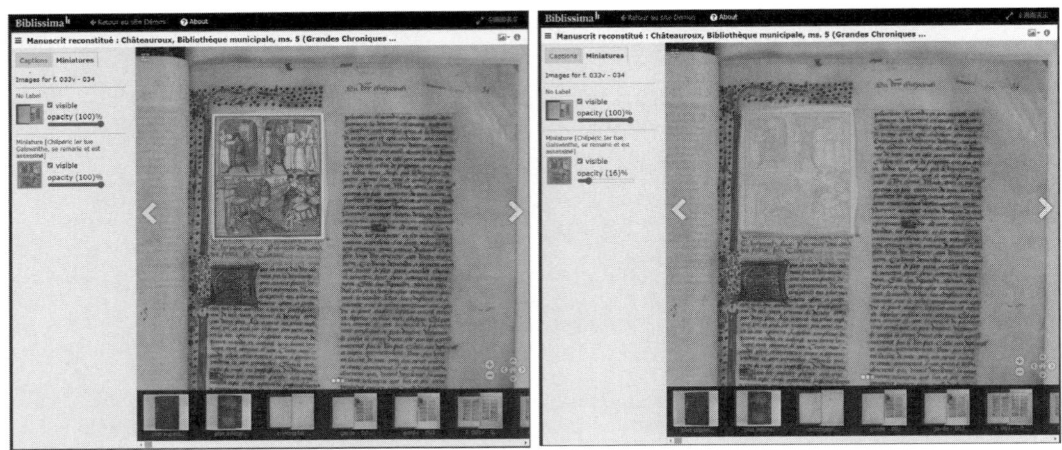

図 5　別々のサーバーで公開されている挿絵と本体を Mirador 上で重ねて表示。右側のように透明度を調整することも可能。

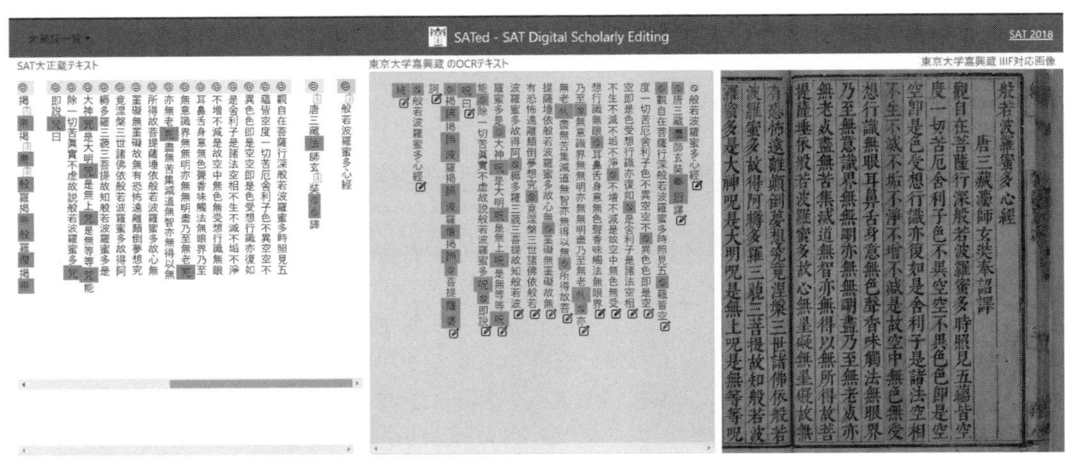

図 6　仏典の IIIF 対応画像とテキストデータベースの対照表示

ウィディウス『変身物語』のインキュナブラの挿絵の比較も興味深い【図 3】[12]。ここでは、『変身物語』の二つの異なる版のそれぞれの挿絵において登場する人物を対照しつつ一覧できるようになっており、さらに、そこからページ全体を比較し、注釈も確認できるようになっている【図 4】。さらに、この『Biblissma』では、「挿絵が切り取られてしまった本」と「切り取られて別のところにコレクションされた挿絵」をそれぞれの所蔵機関から IIIF 対応画像として公開した上で、両者を利用者の Web ブラウザ上で統合して見せるというサービスも提供している【図 5】[13]。

これらもまた IIIF の特徴を活かした手法であり、このように、IIIF が提供する機能はさまざまな応用の可能性を秘めている。

また、仏典の大規模な集成である大蔵経を全文テキストデータベース化した『SAT 大蔵経データベース [14]』では、世界各地の図書館等から公開されているコレクションの一部として含まれ

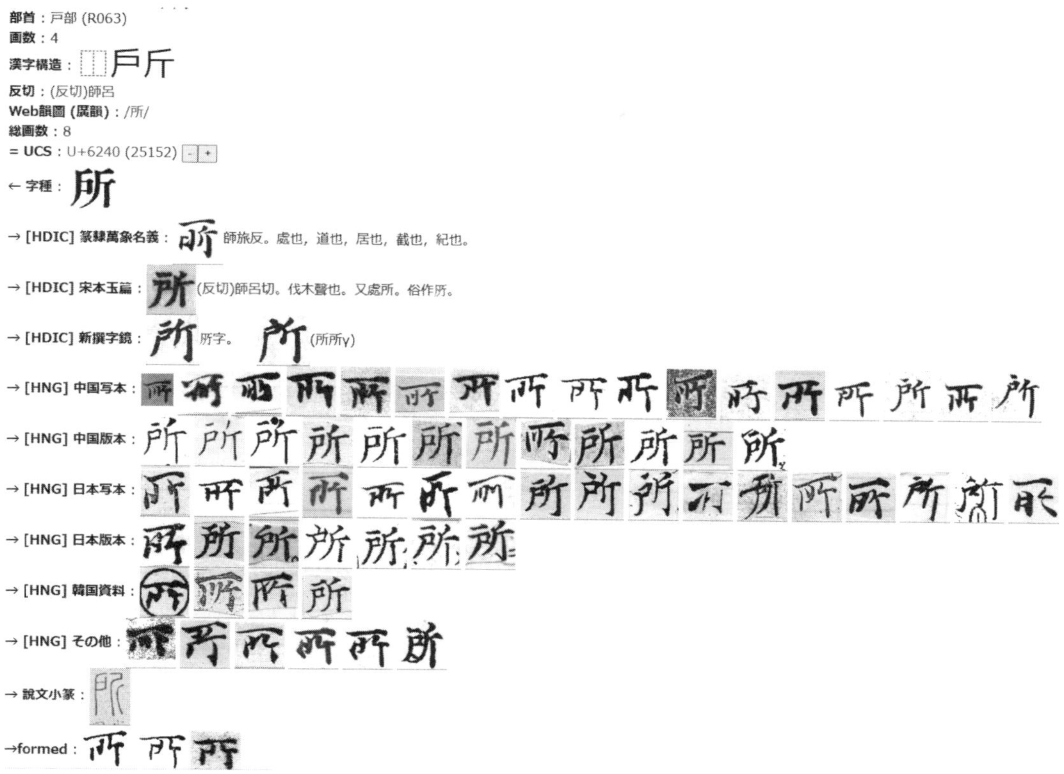

部首：戸部 (R063)
画数：4
漢字構造：⿰戶斤
反切：(反切)師呂
Web韻圖 (廣韻)：/所/
総画数：8
= UCS：U+6240 (25152)
← 字種：所
→ [HDIC] 篆隷萬象名義：師旅反。處也，道也，居也，截也，紀也。
→ [HDIC] 宋本玉篇：(反切)師呂切。伐木聲也。又處所。俗作所。
→ [HDIC] 新撰字鏡：所字。 (所所γ)
→ [HNG] 中国写本：
→ [HNG] 中国版本：
→ [HNG] 日本写本：
→ [HNG] 日本版本：
→ [HNG] 韓国資料：
→ [HNG] その他：
→ 說文小篆：
→formed：

図7　CHISE IDS 漢字検索における「所」の表示画面の一部

ている仏典のIIIF対応画像をテキストデータベースと対応する形で表示できるようにしており、擬似的にではあるが全文検索もできるようになっている【図6】。これは仏教文献を研究する人向けの機能ではあるが、文章の変遷をみていくだけでなく印刷手法の変化や漢字の歴史的変遷など、観点によってはさまざまな面白さをみつけられるだろう。

1-7. 文字の切り出しと比較

文字のデータベースでは、京都大学人文科学研究所にて公開されている『文字情報サービス環境 CHISE[15]』における、漢字字体規範史データベース（HNG）を取り込んだ『CHISE IDS 漢字検索[16]』が興味深い。CHISEに登録された文字情報を起点に、さまざまな時代における写本から切り出された規範的字体としての文字を列挙して対照できるようにしており、文字の時代の変遷を確認できるようになっている【図7】。ここでも一部の文字画像にはIIIFが利用されており、各機関の文字画像を一覧できるようになっている。

さらに、近年では各地の機関が公開するIIIF画像から切り出された文字を統合的に検索できるサービス『史的文字データベース連携検索システム[17]』が稼働を始めており、こちらはHNGも取り込みつつ、奈良文化財研究所、東京大学史料編纂所、国文学研究資料館、台湾中央研究院数位文化中心等、さらに幅広いさまざまな機関からの文字画像の検索が可能となっている【図8】。

図 8 『史的文字データベース連携検索システム』における「所」の検索結果

1-8．まとめ

このように、世界各地の機関から公開される画像を統合的に操作するサービスを自由な発想で提供できるのが IIIF の強みの一つである。各地の機関のサイトにいちいちアクセスして個々の操作方法を覚えてそれぞれ検索するという大変な手間を省けるというメリットがあるだけでなく、このような統合的なサービスが構築可能となったことによって、研究者や実践者、企業などさまざまなステイクホルダーに可能性が開かれることになる。そして、資料を所蔵し公開する側にとっても、自らのサイトだけでは提供できない付加価値を、他のサイトと連携させることで与えることができ、さらに、自らのリソースを割かなくとも第三者がこれを構築してくれる場合もある。これにあたり、IIIF の機能では、特別な制限をかけていない限り、一次公開元のサイトに許可を得たりすることなくサービスの構築が可能である。まれに画像の利用条件が厳しいためにできない場合もあるが、IIIF のパフォーマンスを十全に発揮するためには、むしろ、自らのサイトのコンテンツを用いてよりよいサービスを開発・運用してもらえるように、画像等の Web コンテンツの利用条件にはクリエイティブ・コモンズ・ライセンスなどの再利用・再配布を自由に可能とする利用条件を付与したり、パブリックドメインであることを宣言したりすることも、急速に広まってきているようである。IIIF 対応画像の公開と、再利用・再配布しやすい利用条件の提示が十分に広まれば、これまでよりもさらに大きなブレイクスルーが起きるかもしれない。今後に期待したいところである。

2. IIIF の技術的な側面

2-1. 技術仕様としての IIIF

IIIF の核になるのは、IIIF 協会（Consortium）によって策定された技術仕様である。当初は Image API、Presentation API という二つの API（Application Programing Interface）が策定され、これによって自由に画像を相互運用するための基盤が提供されることとなった。IIIF に対応するサイトのほとんどでは、少なくともこの二つの API に対応しており、それによって、サイトの外側からでも IIIF の技術仕様に従って画像を操作できるようにしている。現在では、この二つの API に加えて、以下の API が公開され、利用可能となっている。

表 1　本書執筆時点での IIIF の技術仕様群※

API	最新版	説明
Image API	3.0.0	IIIF Image API は、標準的な HTTP(S) リクエストに対して画像を返すウェブサービスを提供する。URI には、要求された画像の領域、サイズ、回転、画質特性、フォーマットを指定することができる。
Presentation API	3.0.0	IIIF Presentation API は、IIIF Image API と組み合わせて、さまざまなデジタルオブジェクトのリッチなオンライン表示環境をユーザーに提供するために必要な情報を提供する。
Authorization Flow API	2.0.0	IIIF Authorization Flow API の仕様は、既存のアクセス制御システムを通じてユーザーを誘導するための一連のワークフローを記述する。
Change Discovery API	1.0.0	IIIF Change Discovery API の仕様は、IIIF リソースを発見し利用するために必要な情報を提供する。
Content Search API	2.0.0	IIIF Content Search API の仕様は、IIIF コンテキスト内でオブジェクトに関連付けられたテキストアノテーションを検索するための相互運用性メカニズムを規定している。
Content State API	1.0.0	IIIF Content State API は、IIIF Presentation API リソースまたはリソースの一部をコンパクトなフォーマットで参照する方法を提供する。

※ https://iiif.io/api/index.html より引用。

Image API と Presentation API 以外の API はバージョンが若い。これらがバージョン 3 であるのに対して、他の API はバージョン 2 かバージョン 1 である。バージョン 2 の二つの API は、認証に関するものと検索に関するものであり、バージョン 1 の二つよりは以前から開発されているものである。いずれも、「データをどのように記述することによってプログラムから使いやすいものにするか」という観点から策定された技術仕様であり、これ自体で、画像を拡大縮小したり切り出したり、任意の頁画像を直接アクセスで表示したり、認証したり検索したりするといった機能を提供しているわけではない。そのようなことを可能とするソフトウェアを開発する際に、必要となるデータの形式を定めているということになる。データ形式は JSON-LD と呼ばれるデータ形式に準拠したものであり、キーと値の組み合わせによって必要な事項を表現するようになっている。なお、技術仕様の各ページをみていくと、冒頭に編集者（Editor）がリストされており、その所属のほとんどは、イェール大学、プリンストン大学、コーネル大学、ゲティ財団等、有力な大学図書館や文化機関であることがわかる。この点も IIIF を理解する上で重要である。

IIIF の API 仕様書は、オープンアクセスであり誰でも閲覧・利用可能なものだが、Web 開発者に仕様を理解してもらうことを意識して記述されているため、Web の技術仕様を知悉している人でなければ理解することは難しい。そこで、ここでは特に基本的な API である Image API と Presentation API について、ユーザーとして知っているとよさそうな事柄という観点からみてみよう。なお、Change Discovery API については、コラムに詳細な説明があるため、そちらを参照されたい。

2-2．IIIF Image API

Image API は、公式 Web サイトでは、「標準的な HTTP(S) リクエストに対して画像を返すウェブサービスを提供する。URI には、要求された画像の領域、サイズ、回転、画質特性、フォーマットを指定することができる」と説明されている。すなわち、Web ブラウザ等を利用して画像を閲覧する際に、URI を通じて画像そのものを取得・表示するだけでなく、上記のようなさまざまな指定を行うこともできるのである。基本的な形式は以下のようになる。

IIIF Image API の URL 記法（以下、Image API 記法）

```
{scheme}://{server}{/prefix}/{identifier}/{region}/{size}/{rotation}/
{quality}.{format}
```

具体的な URI としては、たとえば以下のようになる。

部分切り出しの場合：
https://dzkimgs.l.u-tokyo.ac.jp/iiifimgs/zuzoubu/03/0109.tif/pct:12,14,71,68/,800/0/default.jpg
画像全体を小さく表示する場合：
https://dzkimgs.l.u-tokyo.ac.jp/iiifimgs/zuzoubu/03/0109.tif/full/,800/0/default.jpg

この URL を個別にみていくと、まず、scheme は https、server は dzkimgs.l.u-tokyo.ac.jp という箇所がそれにあたる。その次の prefix と identifier は、iiifimgs/zuzoubu/03/0109.tif という箇所になる。そこまでは、画像を指定するための文字列である。この部分は、Image API 対応サーバーソフトやその設定によって決まるものであり、ユーザー側ではそれを用いることになる。そして、それに続く region 以降が、ユーザー側で画像の状態を指定するための値である。以下、図とともにそれを見てみよう（ただし、説明を簡素にするために、ここでは主に、最新の ver. 3 ではなく広く用いられている ver. 2.1 を扱う）。

なお、このURLに対応する画像は右のようになる。この画像を用いて説明を続けよう。

2-2-1. 画像切り出し {region}

URL: …/0109.tif/3000,2400,1000,1000/,800/0/default.jpg

この例では、Image API 記法の {region} にあたる箇所で切り出しのための画像上の座標情報をピクセル値で指定している。この数値（3000,2400,1000,1000）は、左から順に、対象領域の左上の、x 軸の位置、y 軸の位置、x 軸方向の長さ、y 軸方向の長さ（ここではこれを x、y、w、h と表記する）という風になっている。

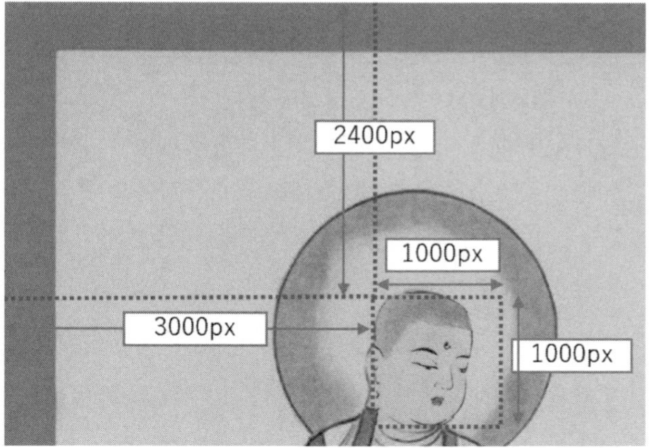

この位置情報は、ピクセル値ではなく、画像上の相対位置で指定することもできる。この場合、対象となる画像は幅 6732px、高さ 8984px であるため、それに対するパーセンテージで指定することになる。具体的には以下のようになる。pct: に続けて x、y、w、h をパーセンテージでカンマ区切りで指定している。

URL: …/0109.tif/pct:44.5,26.7,14.9,11.1/,800/0/default.jpg

ただし、この機能は、IIIF Image API では、API のレベルによっては対応する必要がないとされており、サーバーソフトによっては対応していないことがあるので注意が必要である。なお、サーバー側で対応していない場合にも、Web ブラウザにやや負担がかかるものの、IIIF

Presentation API と JavaScript を用いることで画像の任意の箇所を表示させることは可能である。

付言しておくと、切り出しを行わずに画像の全体を表示しようとする場合には、この値には full を指定しておく。

2-2-2. 画像サイズ {size}

IIIF Image API では、URL で指定した値に応じてサーバー側で画像のサイズを調整してから画像を返戻することが可能となっている。これは、横幅と高さ（w、h）で指定する。画像の切り出しを指定した場合にはその切り出した画像のサイズ、切り出しを行わない場合には、元の画像のサイズを指定することになる。

ここでは、w、h のいずれかの値の省略が可能である。省略した場合、元画像の縦横比を保った状態で、指定した側の値にあわせてサイズが変更される。たとえば、以下の例では高さを 500px に指定している。

元の画像の縦横比にかかわらず画像のサイズを指定したい場合には、以下のように画像を変形させて画像サイズをあわせることになる。

なお、この場合にも、{region} と同様にパーセンテージによる指定が可能である。

URL: …/0109.tif/full/,500/0/default.jpg

2-2-3. 回転 {rotation}

IIIF API では、画像の回転率を指定することも仕様としては定義されている。0-360 の範囲で回転角度を指定できる。以下は 90 度に回転させた例である。

なお、この回転の仕様に対応している画像サーバーソフトウェアはさほど多くなく、これに対応した機能を考える場合には注意する必要がある。

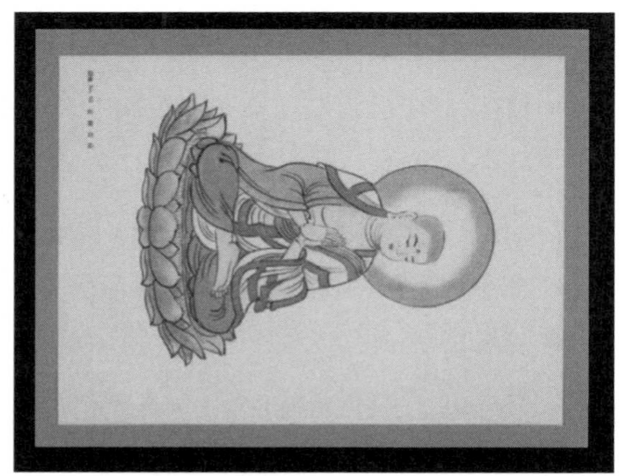

/full/,500/90/default.jpg

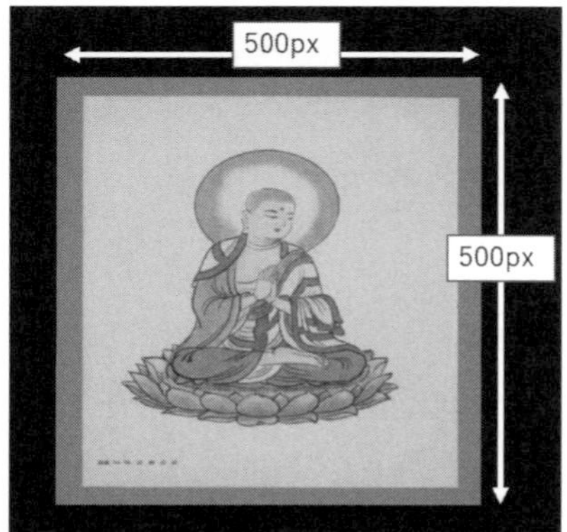

URL: …/0109.tif/full/500,500/0/default.jpg

2-2-4. 画像の性質 {quality}

この値は、カラー画像をグレースケールや二値にするなどといった目的で使用する。Version 2.1.1では、default、color、gray、bitonalの値が定められており、元の画像のまま表示したいときはdefault、カラー画像であることを明示的に指定したい場合はcolor、グレースケールではgray、白黒の二値で画像表示したい場合はbitonalを指定する。たとえば以下の例ではgrayを指定している。なお、これも、画像サーバーソフトウェアがそのような画像の変換に対応していることが必須である。

/full/,800/0/gray.jpg

2-2-5. {format}

この値は、画像フォーマットを指定するために用いられる。Version 2.1.1では、jpg、tif、png、gif、jp2、pdf、webpを指定してよいことになっている。なお、これも、画像サーバーソフトウェアがそのような画像フォーマットへの変換に対応していることが必須である。

2-3. IIIF Image APIのまとめ

ここまでみてきたように、IIIF Image APIは、Webサーバーに画像をリクエストするためのURLの記法を定めたものである。IIIF自体ではこういった機能を提供しているわけではなく、この記法に沿った画像のやりとりを行うためには、サーバー側とクライアント側の双方のソフトウェアがこれに対応している必要がある。IIIFはこの技術仕様をオープンにすることで、誰でもこれに対応できるソフトウェアを開発・採用できるようにしており、そのソフトウェアを世界中の文化機関のWebサイトが採用することによって、IIIF Image APIを通じた画像の相互運用が可能となっているのである。

2-4. IIIF Presentation API

IIIFの技術仕様における基幹となるのが、IIIF Presentation APIである。このAPIが定めているのは、コンテンツにおける各データの関係である。たとえば、一つの古典籍であれば、それに含まれる各ページ画像のURLと順番や、権利保持者、利用条件、タイトル、関連するデータのURI等をデータとして持たせることになる。さらに、その画像に対して部分的にアノテーションが行われていれば、それを記述することもできる（【図9】を参照）。IIIF Presentation APIでは、一つのコンテンツの中の個々の要素をWeb Annotation（当初はOpen Annotationと呼ばれていた）という規格に沿って記述することによって、こうしたデータ構造をWebのデータ流通において効果的にやりとりできるようにしている。

IIIF Presentation APIでは、Canvasという概念を軸として資料を構造化している。すなわち、一つの資料をCanvasの集合体とみなし、個々のCanvasに対して、たとえばそれが古典籍の頁である場合には、その頁の画像や文字起こししたテキストデータ、あるいは、頁中の画像へのアノテーションなど、さまざまなものが紐付けられる。そのようなCanvasが集められて一つの資料としてまとめられ、頁などの順番に並べられることになる。そして、乱丁の状態で保存されている古典籍があったとしたら、乱丁の順序でCanvasを並べて記述した上で、正しい順序についても並記できるようになっている。このAPIが登場するまでにも、古典籍などの一つの資料の画像を一つの資料としてまとめて記述し処理できる共通の仕組みはさまざまに開発・公開されてきたものの、IIIFが現在ここまで広まってきたということは、この仕組みがそれだけ広く受容されやすいわかりやすさや有用性を持っていたと考えてよいだろう。

IIIF Image APIと同様に、IIIF Presentation APIもまた、データの記述方法を定めているだけである。このAPIに準拠したデータを作成・出力するにあたっても、あるいはそれをWebブラウザ上に綺麗に表示するにしても、それぞれに対応するソフトウェアが別途必要である。さまざまなフリーソフトウェアが開発・公開されているため、それらを適宜利用することになる。

なお、IIIF Presentation APIも、version 2系統が広く用いられており、これに加えてversion 3

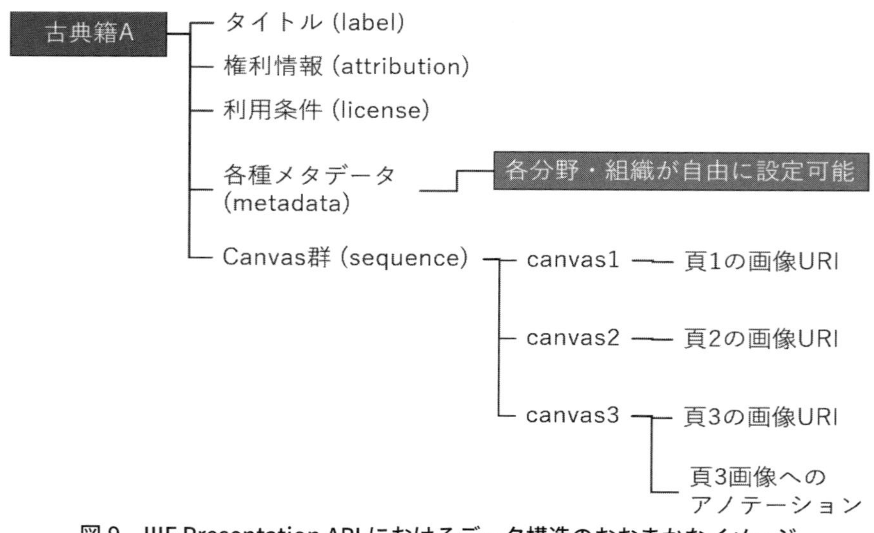

図9　IIIF Presentation APIにおけるデータ構造のおおまかなイメージ

が徐々に普及しつつある。Version 3にはさまざまな仕様が追加され、より便利になっている。たとえば、メタデータ等が多言語対応し、さまざまな言語の情報を共存させられるようになったり、あるいは、動画・音声のために「タイムライン」の概念が追加されたりしている。しかしながら、version 3にはビューワやシステムが未対応の場合もあり、また、version 2とversion3を共存させることも容易に可能であるため、双方に対応させておくのがおすすめである。

2-5. IIIF関連のツール・ソフトウェア

ここでは、IIIFに関するソフトウェア群の一部を紹介してみたい。IIIFでは技術仕様策定の段階から対応するツールをフリーソフトとして開発・公開するという流れがあった。筆者がIIIFを認識した2015年2月には、すでにいくつかのIIIF対応のフリーソフトが公開され利用されていた。これは、たとえばWebページを表示するためにGoogle ChromeやFirefox、Safari等が利用できるということと同様に、自由に利用できる仕様としてIIIFが公開されていることにより、それにあわせたさまざまなソフトウェアの開発やビジネスの展開が可能になっているということである。この短い歴史のなかでもすでに使われなくなったものもあるが、ここでは、現在も現役で利用可能なツールについて、フリーソフトを中心に、主なものを紹介していきたい。

2-6. ツール全体の概観

IIIFに対応するツールは、すでに少なからぬ数がリリースされており、もはやすべてを網羅できる状況ではない。それらは大別すると、クライアント用ビューワ、サーバー用配信ソフト、そして、応用的ツールがある。ここではまず全体を概観した上で、個々について簡単に紹介していきたい。

IIIFはWebを前提とした技術仕様であるため、まず、クライアント側とサーバー側に区別できる。クライアント側としては、画像を表示したり、さらに設定された順でページをめくっていったり、アノテーションを表示したりするといった、ユーザーが閲覧するためのさまざまな機能を提供するビューワということになる。これにはまず、画像表示の仕様であるIIIF Image APIのみに対応したツールとして有名なものにOpenSeadragonがある。そして、画像表示だけでなく、IIIF Presentation APIに対応してページめくり等ができるものとして、Universal Viewer、Mirador、TIFY、IIIF Curation Viewer等が比較的よく用いられるようになっている。

一方、サーバー側としては、まず、IIIF Image APIに準拠して画像を配信するソフトとして、Loris、IIP Image Server、Cantaloupe Image Server等がある。また、画像とIIIF Presentation APIの情報に準拠したデータをまとめて配信するソフトウェアとしてはさまざまなものが登場しており、Omeka S [18] のIIIF対応プラグインを用いているサイトがとくによく見られるが、DrupalベースのIslandora8など、他にもさまざまなものがある。この種のものの多くは、画像をアップロードするとIIIF Image APIに準拠した画像が配信できるようになるとともにIIIF Presentation APIに準拠したデータも自動的に生成してくれるため、IIIF対応画像の公開・運用にかかるコストを比較的低く抑えられる。

さらに、公開されている IIIF コンテンツを対象としたアノテーションや切り出し、ストーリーテリングなどの機能を提供するツールが多数公開されている。たとえば、Omeka IIIF Toolkit や IIIF Curation Platform が有名だが、他にもスマホケースをデザインするものやジグソーパズルを自動生成するものなど、面白さを追及するものもある。このうちのいくつかについて、筆者が利用したことがあるものを中心に解説してみよう。

2-7．クライアント用ビューワ

IIIF での画像表示、すなわち IIIF Image API では、大きなサイズの画像はタイルで分割して表示すべきタイルのみがクライアントの要求に応じてサーバーから配信され、それを組み立てて表示することになる。これに対応する画像ビューワとして老舗と言えるのが OpenSeadragon である。これは当初マイクロソフトが作成していた Web 用の画像ビューワだったものがオープンソースとして公開されて自由に改良できることになったものである。

OpenSeadragon は、IIIF とは異なる仕組みではあったものの、タイルに分割された画像を組み立て直して表示する機能を元々持っていた。この機能を IIIF Image API の仕様にあわせて変更・追加することで IIIF 対応となったものである。OpenSeadragon は安定性が高く画像の表示操作に関する機能も豊富であるため、後述する IIIF 対応ビューワのうち Universal Viewer や Mirador、TIFY では画像を表示するための中核機能として取り込まれている。

IIIF Image API だけでなく IIIF Presentation API にも対応し、画像群を一つのまとまりとして扱ったりページめくり順を設定したりする機能を持つソフトウェアは IIIF 対応ビューワと呼ばれる。この種のビューワでは、IIIF Presentation API を指す IIIF Manifest URI を読み込ませるだけで画像群が一つの資料として表示される。有名なものとしては、まず、イギリスのウェルカム財団が開発を始めた Wellcome Player を発展させた Universal Viewer [19] がある。開発には英国図書館や IT 企業の Digirati 等、さまざまな組織からの参加がある。これは早くから音声や動画、3D にも対応しており、アノテーション表示等の派手な機能はないが着実に動作するため、図書館・博物館等の Web サイトでよく用いられている【図 10】。

また、IIIF が当初より目指していた高度な学術利用の実現を意識して作成された多機能ビューワとして Mirador [20] がある。これは、画像上に付与されたアノテーションの表示や、複数画像を並べて表示したり、画像を重ねて透過させて表示したりするなどの機能がある。スタンフォード大学図書館が中心となって開発されてきており、他にも北米のいくつかの大学図書館やフランスのプロジェクトからも開発者が参加している。筆者自身もバージョン 2 では改良に参加した。バージョン 2 からバージョン 3 にアップデートした際にかなり大幅な変更があり、動作が安定しただけでなく、全体的な雰囲気も変わり、動画や音声にも対応するようになった【図 11】。動画対応については、筆者らのグループでさらに改良を行い、動画に対して付与したアノテーションを表示する機能を追加した [21]。この際には、日本のフェリックス・スタイル社が実際の開発

図 10　Universal Viewer で絵巻を表示する例

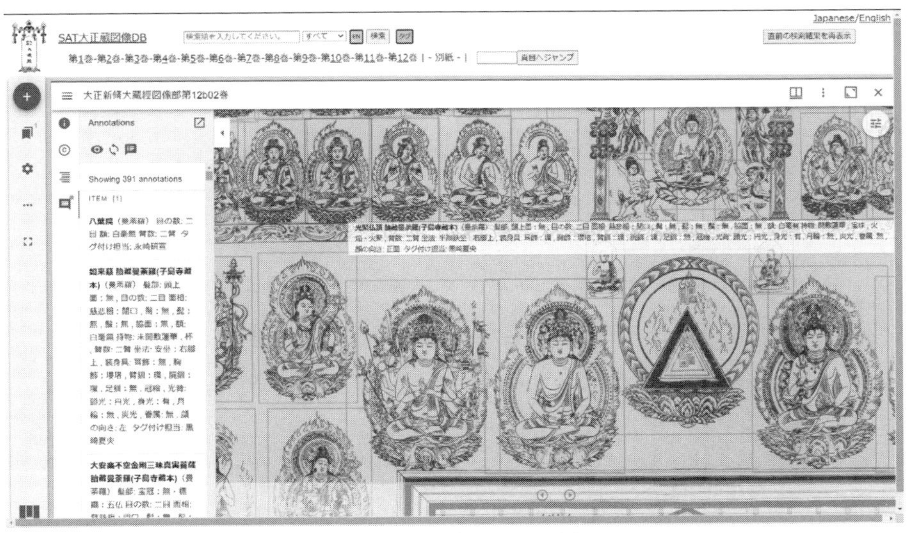

図 11　Mirador バージョン 3 を用いた IIIF 対応サイトの例

を担当した。動画アノテーションは、すでに公開されている動画を表示する際に、再編集などをせずともあとからテキストデータや画像等で注釈や新規情報を追加したりできるため、さまざまな活用可能性が期待される【図 12】。

IIIF がもたらしたコンテンツ再利用の特性を活かしたビューワとして IIIF Curation Viewer がある。これは日本の人文学オープンデータ共同利用センター（CODH）が開発・公開しているものであり、IIIF 対応画像を通常の IIIF 対応ビューワとして表示するだけでなく、公開されている IIIF 対応画像の一部をビューワ上で切り出したり並べたりする機能を持っている【図 13】。また、

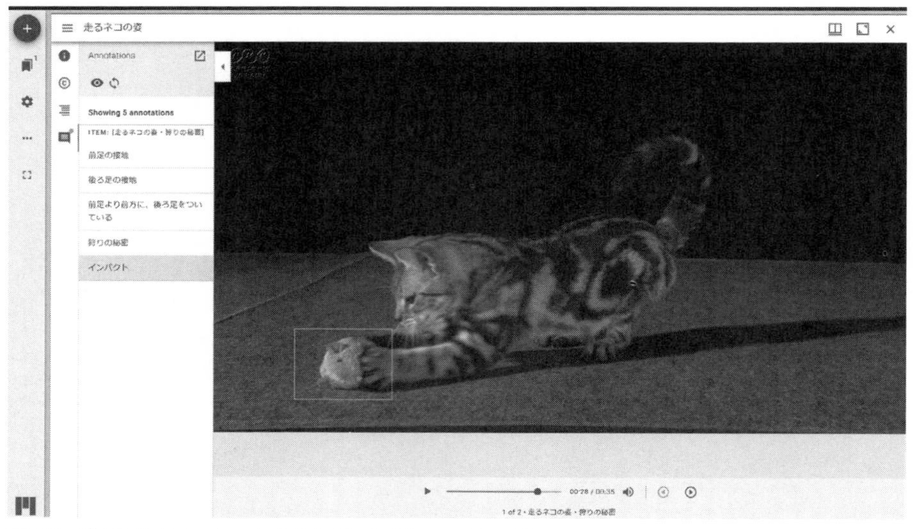

図 12　動画アノテーションに対応した Mirador3 の例

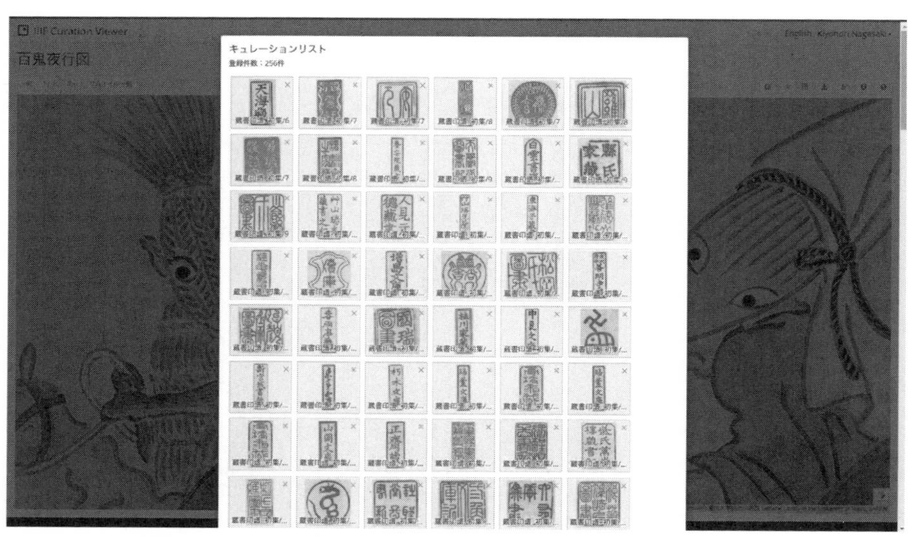

図 13　IIIF curation viewer で画像中の蔵書印を切り出した例

このビューワは、画像表示のために OpenSeadragon ではなく Leaflet というデジタル地図をタイル表示するのに用いられる JavaScript ライブラリを採用している点にも特徴がある。

最後に、TIFY [22] という IIIF 対応ビューワにも触れておきたい。ドイツのゲッティンゲン州立・大学図書館で開発されているこのビューワは、取り立てて大きな特徴はないが、アノテーション表示機能を持っていることと、動作が比較的軽く安定しているという点に注目しておきたい【図 14】。

図 14　TIFY でアノテーション付き IIIF 対応画像を表示した例

2-8．画像配信ソフト

IIIF Image API 対応の画像配信ソフトには、大きな画像を分割して閲覧している箇所だけをクライアント側に返したり、画像の一部を切り出したり回転させたり拡大縮小したりしてから返す機能が求められる。大きな画像の分割に関しては、JPEG 画像や PNG 画像をクライアントからアクセスが来るたびに適宜分割して送信するものや、送信する際に分割画像をキャッシングして次回からは分割せずに済むようにするもの、さらには、最初から分割された画像を一つにまとめた Pyramid Tiled TIFF（あるいは Pyramid TIFF とも）形式や JPEG2000 を扱うものがある。

また、さまざまなプログラミング言語で書かれたものがあり、動作環境もさまざまである。比較的動作が速くよく用いられるソフトウェアとして IIP Image Server が挙げられる。他にも、Cantaloupe Image Server は認証機能を持っており、JAVA で動作するため動作環境の許容度が高い。

2-9．IIIF コンテンツ配信サーバーソフト

この種のソフトウェアはフリーのものだけでなく商用のものも存在しており、デジタルコンテンツ管理システム全体の中の一部として、保存しているコンテンツを IIIF に対応した形式で公開する機能を持っていることが多い。ここでは Omeka S を例として挙げておきたい。

Omeka S は、ジョージ・メイソン大学の歴史とニューメディア研究センターで開発されたコンテンツ管理システムであり、図書館・博物館・文書館等のコンテンツを公開することが主な目的のようである。文化資料のメタデータや画像を共同で登録して管理できるようになっており、それを地図上にマッピングする機能も有している。コンテンツの公開や取り込みを IIIF に準拠させるためのプラグインが提供されており、それを組み込むことで、登録した画像を IIIF 対応

図 15　Omeka S を用いてコンテンツをマッピングした例

で公開できるようになる【図 15】。

2-10．IIIF コンテンツを対象としたツール

公開されている IIIF 対応コンテンツ、なかでも、再利用可能な利用条件が付されているものは、さまざまな利活用を期待されて公開されているはずである。そこで、それらを別のサイトで再利用して公開・活用するツールがさまざまに開発されている。

一つは、Omeka IIIF Toolkit である。これは、トロント大学図書館で推進されている西洋中世写本のためのデジタルツール開発プロジェクト[23]（DIGITAL TOOLS FOR MANUSCRIPT STUDY https://digitaltoolsmss.library.utoronto.ca/）の成果の一環であり、前出の Omeka S が開発される前に広く用いられていた（現在も開発は継続している）Omeka classic のプラグインである。同じく Omeka のプラグインである Neatline（これはヴァージニア大学図書館が開発）と組み合わせることにより、各地で公開されている IIIF 対応コンテンツを自らのサイトに取り込み、注釈をつけ、さらにその注釈を地図や年表上にマッピングして公開することが Web 上での共同作業を通じて可能となっている【図 16】。

また、IIIF Curation Platform[24] では、前出の IIIF Curation viewer で切り出した画像の部分領域にメタデータを付与し、それらを管理・編集・検索し、解説情報も表示できるようにするなどして、IIIF を「誰もが発信可能な参加型サービスのプラットフォーム」とすることを企図したものであり、さまざまな IIIF 対応コンテンツがここで再編集され、新たな文脈を付与されて公開

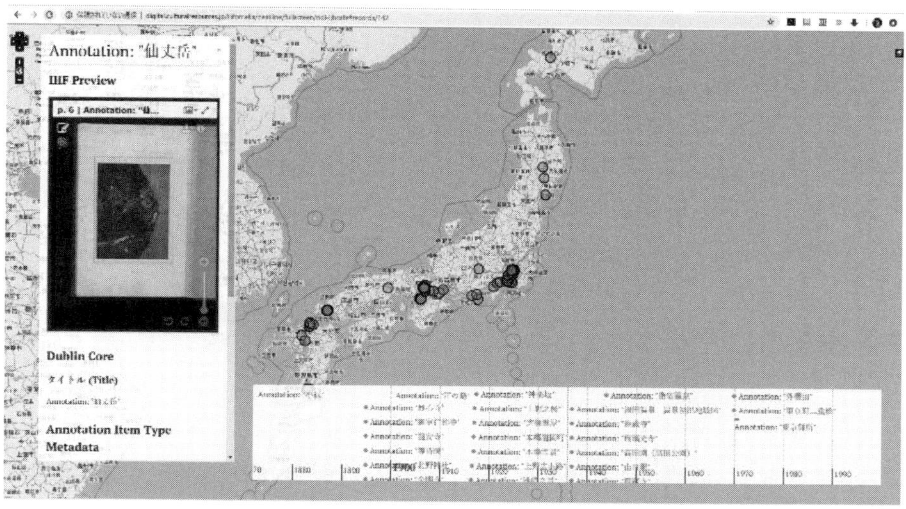

図 16　IIIF 対応画像の任意の箇所を地図・年表上に共同作業でマッピングした例

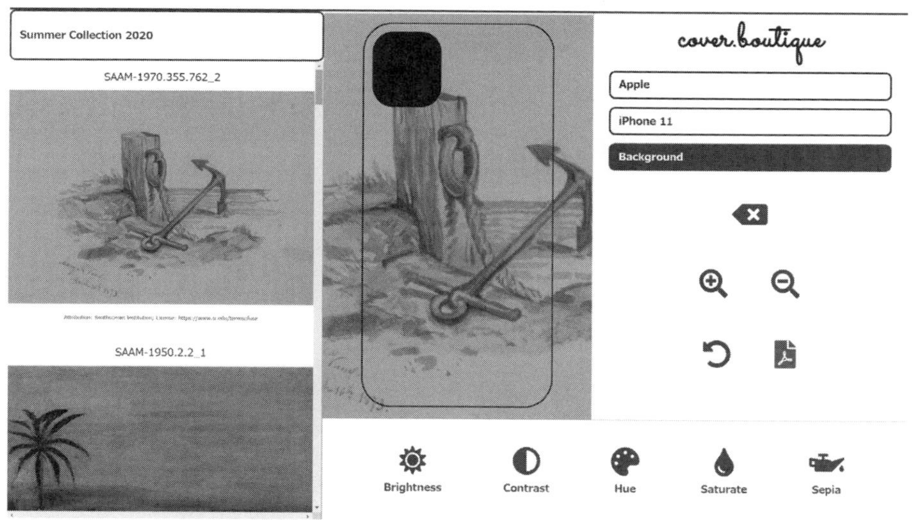

図 17　cover.boutique におけるスマートフォンのケースデザインの例

されるようになっている。

このような、知識基盤を形成するための本格的な取り組み以外にも、さまざまな応用ツールが提供されている。Awesome-IIIF というページ[25]の Experiments and Fun[26]という項にまとめられているのでぜひ参照されたい。なかでも、IIIF 対応画像を重ねて透過度を調整するなどしてスマートフォンのケースとして印刷してくれる cover.boutique[27]は実用性も兼ね備えており興味深いものがある【図 17】。

2-11. まとめ

このように、各地で開発・公開されるさまざまなフリーソフトウェアに着実に下支えされて、IIIF の世界は大きく広がりつつある。インターネットの黎明期がそうであったように、共通の規格や技術仕様に基づくフリーソフトの開発と公開は、多様なプレイヤーの参画を促すという点で重要である。そして、そのような状況がもたらされるためには、関係者のコンセンサスに基づく透明でわかりやすい手続きによる規格・仕様の策定が鍵となる。

3. IIIF を支えるコミュニティ

ここでは IIIF をめぐる開発者コミュニティについて触れておきたい。というのは、IIIF のコミュニティでは、おそらく、日本でこの種の仕事をしているとやや理解しにくいかもしれない文脈で物事が進められており、それをある程度把握しておくことが先を見通す上で有用かもしれないと考えるからである。

3-1. ソフトウェア開発とコミュニティの必要性

IIIF の流れにおいて欠かせない前提となるのは、欧米先進国では「研究図書館[28]」と呼ばれる、研究支援機能に力を入れる国立図書館や大学図書館が所蔵資料を研究する人々のためのサービスを開発するために雇用した IT エンジニアたち、そして、その人々によるコミュニティの存在である。そうした研究図書館では、所蔵している専門性の高い資料を研究者に適切に扱ってもらうために詳細な目録作成や資料提供を行うという本格的な研究支援サービスを、資料に関する専門家を専任スタッフとして雇用して任せることが多い。中には、その専門分野の博士号を持っている研究者を採用する例も少なくない。そのようなところでは、資料をデジタル撮影して Web 公開する場合にも、専門性の高いデジタル撮影はともかくとして、比較的汎用性の高い技術に基づく Web 公開の業務では専門スタッフを雇用する場合も多々見受けられる。結果として、デジタル化資料を効果的な形で Web 公開する技術を持つ IT エンジニアを直接雇用して、システムを内製することになる。そして、1 人しか雇用しないと安定性や継続性に欠けるため、複数人雇用することもよくみられる。Web 公開についても、単にあり合わせのオープンソースソフトウェアを組み合わせるだけのこともあるが、自前の資料の特徴や利用者のニーズにあわせてソフトウェアを改良することもあり、人によってはソフトウェアを開発してしまう場合もある。あるいは、所蔵資料をより効果的に Web 公開するために、図書館が研究助成金を申請する例などもあり、その費用で雇用された IT エンジニアが新たなソフトウェアを開発することもある。そして、時限付の研究助成金によるプロジェクトが終了してしまうと、似たような取り組みで新たに助成金を獲得した機関に移籍する場合もある。

こうした動きにおけるこの 10 年ほどの興味深い特徴は、そのようにしてソフトウェアやツールが開発された場合、オープンソースで公開され、誰でも再利用可能にすることが多いという点である。わざわざ作成したソフトウェアをオープンソースで公開してしまっては、もったいないのではないか、と思ってしまう向きもあるかもしれないが、研究助成金を供出する側の論理がここでは色濃く出てくる。すなわち、自分のところから支出した助成金で作成されたソフトウェアが秘匿された場合、似たような方向性のプロジェクトや発展的なプロジェクトを他の人が始めようとした時に、同じようなソフトウェアを別のプロジェクトでも作成しなければならなくなってしまう。そのようにして同じようなものを何度も作成されてしまうと、費用をかけた割に進展が少ないということになってしまい、研究助成の効果や意義が薄まってしまう。それよりも、一度ソフトウェアを作ったら他の人たちと共有して、新しい助成金では他の人が作ったものを基礎にしてさらに新しいものを作ってもらいたい、ということである。この論理が主流になったことで、この種の仕事にかかわるITエンジニアたちの価値観も変わっていった。一人で素晴らしいプロダクトを作成することも重要だが、他のITエンジニアや研究者が利用・応用しやすいものを作ることにも大きな価値が置かれるようになる。そして、後者のようなことを考えて、プログラミングを行うだけでなく、関連する情報を収集・共有できるコミュニケーションが重要になり、それを支えるコミュニティの必要性が高まっている。近年は、個別分野に限らず、学術研究全般について専用ソフトウェア開発に取り組むITエンジニアたちを「リサーチ・ソフトウェア・エンジニア」と呼ぶようになってきており、そうした動向を支えるコミュニティとしてResearch Software Alliance（ReSA）[29]が設立され活動を始めている。

では、そのようなことができるITエンジニアはどこから来るのかと言えば、出自はいろいろである。なかには、人文系の学部で勉強をしているうちにデジタル・ヒューマニティーズでのソフトウェア開発に注力するようになり、そのまま人文系資料を専門とするITエンジニアになってしまう人もいる。もちろん、こういった仕事を一人で黙々と続けていては効率がよくないことも多い。そして上述のような事情もあり、同種の仕事に関わるコミュニティにいかにしてうまく参加していくかが重要になる。そのような文脈から、COVID-19以前には、図書館等の文化機関で仕事をするITエンジニアの集会が毎年世界のあちこちで開催されており、そこに参加して最新の技術情報の収集や互いの取り組みの情報交換、共同事業の相談などが活発に行われていた。後述するEuropeana Techカンファレンスもそういった文脈で開催され、主に欧米から100人以上の参加者がフランス国立図書館に集まって議論し、夜はセーヌ川に浮かぶ遊覧船で懇親会が行われていた。旅費も含めて参加費は安くないこともあるが、これも業務の一環として研究助成金から支払われていたようであった（なお、日本の研究助成金は懇親会のようなものには支出できないことが多いのでご留意いただきたい。また、欧米の機関でも懇親会費用は支払われないというルールを持つところもあるようだ）。

3-2．IIIFプロジェクトのはじまり

IIIFが創られ、育まれていった環境とは、このような文化機関で文化資料を扱うITエンジニアたちが形成したコミュニティであった。始まりは、欧米の各地の研究図書館（前出）で働く

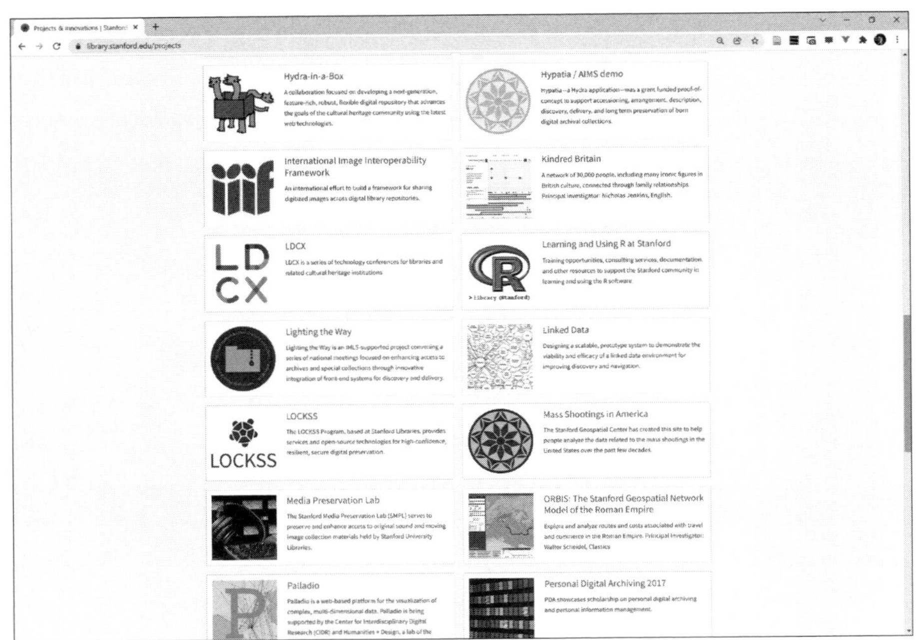

図 18　スタンフォード大学図書館による IT 系開発プロジェクトの一部

IT エンジニアたちによるものであり、それをまとめてプロジェクトとして始められるようにしたのはスタンフォード大学図書館の技術戦略責任者、Tom Cramer であった。ここで IT エンジニアと書かないのは、スタンフォード大学図書館は米国の大学図書館としては随一の IT 開発力を有する希有な存在として数十人の IT エンジニアを常時雇用し複数のソフトウェア開発プロジェクトを推進している[30]【図 18】という、日本で言うなら小さな IT 企業のような部門を抱えており、IIIF のための最初の研究助成金のとりまとめをした Tom Cramer はその部門長的な存在だったからである。

ここで、アンドリュー・メロン財団の研究助成金を得たことで、スタンフォード大学図書館の IT 部門のエンジニアたちを中心として IIIF のプロジェクトが開始された[31]。それ以降の展開も、主に研究図書館の IT エンジニアたちが、所蔵する専門的資料を扱う研究者や学生向けに自らの成果を最大限に引き出されるような仕組みを作ることを目指して共同での設計と開発が行われたが、その志向性については、上述のような研究助成金の状況を前提とすると理解しやすいだろう。

その後、2015 年には、研究助成金に頼るのではなく、IIIF に関する諸事項を自律的に運営できるようにするために IIIF 協会が設立された。今では、初夏の年次シンポジウムと秋の作業ミーティングを毎年開催するようになり、そのたびに、新たなコンテンツやツールを紹介しあって相互に刺激を与えつつ、現在に至っている。特に年次シンポジウムは、筆者が対面参加したのは COVID-19 以前の 2019 年にドイツ・ゲッティンゲン大学【図 19】で開催されたものが最後だったが、ドイツや欧州全域から多くの参加者があっただけでなく、北米やアジア地域からの参加者もあった。この時の日本からの参加は、助教から教授まで、筆者を除いては大学教員を本務とす

図 19　2019 年、ゲッティンゲン大学での IIIF シンポジウムの様子

る方々ばかりだったが、欧米からの参加者はほとんどが図書館等の文化機関に所属する IT エンジニアだった。この点に、日本と欧米におけるこの種の仕事の位置づけや関連する職種の扱いの違いが端的に表れていたと言えるだろう。

3-3．筆者と IIIF の出会い

ここでは、筆者と IIIF の出会いについて触れることで、IIIF を取り巻く独特な世界を紹介してみたい。筆者が初めて IIIF を認識したのは、2015 年 2 月にフランス国立図書館で開催された Europeana Tech というイベントに参加した時のことであった。後に、それまでに参加したイベントの発表プログラムを確認してみたところ、それ以前から IIIF の話は聞いていたようだったが、明白に必要なものとしてそれを認識したのはそのイベントの時だった。

Europeana は、欧州の文化機関が自らの所蔵品の情報を横断検索できるようにする統合検索サイトである。EU が資金を供出し、欧州全域の参加機関からの数千万点に及ぶ資料の目録情報を検索に供しており、欧州の文化的統合性を示すものとみなされることもある。欧州内にある多様な文化資料や多様な言語に対応できる利便性の高い統合検索サイトを目指すため、欧州では活発に研究開発が進められてきた。また、利便性を高めるには法制度やルールをうまく決める必要もあり、そういった側面での開発も行われてきた。そのような流れにおいて、特に技術面に特化して情報を持ち寄って議論するのが Europeana Tech というイベントであった。筆者は文化資料のデジタル化と公開･活用全般に関心を持っており、このイベントには興味津々で参加したのであった。

イベントに参加してみると、図書館や博物館に雇用されているエンジニア、という立場の人た

ちを中心として、多くのプレゼンが行われていた。たくさんのデジタル化資料から地図を自動的に抽出し、位置を特定して分類する取り組みや、Europeana の Web API が提供するデータを使ってもっと便利な検索サイトを構築してしまった話、デジタル化資料にゲーム的にメタデータをつけるシステムのデモンストレーションなど、デジタル化された文化資料をどのように活用してどんな新しいことを始めるか、どのように便利にするかといった観点からのさまざまな取り組みで、会場は熱気に満ちあふれていた。似たような分野の国際会議で会ったことのある知り合いも数人参加していたが、やはり開発者として活躍している人々であり、なかには、そういった仕事を請け負いやすくするために起業した人もいた。そのような中で筆者の目についたものの一つのが、IIIF に関する発表だった。

詳細はややうろ覚えだが、ウェールズ国立図書館のエンジニアによるポスター発表であり、Web 公開した地図等の画像上の任意の場所にアノテーションをつけることができ、その画像を拡大縮小すると、アノテーションもそれにあわせてうまく表示してくれる、というシステムを紹介されたように記憶している。当時は、Web 上でアノテーションを付与する仕組みとして、Open Annotation という規格が少しずつ広まっており、IIIF はそれに沿った規格である、という説明を受けた。オープンソースで関連ソフトウェアも公開されているというので、帰国後、さっそく自分の Web サーバーで試してみたが、このときはまだ対応するソフトウェアがあまり使いやすいものになっておらず、IIIF 自体もそれほど広まっていなかったため、かけるコストの割にメリットを感じられなかったため、いったん探究は取りやめた。

筆者は、東京大学人文社会系研究科教授（当時）の下田正弘氏が率いる SAT 大蔵経テキストデータベース研究会の技術担当者として仏典や仏画のデジタル化資料を公開して研究に供する仕事に 2005 年から取り組んできており、この時期はちょうど、東京大学総合図書館所蔵の万暦版大蔵経（中国で 15 世紀頃に木版印刷で刊行された大部の仏教叢書、最終的にはデジタル画像 196,192 枚）のデジタル画像のうちで、この時点で撮影が終わっていたものを対象とした試験的な公開のためのシステム開発に注力していたところだった。しかし、IIIF Image API は稼働させられたものの、IIIF Presentation API の方は満足のいく動作にならなかったため、この時点では IIIF を採用することは諦め、独自に Web ビューワを開発して公開を行った。

3-4．IIIF の導入

その後、2016 年に入り、大正新脩大藏經図蔵編という、多くの仏画が描かれた叢書にアノテーションを付与したものを公開することになった。この公開にあたっては、数千の仏画に対するアノテーションが東京文化財研究所（現在は青山学院大学教授）の津田徹英氏の指揮により作成されており、これを 6,000 万画素カメラで撮影した頁画像上にいかにしてうまく表示するか、という課題に取り組むことになった。

開発上の目標としては、拡大縮小できる画像上にポップアップするアノテーションをつけて、それを検索もできるようにすることを目指していた。さらに、当時すでに広まっていたオープンデータの流れに沿って、なるべく広く利用可能なフォーマットで公開するということも志向していた。このアノテーションを画像上に付与するための作業環境をWebコラボレーションシステムとして開発していたため、すでにポップアップするアノテーションの仕組みや検索の仕組みは存在していたものの、拡大縮小する画像上でアノテーションをうまく表示させることや、広く利用可能なフォーマットで提供するということに課題を抱えていた。そこで改めてIIIFの状況を確認してみたところ、その時点でのIIIFの主要規格であるバージョン2に対応する便利なソフトウェアが開発・公開され、ある程度使い勝手も安定してきたところであった。そこで、急遽これに対応すべく、システムを部分的に作り替え、日本では初めてとなるIIIFに対応したWebサービスを公開することができた。

ここで特筆すべき点はいくつもあるが、特に筆者が当時感動したのは、IIIFに対応したWeb画像ビューワMiradorをWeb頁に組み込み（数行の規定の情報を書き込むだけ）、IIIFで規定されたフォーマットのファイル（JSONという形式に基づいたテキストファイル）を作成してそのビューワに読み込ませると、それだけで、指定した箇所にポップアップアノテーションが表示されるということだった。

それまで、そのような機能を用意するためには、画像表示システムから開発しなければならず、データを作りながら表示システムも開発し、しばしば両者は不可分のものになってしまっていた。データと表示システムが不可分であると、次のシステムに移行するときや別のシステムで表示してみたくなったときに毎回データを修正するところから始めなければならず、データの内容がわかる人がいなければ対応できなかったり、そもそも修正の手間が大変になってしまったりといったこともあった。ところがIIIFの場合、データはIIIFのルールに従ったものを作っておけば、それに対応している画像ビューワならどこに設置したものでも同じように利用できるのである。アノテーションを提供したい場合は、IIIFに準拠したテキストデータを作るだけでほとんどのことが済んでしまう。これは、この種のシステムの開発にあちこちで取り組んできた筆者にとっては衝撃的なことであった。この感動を共有すべく、ちょうど2016年の5月にニューヨークでIIIFのカンファレンスが開かれることを知ったため、急遽参加し、完成したばかりのSAT大正蔵図蔵データベースを紹介した。

当時、数千のアノテーションを付与したIIIF対応コンテンツが公開されたのは初めてだったこともあり、飛び入りでのプレゼンテーションに会場は拍手喝采だった。この頃には、フランス国立図書館の巨大デジタルアーカイブGallicaやハーバード大学、スタンフォード大学の図書館等、いくつかの大規模デジタルコレクションがIIIFに対応していたのみであったが、英国図書館やオックスフォード大学ボドリアン図書館、米国議会図書館等、有力な研究図書館が採用を表明しており、国際的に一気に普及することは時間の問題だった。そのことはカンファレンスの熱気からも十分にうかがえるものであった。

3-5．IIIF の国内での普及に向けて

この後、筆者が客員研究員として活動する東京大学大学院人文社会系研究科・次世代人文学開発センター人文情報学部門が、このIIIFを支えるIIIF協会の正式メンバーとなり、筆者としては、この次世代人文学開発センターの仕事の一環として、IIIFを国内でも普及させることに注力することになった。これは、日本の人文学研究においてもIIIFが相当程度有用であり、これは速やかに普及させるべきであるという判断があったからである。

一方、これまで日本は、デジタル文化資料に関する事柄は国際的な潮流に乗りそびれてしまうことが多かったが、このIIIFに関しては、うまく展開すれば日本の事情にもうまくあわせる形で比較的速やかに普及できるのではないかという見通しもあった。

上述のSAT大正蔵図蔵データベースは、普及活動の事例としてとてもわかりやすいものであったため、当初はこれを紹介しつつIIIFという規格の意義やそれが具体的にもたらし得るメリットについて説明することを各地で繰り返した。デジタル化資料を扱う学会や研究会などでIIIFに関する発表を行うだけでなく、その種の会合で、IIIFを解説するハンズオンセミナーを繰り返し開催した。また、興味を持った文化機関や企業には、IIIFの説明をしに行った。初期には、国立国会図書館（東京本館・関西館）、東京文化財研究所、東京国立博物館などをまわり、その後は、各地の大学図書館等を訪問していった。日本でのデジタル化資料の公開においては、企業が構築してくれるシステムを導入すべく外注することが多いため、外注をする際のメリットに重点を置いた説明を文化機関向けに行う一方、企業に対してはIIIFを具体的に導入するための技術指導的なセミナーを行った。また、熱心な企業のなかには、筆者が何らかのイベントに併設して開催したイベントに来て質問をしてくれるところもあり、結果として、複数の企業がIIIFに対応したシステムをリリースしてくれることになった。

そのような流れの一方で、国立国会図書館が数十万点のデジタル化資料をこのIIIFに対応させてくれたため、日本でのIIIFへの対応は一気に進むことになった。また、大量の古典籍のデジタル画像を公開する国文学研究資料館もIIIFへの対応を行った。そのようにして大量の日本語資料をターゲットにして日本語対応のツールを開発できる環境が整ったことで、日本のデジタル資料画像公開の環境は、IIIFという力を携えて次の舞台へと進むことになるのである。

3-6．日本における IIIF への関わり

さて、日本からの関わりもみてみよう。前述のように、筆者は個人的には2015年2月にはIIIFを実装していろいろ試してみていたものの、国内で本格的な関わりが始まったのは2016年からとみるのがわかりやすいだろう。仏教図像のIIIF対応画像データベースに数千のIIIFアノテーションを付与したSAT大正蔵図像DB【図20】[32]が2016年5月にニューヨークで開催されたIIIFカンファレンスで発表され、それ以降、IIIFを扱うさまざまな日本のプロジェクトが、国内の学会・研究会だけでなく本家のIIIFカンファレンスにも登場するようになる。

それ以降2年間ほどの大きな国内動向を挙げてみると【表2】のようになる。このように、2

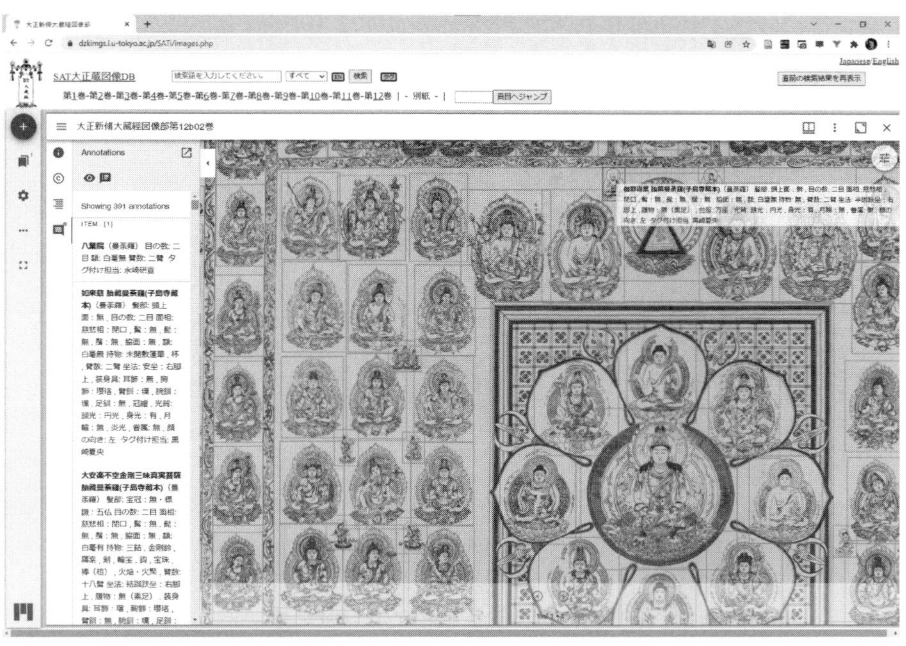

図 20　IIIF アノテーションを付した SAT 大正蔵図蔵 DB

表 2　IIIF に関連する 2016 ～ 2018 年頃の国内の大きな動向

2016 年 5 月	IIIF 対応の SAT 大正新脩大藏經図蔵 DB が公開
2016 年 11 月	CODH が IIIF Curation viewer を公開
2017 年 4 月	慶應義塾大学メディアセンターデジタルコレクションが IIIF 対応で公開 国文学研究資料館が IIIF に対応した新日本古典籍総合データベースを試験公開
2017 年 8 月	東京大学附属図書館、大蔵経研究推進会議、SAT 大蔵経データベース研究会により「万暦版大蔵経（嘉興蔵）デジタル版」が IIIF 対応で公開
2017 年 9 月	IIIF を採用した京都大学貴重資料デジタルアーカイブが試験公開
2018 年 5 月	国立国会図書館がデジタルコレクションに IIIF を採用

年ほどで国内での IIIF の導入は一気に進んだ。初期に導入した組織は内製で対応したところが多いが、IT 企業のなかに IIIF にいち早く対応した企業があったことも功を奏したと言える。IIIF の導入は、それを容易にするためのフリーソフトウェアがいくつも開発・公開されており、IIIF 対応へのハードルは決して高いものではなかった。この容易さは、欧米先進国の研究図書館に雇用される IT エンジニアたちが自らのワークライフバランスを確保しながら導入・運用できるようにするという配慮が背景にあるのかもしれないと思えるほどである。それはともかく、日本の場合には、文化機関が内製をすることは少なく、むしろ IT 企業に発注をすることが多いため、複数の企業が IIIF に対応した製品やサービスを展開するようになったことは、その後の国内での IIIF の普及促進に大いに貢献した。現在では日本からも数多の文化機関が IIIF 対応コンテン

ツを提供するようになっている。

IIIF 普及促進に向けた国内のコミュニティ的取り組みとしては、2016 年～ 2019 年にかけて、東京大学大学院人文社会系研究科次世代人文学開発センター人文情報学拠点（現在は部門）が、研究者・図書館員・自治体の発注担当者・企業関係者等を対象とした IIIF を紹介するワークショップを国内各地で開催して IIIF の利便性や具体的な導入方法等の知見を広める取り組みを行った。さらに、特筆すべき点として、2017 年 10 月、国立情報学研究所の高野明彦教授が中心となって IIIF 協会の中心メンバー 8 名を 1 週間ほど日本に招致し、東京・京都・博多で IIIF のシンポジウムやワークショップを開催し、IIIF コミュニティのコアな部分を国内の関心ある人々とつないだことは、その後の国内での IIIF への取り組みに少なからぬよい影響をもたらしたように思われる。

IIIF は、いわゆるフォーラム・スタンダードと呼ばれるものであり、ISO 等のような法的根拠はなく、ただコミュニティがコミュニティの意思で策定しているに過ぎないものである。その点だけをみるなら、公的機関が正式に取り組むに値するような権威性を有しているわけではない。しかしながら、実際に文化資料のデジタル化と共有に取り組んでいる世界中の有力組織の現場担当者が集まり、その人々が中心となって設立した協会として定めた手続きに基づいて策定・運用されているデファクト・スタンダードであり、それに準拠することで、実際に世界中の多種多様なコンテンツを横断的に利用してさまざまな新しい取り組みが可能となるものである。権威性はなくとも実質的な高い有用性のある国際的な取り組みに、日本からも早い段階で着実に参画し、その結果、諸外国と足並みをそろえ、ある部分では一歩先んじて有益な取り組みを実現できたことは、日本のデジタル化文化資料コンテンツ、ひいては日本文化そのものにとって、明るい将来につながるものとなるだろう。今後のさらなる発展を大いに期待したい。

注

1　第一部は、公益社団法人日本文書情報マネジメント協会の機関誌『IM : journal of image & information management』の 2021 年 9 月から 2022 年 4 月にかけて 4 回に渡り連載された記事を元に、大幅に改稿したものである。改稿による転載を許可してくださった同協会に深く感謝したい。

2　https://jpsearch.go.jp/

3　https://cultural.jp/

4　https://www.kulib.kyoto-u.ac.jp/rdl/digital_fujikawa/

5　https://demos.biblissima.fr/chateauroux/demo/

6　https://bauddha.dhii.jp/SAT/iiifmani/show.php

7　https://omeka.org/s/

8　https://tenthousandrooms.yale.edu/

9　https://honkoku.org/

10　http://codh.rois.ac.jp/face/

11　https://portail.biblissima.fr/en

12 Ovide moralisé ou La Bible des poètes en images: https://demos.biblissima.fr/ovide-moralise/

13 Manuscrit reconstitué : Châteauroux, Bibliothèque municipale, ms. 5 (Grandes Chroniques de France)
http://demos.biblissima.fr/chateauroux/demo/

14 https://21dzk.l.u-tokyo.ac.jp/SAT/

15 https://www.chise.org/index.html.ja.utf-8

16 https://www.chise.org/ids-find

17 https://mojiportal.nabunken.go.jp/

18 https://omeka.org/s/

19 https://universalviewer.io/

20 https://projectmirador.org/

21 https://dh.l.u-tokyo.ac.jp/activity/iiif/video-annotation

22 https://tify.rocks/

23 https://digitaltoolsmss.library.utoronto.ca/

24 IIIF Curation Platform
http://codh.rois.ac.jp/icp/

25 Awesome-IIIF
https://github.com/IIIF/awesome-iiif

26 https://github.com/IIIF/awesome-iiif?tab=readme-ov-file#experiments-and-fun

27 cover.boutique
https://cover.boutique/

28 欧米の有力な国立図書館・大学図書館・専門図書館では手厚い研究支援機能を有することが多い。そうした図書館は「研究図書館」と呼ばれ、全米・全欧州等の単位でネットワークを形成している。

29 https://www.researchsoft.org/

30 スタンフォード大学図書館のプロジェクト一覧
https://library.stanford.edu/projects（2022年1月17日アクセス、現在はアクセスできない）

31 メロン財団の情報：https://www.mellon.org/grant-details/international-image-interoperability-framework-9268
IIIFに関する初期の発表：https://www.cni.org/topics/information-access-retrieval/international-image-interoperability-framework

32 SAT大正蔵図蔵DB
https://dzkimgs.l.utokyo.ac.jp/SATi/images.php

INTERVIEW

ウェブ技術としての IIIF
――大向一輝氏に聞く

永崎▶まず大向先生に自己紹介をお願いいたします。

大向▶東京大学の大向一輝と申します。私自身のバックグラウンドは情報学です。IIIF の技術的な基盤であるセマンティックウェブを研究テーマにするところから研究者としての人生がスタートしました。私が大学院生だった 2000 年代前半は、人々がインターネット上でコミュニケーションや情報共有を行う「Web 2.0」と呼ばれる時代だったこともあり、そのムーブメントとセマンティックウェブ技術を重ね合わせるようなサービスやアプリケーションの開発と、それらを世の中に展開させた時に人々の行動がどう変化するのかを研究していました。その後、国立情報学研究所に就職し、ウェブ情報学の研究者を続けるとともに、所属の研究所が提供する学術情報検索サービス CiNii や大学図書館の総合目録データベースである NACSIS-CAT/ILL といった大学・研究機関向けの情報インフラの責任者として 10 年以上に渡って設計・開発・運用を担当しました。こういった情報システムにおいて、セマンティックウェブ技術をどのように活用するのかは私自身の興味でもあり、また学術情報流通の文脈の中でも注目されているトピックですのでやりがいのある仕事でした。その後、2019 年に国立情報学研究所から東京大学文学部に移り、人文学と情報学の学際領域であるデジタル・ヒューマニティーズあるいは人文情報学と呼ばれる分野の研究教育を行っています。情報の提供側から、受け取った情報を分析・処理して新たな知見を導くところに興味と関心が移ってきているということになります。

その他には、セマンティックウェブ技術に基づくデータ共有の方法論であるリンクト・オープン・データ（LOD）を技術者や一般の方々に対して普及することを目的とした NPO リンクト・オープン・データ・イニシアティブを作ったり、文化庁や国立美術館が開発・提供を進めているマンガ・アニメ・ゲーム・メディアアートのデータベース（メディア芸術データベース）や、日本国内の美術館が所蔵する近現代アートに関する作品情報を集約した検索エンジン（全国美術館収蔵品サーチ）といった日本の現代文化を対象とした情報システムにセマンティックウェブ技術を適用するという観点から、技術提供や助言などを行っています。

永崎▶今回はIIIFに関するお話をお伺いするということでお願いいたします。IIIFといえば、World Wide Webコンソーシアム（W3C）の規格Web Annotation［1］やJSON-LD［2］といった、いわゆるセマンティックウェブの技術、あるいは規格に準拠したアプリケーションとして位置づけられるものの一つかと思います。その関係に入る前に、まずW3Cとセマンティックウェブについてご紹介をいただけますでしょうか。

大向▶ W3Cはウェブに関連する多様なプレイヤーが集まって技術的なルールについて議論し、標準を定めることを目的とした組織です。ウェブ自体は1989年にティム・バーナーズ＝リーが個人として提案し、1991年に提供が始まった情報システムですが、その後ウェブ技術が非常な勢いで発展していく中で共通のルールを作る必要が生じたため、W3Cが設立され、そこでさまざまな規格が生み出されています。初期のHTML規格やXMLなど、我々が普段使っている技術もW3Cが策定したものです。HTMLやXMLは情報の形式に関する標準で、構文と処理の手順が定められています。データの作成者やソフトウェアの開発者はそれらの規約に基づく情報やアプリケーション、サービスを作ることで、ウェブ上の情報が一定程度の相互運用性を持つような状況がもたらされます。

こうした公共性の高い仕事と並行して、ウェブが普及して数年が経過した1990年代後半から2000年代初頭にかけて、W3Cは新たな課題への挑戦を始めました。ウェブ上で共有された情報の意味内容をコンピュータ自身が理解し、自律的に情報収集などを行う、ある種の人工知能（AI）を作るというものです。ティム・バーナーズ＝リーはウェブの提案時からこのアイデアを持っていましたが、ウェブの成功を経験した上で、この構想を実現しようというプロジェクトが立ち上がりました。セマンティックウェブはこうした目標や方向性そのものに与えられた名称です。ここではセマンティックウェブの要素技術は何か、そしてそれらをどのように組み合わせるとコンピュータは知的な働きをするのかといった議論が行われ、その結果として新たな技術標準が多数作られました。その中で最も重要な技術として、Resource Description Framework（RDF）［3］があります。RDFは、データの表現方法として、主語・述語・目的語からなる三つ組（トリプル）と呼ばれる情報の断片を網の目のように連結することで、複雑な構造を持つ情報であってもコンピュータが辿れるようにするという技術です。RDFで記述されたデータをAIが活用する新しいウェブの形がセマンティックウェブだということですね。いまW3Cが提供する技術標準の多くはこのビジョンに沿っています。IIIFの基盤であるWeb AnnotationやJSON-LDはその典型的な例であると言えます。

Web Annotationは、ウェブ上で公開されたあらゆる情報に対して、第三者がその情報をコピーすることなく参照する形で何らかの情報を加えたり、異なる提供者による複数の情報をつなげる活動を支援するための技術です。そしてJSON-LDは、データの保存や交換のフォーマットとして2000年代に入り技術者に急速に使われるようになったJavaScript Object Notation（JSON）の構文に準拠しながら、RDFに基づく情報を記述するための表現形式です。

いずれの技術も、情報の意味内容を正しく表現するだけでなく、誰もが自由に情報を公開できるウェブの環境で、他の情報と取り違えることなくアクセスできることが重要です。グローバルかつオープンな世界において情報のありかを識別するための基本的な技術が Uniform Resource Identifier（URI）［4］です。日常的な用語としてはあまり馴染みがないかもしれませんが、普段は URL やアドレスと呼んでいる、ウェブブラウザの上部に書かれている文字列が URI です。この URI を細かく見ていくと、三つのパーツの組み合わせになっています。最初のパーツは http:// あるいは https:// のように、二つのスラッシュが並ぶまでの部分です。この部分はスキームと呼ばれていて、情報を入手するための通信方法が何であるのかを差し示す記号列になります。通信方法はいくつかの種類が存在しますが、現在のウェブでは概ね HTTP（Hypertext Transfer Protocol）か HTTPS（Hypertext Transfer Protocol Secure）が用いられます。二つのスラッシュに続いて、www.u-tokyo.ac.jp のように次のスラッシュまでの文字列をホスト名と呼びます。このホスト名はインターネット上のコンピュータあるいはサーバーの住所を表すのですが、あるサーバーに上記の名前が付けられていたとして、他の人が同じ名前のサーバーを作ることができない、つまり、詐称することができないような仕組みがインターネットのインフラ上で動いています。これを Domain Name System（DNS）といい、情報の識別性を実現するための重要な手段になっています。ホスト名の次のスラッシュ以降の部分はパスと呼ばれ、一つのコンピュータ、あるいは一つのサーバーの中で特定の情報のありかを指し示しています。パスは、/index.html や、/foo/bar/test.html など、コンピュータの管理者がいかようにも名付けることができます。ただし、一つの記号列に二つの情報を結びつけることはできません。スキーム･ホスト名･パスをつなぎ合わせることで、全体として一つの情報がインターネット上に必ず一つの住所しか持たず、その逆が起こらないことが担保されます。その点で URI は非常に重要な技術基盤です。

Web Annotation では、情報と情報がどのようにつながっているのか、ある情報に対してどういったアノテーションがなされるのかを指し示すために URI が使われます。その意味で、IIIF もまた URI と分かちがたくつながり合っていると理解いただくのがよいかと思います。

永崎▶ URI の重要性までご説明いただきましてありがとうございます。IIIF の話に入る前に、セマンティックウェブ技術が、文化機関や文化資料などに役立っている例を紹介していただきたいのですがいかがでしょうか。

大向▶セマンティックウェブ技術は図書館や博物館・美術館におけるメタデータの記述に広く使われています。所蔵品や蔵書のデータは一見すると表形式で書けるように思われますが、たとえば一冊の本に複数の著者がいて、その著者らが別々の本を書いている、あるいは、その本の出版社が他にもたくさんの本を出している、そういった相互関係を書き出していくと、どうしても情報が網の目状になり、整然とした表形式には収まらなくなります。工夫をすれば表に押し込むことができないわけではありませんが、特殊な書き方をすればするほど、後でその情報を読み取れる人が減ってしまいます。本のテーマに関する情報を加え、テーマ同士の関係性も表現したい、著者の数名がグループを組んでその名義で活動をしている、といったことまで考え始めるときりがありません。そこで、RDF の情報の捉え方、すなわち主語・述語・目的語からなる単純なパーツを自由に組み合わせてよいという仕組みと、文化機関の情報に親和性があるということで、今となっては多くのメタデータが RDF で作成され、提供されています。

もう一つの側面としては、メタデータの項目名の付け方が組織によってまちまちであることが多く、複数の情報源からデータを集めるときに問題視されます。これに対して、組織横断で項目の意味を共有していこうという動きが以前から検討されてきました。こうした活動の中でもよく知られている Dublin Core［5］は、主にウェブ情報を対象とした典型的なメタデータ項目のセットとして標準的に用いられていますが、このコミュニティで策定された項目と、他分野で提案された項目の名称が偶然に一致すると、どちらの意味を示すのかが受け手にはわからなくなってしまうという弊害が起こり得ます。セマンティックウェブの考え方では、それらを別々のものとして明確に識別するために、一つ一つの項目名に URI を採用し、その URI が他の組織には名乗れないようにします。項目名に URI を用いるのは JSON-LD でも重視されているポイントです。一つの組織の中でのデータ管理において項目名の統一は当然のことであり意識することはないかもしれませんが、Europeana やジャパンサーチなど多数の組織と連携し、データを集約・提供するアグリゲータにとっては RDF や URI といったセマンティックウェブ技術は必須だと思います。

永崎▶セマンティックウェブはしっかり広まっているということですね。W3C でもセマンティックウェブや Web Annotation に熱心に取り組んできた Rob Sanderson 氏が中心になって IIIF の規格を技術面から考えるようになってきました。IIIF は、そもそも文化機関のデジタルコンテンツが相互にうまくつながるようにするにはどうしたらいいのか、という危機感のような中で始まり、最初からセマンティックウェブとつながることを前提として作ろうとしていたように思われますが、大向さんから見たときの、セマンティックウェブの中での IIIF の位置づけについて、お考えのところをお話しいただけますでしょうか。

大向▶セマンティックウェブの活動が始まったときのスローガンに、「Web of Document から Web of Data へ」というものがありました。Web of Document は、われわれが普段目にしているウェブそのものだと考えてください。世界中にたくさんのドキュメント＝ウェブページが存在し、ページ同士がリンクされている。一つのリンクをクリックするとブラウザの画面が切り替わる。そこにはテキストや画像、場合によっては動画・音声がひとまとめに表示されたページがあり、そのページとページがつながり合っているのがウェブの実態です。この Web of Document に対して、セマンティックウェブ時代の Web of Data とは、各ページを構成している情報の一つ一つを個別に取り出して、それらをリンクで結びつけていきたいということです。これまでのウェブであれば一つの長いページに一つのURIしかなかったものを、テキストの一部分、あるいは個別の画像や動画にURIをつけて、一つのドキュメントの中にどんなデータが含まれているかという関係性自体も明確にしていく。対象を細分化していくと、テキストも始めから終わりまでの一連の長さの文章という単位で捉えるだけではなく、一段落ごと、一単語ごと、場合によっては一文字ごとにURIをつけることも論理的には可能です。同様に、数ページに渡るテキスト文書をまとめて一つのURIを与えるなど、捉え方の単位をより大きくしていく方向性もあるかもしれません。

画像についても、一枚の画像に一つのURIという関係だけでなく、画像の中の特定の領域を示すURIをつけるという発想はテキストに対する細分化の方向と同様です。動画や音声も同じで、何分何秒からの何秒間といった一部分、さらに動画であればその時間間隔内の特定領域をURIで指し示すことができれば、情報の中身に踏み込んだリンクやアノテーションが可能になります。識別の対象を細かくしていくこと、対象同士の関係性を明示的に定義することは、セマンティックウェブの目標そのものです。その点で、IIIFの技術標準とコミュニティの活動は、セマンティックウェブのベストプラクティスとして高く評価されるべきものだと思います。

IIIFの技術面に目を向けると、画像の一部分を識別する仕組みを実現するために、ウェブ技術の特性を積極的に使っている点が非常に興味深いです。本書で解説されているように、IIIFでは画像自体のURIを土台にして、そこに座標情報やサイズなどの情報を組み込むことで注目したい領域を明示します。ウェブはブラウザにURIを入力すればサーバーから何らかの情報が提供されるというシンプルな仕組みですが、IIIFもその枠組みを完全に引き継いでおり、IIIF対応のデジタルアーカイブから画像の中の任意の領域を表示させるにはブラウザで該当のURIにアクセスするだけでいい。そこで何か特殊な操作をユーザー側に要求しないというところはウェブの基本的な仕組みに沿っています。ウェブの設計思想や、それを実現するための技術標準を逸脱しない形で利便性を提供しようとするIIIFの姿勢は、技術論としても面白いですね。

なお、URIの記法を通じて情報のアクセス方法や表示方法をユーザー側から制御する技術はIIIFに限りません。こうしたアプローチはRepresentational State Transfer（REST）とも呼ばれており、2000年代以降のウェブ技術ではごく一般的に取り入れられています。いま、IIIFが広く普及している理由の一つには、技術者にとってなじみやすい、違和感が少ないという面があるのではないでしょうか。IIIFがそのように（おそらく）意図的にデザインされていることが、この技術の興味深さの一端であると思っています。

永崎▶まさにIIIFはセマンティックウェブの申し子とも言えるということをご説明いただきました。そういったことを踏まえた上で、今後はIIIFがどういうふうに活用可能なのか、すでにいろんな形で活用されていますが、原理的な意味でさらにどのように活用し得るのか、実際にそれがどんなふうに発展していきそうか。とくに注意点を含めて教えていただけたらと思いますが、いかがでしょうか。

大向▶ここまでお話ししてきたように、IIIF の方向性はウェブ技術そのものの方向性と同じだと思います。そしてウェブ技術が目指すのは、誰もが自由に情報を公開し、公開された情報は誰もが自由にアクセスできるようにすることです。その上で、誰が公開した情報であっても、他の人がその情報に対して自由に言及ができる。この二つの自由の実現は、ウェブの初期の頃から何ら変わっていないと言えます。その意味で、IIIF をはじめとする技術は、情報の提供者以外の第三者が指し示すことができなかったものに対してその手段を与えていく方向に進むのではないかと予想しています。現在の IIIF でも、マルチメディアへの対応の一環として動画や 3D データへのアノテーション手段が整備されつつあります。今後、指し示せないものが新たに出現すれば、それを可能にする技術が提供されていくのでしょう。たとえば生成 AI との対話のある瞬間や、何らかのプログラムが動いている状況を参照し、情報を付加することが常態化するようになるかもしれません。ある時点では必要性が理解できないことでも、指し示す方法が共有され、コミュニケーションが発生し、議論が精緻化されていった結果、日常的な活動の一部になったものがいくつもあると考えると、技術の進展とともに新しい領域の開拓が求められることになろうかと思います。

一方で、これまで IIIF を含めたウェブ標準に基づいて公開されてきた情報の永続性については課題が山積しています。ウェブの諸技術、Web Annotation、JSON-LD、それらを組み合わせた IIIF、そのすべてが URI に強く依存しています。裏を返せば、情報に与えられた URI が変わると容易に崩れ去ってしまう仕組みでもあります。ところが、世の中では URI が変更されたり消えたりするのは残念ながらよくあることです。長期に渡るサービスの運営者であれば、サーバーやシステムのリニューアルの際に基盤となるソフトウェアやアプリケーションを入れ替えると、URI を変えざるを得なくなるといった経験があるかもしれません。あるいは運営組織の名称変更や合併などによってホスト名が変わることもあり得ます。現実のシステム運用の問題として URI が変わりやすいことと、ウェブの世界では URI が変わらないことが期待されているというギャップが存在する中で、さまざまな技術が提供されていることを意識するのが重要です。これは、開かれたウェブ上のシステムと、単一の組織内で完結するシステムの在り方の違いにもつながっています。後者のシステムの場合、誰がどのように使うかはあらかじめわかっていますし、組織の中で利用者向けの教育の仕組みを整備し、システムの変化にユーザーが追従すれば、大きな問題は生じません。けれども、ウェブの情報空間においては自身の都合でシステムを変えたとしても他人はその都合を理解してくれるわけではありません。システムが更新されたことを知らずにこれまでと同じ URI で情報にアクセスしようとしてはじめてその URI が機能しないことに気づきます。結果としてユーザーが困惑したり、アクセスを諦めてしまうかもしれません。とくにIIIFでは外部のサービスやアプリケーション側で提供元のURIを大量に記録し、活用することで付加価値を提供している例が多々ありますが、このURIが一斉に機能しなくなると影響は甚大です。

ティム・バーナーズ＝リーも1998年に「Cool URIs don't change」［6］という文書を公表し、タイトルの通り、クールな、素晴らしいURIとは変わらないものであることを訴えています。URIは読みやすく、アクセス先の情報の内容が予想しやすいものであるべきだといった議論もありますが、大前提として変わらないことが最も重要だと指摘しています。この文書では多くの人がURIを維持しない、維持できない理由についても触れられており、とても面白いのでぜひご一読ください。

URIを長期的に保持し続けることの意義と必要性は以上の通りですが、現実のシステム開発・運用の中でこれを達成するのは容易ではありません。ある時点でIIIFを採用した機関や組織が、次期システムへの入れ替えを検討される際には、URIの維持について優先度を高く設定し、しかるべきコストをかける必要があることを認識していただきたいです。技術的には、URIを変更せざるを得ない場合でも従来のURIから新しいURIに変換し、ユーザーからのアクセスを自動転送（リダイレクト）することは可能です。ただし、新旧のURIの対応関係を提供者があらかじめ把握しておかなければなりませんし、複数回の変更が行われた際にも適切に転送されるかどうかを検証する必要があります。また、情報を利用する側にも、プログラムがリダイレクトを検知して新しいURIにアクセスする機能を実装するなど、一定の努力が求められます。とはいえ、こうした努力も義務づけられるようなものではありませんので、原則論から言えばシステムが変わってもURIが変わらない状況を提供側が維持し続ければ、世の中の情報流通がスムーズに回り続けることになります。URIはウェブの世界では唯一無二のIDですので、責任を持って管理していただくことを利用者としてお願いしたいです。

永崎▶ありがとうございます。最後に、大向先生が取り組んでおられる人文情報学の発展において、IIIFはどのような役割を果たしていきそうか、あるいはどう期待できるか、というあたりをお話いただいてもよいでしょうか。

大向▶まずは対応するメディアの種類を増やしていく方向性を期待したいです。一方で、人文情報学に限りませんが、研究成果を社会に還元する際に、その共有のやり方やプレゼンテーションの方法によって広く伝わったりそうでなかったりと差が生じてしまいます。それはある種の必然として受け入れつつ、今後は研究者自身による情報提供の取り組みにウェブ技術やIIIFがどう貢献していくかについて考えたいと思っています。ウェブ上で情報を公開する際にはウェブ技術をきちんと理解しなければなりませんし、IIIFで公開したければ各種の仕様に準拠したシステムを構築するということで、基本的には決められたルールに従えばいいのですが、実際にそれらのルールを守ろうとしたときに、技術やエンジニアリングの観点から、難易度がどの程度なのか、あるいはソフトウェアにいくつの選択肢があるのかといった評価が必要です。そういった面で柔軟性が高い技術はより普及するでしょうし、逆に実現手段がごく限られており、手間やコストがかかるようだと、研究者として長期的に情報を提供し続けるための障壁になるという面もあるので、可能な限り簡易で負担が少ない技術へと向かっていくことが望ましいと思っています。IIIF のコミュニティは、欧米の比較的大きな規模の図書館・博物館・美術館・大学を中心として設立されており、そうした組織には専門の技術者が多数所属しているということで、自らが開発した技術を導入し、発展させるための素地があるように思われます。その前提のもとでさまざまな標準が作られ、ソフトウェアが開発され、現在のエコシステムが構築されています。このエコシステムから生まれる成果を誰もが簡単に低コストで使えるようにするという方向性での技術開発も求められるところですし、もう一つは、コミュニティの中ではすでに議論されているかもしれませんが、ある程度目的を絞ったシンプルなルールを策定し、技術的な選択肢を増やすことも今後は考えられます。たとえば IIIF の動画への対応を見ると、動画公開・共有プラットフォーム側が守るべきルールを作るのではなく、ユーザーが手元のコンピュータ、ブラウザ上で再生している動画に対してアノテーションを提示する方法に重点が置かれています。これは画像に対するアプローチとは大きく異なります。こうした動きからは、大規模な組織やデジタルアーカイブを対象として IIIF 対応のコンテンツを一気に増やすフェーズから、ユーザー側がシンプルかつ効果的に情報を活用するためのルール作りに転換しつつあるように見受けられます。ちなみに、こうした技術のトレンドの変化は IIIF だけでなく、他の分野でも起こっています。IIIF は主に文化・芸術・学術を支える技術として注目されてきましたが、これを機に多様な領域の技術者やエンジニアにも知ってもらい、活用の機会が増えることで新たな使われ方や思いもよらない展開が生まれていくのではないかと期待しています。

永崎▶テレビ番組などで古典資料を使われる機会が結構ありますので、IIIF がコンテンツ制作の際に役立つソリューションとして提供されたりするといいかもしれないと思うこともあります。

大向▶そうですね。たとえば IIIF Curation Viewer［7］はキラーアプリケーションの一つだと思いますし、歴史資料での活用も進んでいます。資料の性質がある程度似通っていれば同じように進めていくことができますが、これらとはまったく異なる分野、マンガやアニメのアノテーションに使ってみるなどの展開もあり得ると思います。分野は違えどデジタル画像を扱っている点に変わりはないので、まずは技術の存在を伝え、試してもらう必要があります。ビジネスとしての規模が大きい領域では、大量のアクセスが来たときに画像配信サーバーが負荷に耐えられるようにするにはどうすればよいかなど、これまで IIIF が対象としてきた規模だと強く意識されてこなかった技術上の課題も現れてくるでしょう。それもまた技術によって解決できればいいし、課題解決が得意なエンジニアも多数いらっしゃいます。そうした積み上げが将来の情報環境の基盤になっていくことを期待しつつ、技術を幅広いコミュニティに開いていければと思います。

永崎▶実際、アクセス過多の問題でインターネット上の複数のサーバーから情報を配信するコンテンツデリバリネットワーク（CDN）を採用するという話は時々聞きます。大英図書館で国際敦煌プロジェクトの次世代システム設計の話をしていたときには、特定の国にサーバーを置くと他の地域からのアクセスが遅くなるので高速化のためにCDNを使うといいのではないかとの話もありました。また、日本のとある機関でもCDN採用を検討しており、アクセス対策だけでなく停電対策としての位置づけもあるそうです。ただ、ウェブ公開自体がだんだん高コストなものになっていくと感じていて、単に直接支払う費用が増えるだけではなく、設定や契約なども大変になっていくのかもしれないと思っております。

大向▶本当にその通りだと思います。CDNとIIIFの画像配信サーバーを接続するための仕組みをどうするのか、そのソフトウェアを誰が作るのかといった議論も必要になります。一方、あまりにも巨大な画像でなければサーバー側で一部の領域を切り出してから配信するのではなく、動画の対応と同じくブラウザ側で画像をまるごとダウンロードしてから処理すればいいという考え方もあり得ます。サーバーを増強することが難しくなってきたらクライアントに任せると。IIIFは情報の提供側の努力によって普及したわけですが、大きな組織がより規模を拡大する際の障壁になったり、小さな組織が同じ機能を提供するためのコストを負担できないといった問題が実際に生じているのではないでしょうか。ただ、これは多くのウェブ技術が辿ってきた道です。ウェブはコンテンツやユーザーの規模が大きくなっていく過程で、提供者と利用者、サーバーとクライアントの役割分担のバランスを見直しながら成長を続けてきたからこそいまがあります。IIIFに悩みがあるとすればそれはIIIFが成功したからであり、技術が普及していく上で避けられない課題です。

永崎▶その意味ではウェブの進化はすごく面白いのですよね。新しい枠組みが出てくると、それをみんなが無料で使いやすくする。最近の典型例はLet's Encryptですが、有償だったセキュリティ通信技術SSLをとうとう無料で導入できるようにしてしまいました。それに合わせて、フリーのウェブサーバーソフトであるApacheやnginxでも簡単に設定できるようになりました。

大向▶技術上の課題の多くは技術者のコミュニティが動けば解決し、人が少なければ解決されないまま捨て置かれるという面があります。その意味では問題解決は注目している人の数で成否が決まるような気さえします。その中で、文化・芸術・学術の分野の中でプログラミングができる人が集まるだけでは十分ではありません。資金が潤沢なビジネスの領域であってもエンジニアの不足が指摘され続けている状況で、問題解決を自分たちだけのテーマにせず、みんなの問題につなげるための全体的なデザインや技術動向の大局観がどの分野にとっても必要になるのだろうと思います。

永崎▶そうですね、全体的な動向とどうつないでいくかというあたりは大向さんの俯瞰的な視野に期待させていただくところです。これからもよろしくお願いいたします。

参考文献

［1］ Web Annotation https://www.w3.org/TR/annotation-model/

［2］ JSON-LD https://json-ld.org

［3］ RDF https://www.w3.org/RDF/

［4］ Uniform Resource Identifier https://datatracker.ietf.org/doc/html/rfc3986

［5］ Dublin Core https://www.dublincore.org/specifications/dublin-core/dcmi-terms/

［6］「Cool URIs don't change」https://www.w3.org/Provider/Style/URI.html

［7］ IIIF Curation Viewer http://codh.rois.ac.jp/software/iiif-curation-viewer/

第2部

IIIFに準拠した デジタルアーカイブ の構築方法

永崎研宣

はじめに

本章では、IIIFに準拠したデジタルアーカイブ（以下、DA）を実際に構築するための手順や考え方について述べてみたい。IIIFはあくまでもコンテンツを相互運用するための枠組みであり、長期保存やメタデータ交換のための仕組みではない。したがって、ここではそれらの点については基本的には触れず、あくまでもIIIFの部分についてのみ解説していく。本件については、ソフトウェアやシステムの発展に伴い少しずつ変化していっているため、ここに記したものよりもよい方法がいずれは出てくることになるが、それでも、ここでは比較的長く利用できそうな事柄を中心として説明していく。また、フォローアップサイト[1)]にてこれ以降の情報も提供する予定であり、そちらも適宜参照されたい。

1．準備

ここでは、IIIFに準拠したDAを作成するにあたって準備しておく必要がある事柄について説明する。DAは、構築されるシステムやネットワーク等の環境によって作成方法はさまざまであるため、一概に語れるものではないのだが、いくつかの例を想定しつつ述べていくことにしたい。

1-1．サーバー・システムに関する確認

1-1-1．サーバー・システムのセキュリティ関連事項

デジタルアーカイブにはWeb上で公開されるものだけでなくさまざまな形態のものがあり得るが、IIIFはWeb上で画像を相互運用するための仕組みであるため、IIIFに準拠したDAと言った場合、基本的にはWeb上に構築されるものということになる。Web上に構築される場合、誰もがアクセス可能なネットワーク上に設置されたサーバーコンピュータ（ここでは便宜上DAサーバーと呼ぶ）上に、不特定多数に見てもらうためのデータを置くというスタイルが基本となる。DAサーバーの運用にあたっては外部から不正に侵入されたり、それを踏み台にして他の組織のコンピュータに不正侵入や攻撃を行ったりすることがないように、適切なセキュリティ対策が行われていることがまずは必須である。したがって、たとえば組織内のコンピュータをDAのサーバーとして用いようとするなら、その組織のセキュリティポリシーに従った形で構築しなければならない。これは組織によって千差万別であり、厳しいところもあれば緩いところもある。これがどれくらい厳しいのか、そして、何が可能なのか、ということを確認することがまずは重要である。セキュリティポリシーに関しては、以下の事項を確認しておくとよいだろう。

【自組織のセキュリティポリシーに照らして確認すべき事項】

1. デジタルアーカイブを構築するサーバー（以下、DAサーバー）には新たなサーバー

ソフトウェアをインストールして外部からアクセスさせることが可能か。

2. DA サーバーにはコンテンツ管理システム（Drupal、Omeka 等）をインストールして稼働させられるか。
3. DA サーバー上のコンテンツ管理システムのコンテンツを外部から編集可能か。
4. DA サーバー上に JavaScript で書かれたプログラムを含む Web サイトの設置は可能か。
5. DA サーバーに外部からログインしてターミナルからコマンド操作（CUI）でコンテンツを操作することは可能か。
6. DA サーバーに外部から FTP、SCP、SFTP、WebDAV 等でコンテンツをアップロードすることは可能か。
7. DA サーバーでの公開用 Web サーバーは HTTPS に対応可能か。
8. 上記のいずれについても、可能であるとしたらセキュリティ上の要件はどうなっているか。

各々、システムの選定や作業のワークフローの構築を左右する事柄であるため、準備の最初の段階で確認しておくべきである。

1-1-2. DA サーバー機能の関連事項

DA を実際に構築するサーバーの機能に関しては当然のことながら事前の確認が必要である。この確認事項については、そもそもサーバー・ネットワーク環境は極めて多様であることから確認すべき事柄も多岐にわたるためここですべての可能性を網羅することはできないが、よくある環境において確認すべき事項についてとりあえずみてみよう。なお、これは、セキュリティ関連事項と重複する内容もある。というのは、セキュリティポリシー上可能であることと、実際に DA サーバーに導入可能かどうかということは異なる話であり、前者が可能だからといって後者が常に可能というわけではないため、ここでは別途改めて確認する必要がある。一方、ストレージに関する事項は DA サーバーには特に重要であるため、それに関しては別途項を立てる。

まず、DA サーバーの構成についての確認が必要である。DA ではメタデータと画像、メタデータ検索システムを用意することが多く、さらに画像アノテーションやそのアノテーションの分析、画像を分析するシステム、全文テキスト及びその検索システムを装備する等、さまざまな発展形がある。

最小限の構成では、検索を一般の全文検索システムやジャパンサーチ（ただし、ジャパンサーチで検索できるようにするには相応の手続きが必要となり、機関によってはかなり時間がかかる場合もあるので注意されたい）に任せることにして、検索システムを装備しないこともある。そのような最小構成の場合でも、IIIF Image API を採用せずに単なる JPEG 画像を IIIF Presentation API に準拠して参照することによって、十全ではないにせよ IIIF 対応は可能である。この場合には、画像ファイルとメタデータ（そしてそこから生成した IIIF manifest）のテキストファイルを Web サーバーに静的ファイルとして設置するだけとなる。したがって、DA サーバーの構成としては、「静的なファイルを提供する 1 台の Web サーバー」ということになる。非常に簡素な構成であり、IIIF にしばしば期待される画像の部分切り出しや回転等は対応できないものの、IIIF Presentation API を用いたアノテーションを外部から行うといったことは可能であり、IIIF の意義を一定程度実現できる。

画像の部分切り出しや回転、あるいは高解像度の画像を分割して表示するといった機能を利用するためには、サーバー側で IIIF Image API に対応するサーバーを用意する必要がある。これは、「分割画像が欲しいと Web ブラウザが問い合わせてきたらそれに対してサーバー上の画像の一部を返戻するために不特定多数からのアクセスをずっと待ち受けているソフトウェアを起動しておく」ことであり、つまり、IIIF Image API に対応したソフトウェアをインストールして常時起動しておくことになる。これを実現するためにはまずセキュリティポリシー上の制約に抵触しないかどうかということが最優先の確認事項だが、その次に、実際に利用する DA サーバー自体が IIIF Image API 対応ソフトウェアをインストールして、常時起動しておくことが可能かどうかを確認する必要がある。これは、最小限の構成であれば DA サーバー単体で対応可能である。また、メタデータや全文テキストの検索システムをある程度大がかりに構築する場合には、そういった検索システムのサーバーとは別に画像ファイルを置いておくサーバーを用意する複数台の構成として、画像サーバーの方にこのソフトウェアをインストールすることもある。

DA サーバーは公開されるものであるため、セキュリティを確保するためにはサーバー上でできる操作はなるべく制限した方が安全である。したがって、データは別のところで作成した上で、公開用のデータのみを DA サーバー上に転送して配置するのがセキュリティ上はおすすめである。しかしながら、DA サーバーに載せるデータ、とりわけ画像ファイルはかなり大きく重いものとなることもあり、公開用サーバーのスペースと別に作業用のスペースを確保することが困難な場合もある。そのような場合、DA サーバー上に CUI でリモートログインして、画像をアップロードした後はサーバー上で種々の作業をするというワークフローをとることも考えられる。リモートログインが可能であれば、外部からできる作業の幅も広がり、保守点検やちょっとした修正等の手間もあまり大きくせずに可能となる場合もある。リモートログインについては観点によって短所長所があり一概にどちらを推奨するとは言いきれないが、とりあえず可能かどうかの確認をしておくことは有益だろう。

DA サーバーのサーバー機能として、HTTPS、すなわち、SSL 証明書を用いた Web サーバーとブラウザ間の暗号化通信への対応可能性はぜひ確認しておきたい。そして、できる限り HTTPS に対応できるようにしておきたい。というのは、近年の Web のセキュリティにおいては、HTTPS で作成されたサイトから HTTP のコンテンツを読み込む際にブロックされてしまうケースがあるからである。つまり、IIIF 対応コンテンツの場合、公開した画像を他のサイトの Viewer やコンテンツに読み込んでもらうことで利便性を高められるというのが大きなメリットだが、HTTP のみで公開した場合、HTTPS 対応サイト上の Viewer やシステムから読み込みができない場合がある。したがって、可能な限りHTTPSに対応することを推奨する。なお、近年の多くのサーバーソフトウェアはHTTPSに対応しており、また、HTTPSに無料で対応するためのLet's Encryptというサービスが広く使われているため、セキュリティポリシーとして許容されているならぜひ対応されたい。

DAサーバー、特に画像配信機能を持たせるサーバーの機能として、HTTP/2が利用かどうか、ということは事前に確認しておき、可能であればHTTP/2を選択しておくとよいだろう。HTTPはHyper Text Transfer Protocolの略で、Webでのデータのやりとりに際してサーバーとクライアント（Webブラウザ）との通信の手続きを決めている規格である。現在もっとも広まっているのはHTTP/1.1（バージョン1.1）だが、バージョン2.0が10年程前から普及し始めている。IIIFでは、特に高精細画像の場合には、画像を分割した小さなタイル画像やアノテーションのデータ等、たくさんのファイルを一度に大量にサーバーから読み込む形になるのだが、このような大量のファイルをサーバーから読み込む際に、HTTP/1.1では多数のファイルを一度にやりとりすると大きな負荷がかかってしまうため、一度に読み込めるファイル数に制限があり、すべてを読み込むのに時間がかかってしまう。高精細画像であれば、ズームしたり拡大場所を動かしたりした際に裏側では大量のタイル画像が読み込まれることになるが、その場合に時間がかかってしまうことになる。それに対して、HTTP/2の場合、一回の接続において多数のファイルを効率的にやりとりできる仕組みを導入した結果、読み込みファイル数の制限がかからない仕組みとなっているため、タイル画像の数が増えた場合のアクセス遅延が少なくなるというメリットがある。ただし、HTTP/2を採用するためにはWebサーバーがHTTPSに対応している必要があり、この点も含めて確認が必要となる。

以上のようなことを踏まえつつ、DAサーバーに関しては以下のようなことを確認しておきたい。また、DAサーバーを新規に導入するのであればコラム「デジタルアーカイブシステムの仕様書作りについて」を参照していただきつつ、仕様の決定に際して留意事項として参考にされたい。

【DAサーバーの機能に関する確認事項】

1. DAサーバーの構成はどうなっているか。
2. DAサーバーに外部からログインできるかどうか。
3. DAサーバーのスペックはどれくらいか。
4. DAサーバーはIIIF専用か、それとも他のサービスと兼用か。
5. DAサーバーへの画像等のデータアップロードのために可能な方法としては何があるか。
6. DAサーバーへのデータアップロードに利用可能な回線速度はどれくらいか。
7. DAサーバーへ一般利用者がアクセスする際の回線速度はどれくらいか。
8. HTTP/2は利用可能かどうか。
9. Python等のプログラミング言語はDAサーバー上で利用可能か。
10. コンテンツ管理システム（Drupal、Omeka等）のインストールは可能かどうか。

1-1-3. ストレージ関連事項

サーバー・システムにおいて確認すべき重要事項としては、ストレージのサイズや形式、操作方法等もある。基本的に、ストレージは大きければ大きいほど多くの高精細なデータを公開できることになる。しかしながら、大きすぎると、バックアップが大変になってしまったり、アクセスが集中しすぎた場合に負荷分散を考えなければならなくなることもある。また、大容量のストレージを利用する場合には、ストレージをサーバーと切り離してネットワーク経由でアクセスするNAS（Network Area Storage）を利用するという選択肢が相対的に安価でかつ拡張可能性が高いために、NASが採用されることが多いと想定されるが、NASの場合、アクセス速度がそれほど速くないため、ある程度大きな画像データにアクセスさせようとすると、ややアクセスが遅くなってしまうことがあるようだ。ネットワークやハードウェアの構成に依存する話ではあるが、個人的な経験としては、400MBを超えるとやや遅延が目立つように思った。そのような大きな画像の場合、サーバーの内蔵ストレージに画像を置くことで問題を回避可能なこともある。そのためにある程度の内蔵ストレージを確保しておくか、あるいは、そもそも内蔵ストレージのみでサーバー・システムを構築することもあり得る。実際のところは、アクセス速度にはさまざまな要因が関わるため、ストレージは一つの重要な要素ではあるものの、それだけで判断できるものではなく、稼働するようになって問題が生じた時に対処するということになる場合もあるだろう。

セキュリティポリシー上可能であるという前提でのことだが、このストレージのデータに外部からアクセス可能かどうか、ということも構築・運用のワークフローと関わってくる重要な事項である。たとえば、NASであれば、設定次第では同じネットワーク内のパソコンからマウス操作でフォルダやファイルの出し入れが可能である。そうなれば、作成したIIIF関連の画像や各種ファイルを使い慣れたパソコン上でコピー＆ペーストするだけでIIIFでの公開やデータの修正が可能となるため、ワークフローの構築が比較的容易になる場合もあるだろう。あるいは、これもセキュリティポリシー上可能であるという前提が必要だが、サーバーに外部からログインしてCUIでストレージのファイル操作が可能な場合には、Python等で作成したプログラムを用いて直接サーバー上で画像処理やIIIF manifestの自動生成、あるいはそれらの修正といった作業がリモートログインで実施できるため、ワークフロー構築に際しての柔軟性を高められる。また、外部からログインできなくとも、サーバー上でCUIによりストレージにアクセスできるというだけでも、各種自動処理を実行できることになる場合が多い。さらに、この場合に、ストレージに余裕があれば公開環境に画像をアップロードした後に画像の変換を行うということも可能である。したがって、CUIを介してストレージサーバーにリモートログインできるかどうかという点は、ストレージの容量とあわせて確認しておきたい。そのようなことから、ストレージに関しては以下の点について確認しておくとよいだろう。

【ストレージに関する確認事項】

1. ストレージの容量はどれくらいか。
2. ストレージ容量の拡張性はどうなっているか。拡張可能だとしたらどれくらいの容量まで可能か。
3. ストレージの形式はサーバーに内蔵型か、外部接続でもSAN等の高速接続型か、あるいはLAN接続を利用するNASか。
4. ストレージのサーバーは外部からログインしてCUIで操作可能かどうか。
5. ストレージへのアクセス速度（特にデータの読み出し速度）はどれくらいか。
6. ストレージへのアクセスはサーバー以外のPC等からGUIで可能か。
7. ストレージへのアクセスはCUI（あるいはコマンドライン）でLAN内、あるいは外部からでも可能か。

DA構築に際して検討すべきサーバー・システムとの関係については、検討すべき事項は多岐にわたるものの、準備段階では上記のようなことを確認しておくことがひとまずは目安となるだろう。

1-2．目指す機能の検討

IIIFに準拠したDAを構築する場合には、すでに典型的なシステムやViewerが提供されているため、通常のDA構築に比べると目指すべきシステムの目安を立てやすいという面がある。それでも、IIIF対応を前提とした場合でもいろいろな選択肢が存在するため、それを踏まえて目指す機能を明確化しておく必要がある。

考え方としては、1. 画像の配信方法、2. メタデータ（目録情報等）に関する機能、3. アノテーションや全文テキスト等の付加情報、といったことを検討していくことになる。以下、個別に少し検討してみよう。

1-2-1．画像の配信方法

IIIFでの画像の配信方法については、IIIF Image APIの機能レベルをどれくらいに設定するか、あるいはそもそもIIIF Image APIを利用するかどうかを決める必要がある。IIIFの機能を十全に活かすのであれば、IIIF Image API level 1か2を採用することになり、利便性は極めて高まるものの、サーバーソフトや画像サイズ、画像変換など、いろいろ検討すべき事項が出てくる。一方、先に述べたように、IIIF Image APIを利用せずに単なるJPG画像を配信するのみとするなら、画像の閲覧に関して検討する事項はあまり多くない。この場合、機能はかなり不足するものの、それでも、IIIFの枠組みのなかで参照可能なコンテンツという位置付けは確保できる。たとえば、アノテーションは可能であり、また、画像の部分切り出しもサーバー側ではなくクライアント側で切り出す仕組みを用意できれば対応可能である。上述のように、セキュリティポリシーやDA

サーバーの制約によりすでに選択肢がなくなっている向きもあるだろうが、Image API 対応サーバーの導入が可能である場合には、高精細画像のタイル化による部分配信や画像の縮小拡大、部分切り出し、回転等のさまざまな機能を利用可能な画像配信となるので、導入を強く推奨する。

【画像の配信方法に関する検討事項】

1. IIIF Image API 対応サーバーを採用するか、あるいは採用せずに通常の JPEG 画像で表示するか。

1-2-2. メタデータ（目録情報等）関連の機能

メタデータの扱いは DA においては重要な課題である。利用者に対して DA のコンテンツをみつけやすくしようとするなら、メタデータを検索できるようにするのが一般的な手段である。検索に関しては、たとえば、Drupal や Omeka 等のコンテンツ管理システムではメタデータ検索機能を備えているためこういったシステムを採用する場合には、公開に向けた一連の作業を進めていく中でメタデータ検索も可能となる。あるいは、企業が提供する DA 向けシステムでもこの機能は標準装備されていることが多いため、その場合も検索機能の導入について特別に気にかける必要はないだろう。一方、DA 閲覧システムを自前で開発しようとする場合には、検索機能を用意するかどうかは検討事項の一つとなる。もし用意するのであれば、Web データベースを利用するのか、あるいは、Web ブラウザの JavaScript で実現するのか、という選択肢が出てくる。あるいは、用意しないのであれば、代わりに各種 Web 検索エンジンやジャパンサーチから検索できるようにメタデータを提供したり工夫したりするという方法がある。

自前で用意する DA サーバーにおけるメタデータ検索システムの有無については、予算や運営体制に大きく依存することになる。

メタデータ検索のために Web データベースを用意する場合は、DA サーバーの一部として動作させることが多いだろう。セキュリティポリシー上、これを運用可能か確認する必要があるが、可能であれば、次に、データベースに用いるソフトウェアのセキュリティ対策を十分にできる体制・予算になっているかどうかを確認しておきたい。その上で、ソフトウェアの選択をすることになるが、Web データベースは採用可能なデータの形式に応じて選択肢がさまざまに用意されているため、これを追求するのであれば Web データベースそのものについて調査検討するとよいだろう。エクセル等で作成した単なる表形式の目録情報であれば、MySQL や PostgreSQL といったデータベースソフトウェアがフリーソフトウェアとして利用可能であり、目録情報が RDF（Resource Description Framework）形式になっていれば（あるいはそうすることが可能であれば）、Virtuoso や Jena 等の RDF ストアを用いることも選択肢に入る。あるいは、大規模データで検索を速くしたり、なんらかのあいまいな検索を実装したいのであれば、ElasticSearch や Apache Solr のような全文検索ソフトウェアを用いる方法もある。データの形式や分量、検索方法のニーズなどにあわせて適切な選択をされたい。

データの件数がそれほど多くない場合には、Webブラウザ内で完結する検索システムを開発・提供することもできる。この場合は、JavaScriptを用いて検索システムを作成し、利用者が検索ページをWebブラウザが読み込んだ際に検索用データも同時に読み込む形になる。データの大きさとWebブラウザを動かすパソコンの性能にもよるが、個人的な体感としては、2〜3MB、数千件のデータであればそれほど問題なく検索表示可能であるように思われる。この場合、サーバー側でプログラムを動作させる必要がないため、セキュリティポリシー上は比較的実現しやすい。そして、サーバーとのやりとりをせずに検索を行うため、一度Webページとして読み込んだ後は、検索のレスポンスは速い。とはいえ、JavaScriptで作成する以上、セキュリティ問題が生じた場合はプログラムの改修などの対応が必要になるため、メンテナンスフリーというわけにはいかないという点には注意されたい。それを踏まえた上で、条件次第ではこの形式も検討に値するだろう。

一方、継続的な運営やシステム更改の予算の見込みが困難な場合には、検索を外部サイトで行う形を有力な選択肢の一つとして検討されたい。近年はそうした解決方法がいくつか提示されており、標準的なHTML等で静的なデータを作成して一般の全文検索エンジンから検索できるようにするという方法と、ジャパンサーチにメタデータを提供するという方法がある。後者については、どの組織でもすぐにでも登録できるというわけではなく、一定の制約があるが、実現可能性について確認してみるとよいだろう。

メタデータについては、作者、タイトルなどは一般によく立てられるものだが、それ以外についてどのような項目を立てるかという課題もある。類似のデータを持つ他のデータベースと同じ項目を立てておけば、横断検索の利便性が増すことになる。これからDAを作成するのであれば、同じ分野の代表的なDAと同じ項目とするのも一つの手だろう。また、Webにおける標準的な規格としてDublin Coreというものがあり、これはやや汎用的すぎるきらいもあるものの、それゆえに横断検索のような用途には適している。あるいは、分野によっては国際標準的な取り決めがすでに用意されている場合もある。博物館資料であればCIDOC-CRMがあり、アーカイブズ史料であればISAD(G)がある。また、人文学資料全般、なかでも特に古典籍・貴重資料についてはTEIガイドラインが国際的には広く用いられている。こういったデータ形式に準拠した場合、より分野のニーズに即した検索やそれを踏まえたDA同士の横断検索が可能となり、専門的な利用者には高い利便性を提供できることになるだろう。なお、こうした細やかなメタデータを他分野のDAとの横断検索を実現する場合には、横断検索用の項目へとまとめなおすルールを設定する（これをメタデータのマッピングと呼ぶことがある）ことで比較的容易に実現可能である。

日本でDAを構築する場合、漢字や仮名などの異体字を多く含む文字体系をメタデータに含むことになることもあるだろう。異体字は、東アジアに限られた問題ではなく世界各地でそれぞれにさまざまな課題があるようだが、漢字の異体字は数も多く、すべてをUnicodeで網羅できているわけでもない。ここではその対処方法について網羅的に記述する紙幅はないため簡潔に述べておくと[2]、まずは、複数存在する正字・異体字等の形の異なる文字のなかで特定の文字、字体、あるいは字形を選択するにあたってのルールを DA のなかで取り決めて一本化しておくことが重要である。新字体、もしくは旧字体に統一するといったルールでもよいだろう。そして、どちらかに寄せたあとは、検索システムの方で検索時にその揺れを吸収できるような仕組みを導入するとよいだろう。

【メタデータ関連の機能に関わる検討事項】

1. メタデータの検索機能を導入するか。
2. 導入する場合、どのようなデータ形式と検索ソフトウェアを採用するか。
3. 導入しない場合、検索に関してはどのように対応するか。
4. メタデータの項目はどのように設定するか。国際標準的なルールに対応するか。
5. メタデータ中の異体字等の文字の扱いはどうするか。

1-3．メタデータの準備

メタデータの準備に関しても、若干触れておきたい。メタデータ作成という言い方では何か技術的で難しいことをするように捉えてしまう向きもおられるかもしれないが、基本的には目録一覧のことである。たとえば、目録一覧のデータでタイトル、著者（作者）、所蔵番号といった情報が個々のセルに独立して入力されたエクセル等の表があれば、それを使うだけでも最低限のもの（あるいはそれだけでも十分という場合もある）は作成できる。あるいは、表ではなくテキストファイルとして作成されたものであれば、データ変換を得意とする人にお願いして表形式に変換してもらうという手もあるだろう。とにかく、何らかの形でコンピュータに文字入力してあれば、それを転用するのが基本である。あるいは、すでに高度なメタデータを作成済みであれば、それを IIIF 対応の DA に転用することは容易にできるだろう。

既存のメタデータを Web で公開するに際しては、権利処理について確認する必要があることも稀に存在するため、その点についても留意されたい。誰が書いても同じことになるような情報は創作性がないために著作権は認められないとされるようであり、メタデータの大半は知識さえ十分にあれば同じものが書けるはずであることから著作権保護の対象にはなりにくい。そこで、Web 公開とともにメタデータは自由な利用に供するという方向性が近年は目立ってきている。一方、メタデータも詳細なものであれば、資料の来歴情報などで創作性が認められるようなテキストが含まれる場合もあり得るため、著作権等の権利について検討の余地が生じることもあるかもしれない。たとえば、ケンブリッジ大学デジタル図書館の貴重資料のメタデータは来歴情報をはじめとして書誌に関する様々な情報が詳細に書かれていることが多く、CC BY-NC-ND のライセンスの下で公開されており、著作物であることが前提となっていると考えられる。とはいえ、この点を過剰に気にしすぎると公開作業に支障をきたす上に杞憂に終わる可能性もあるため、うまくバランスをとることが重要である。また、いずれにしても、目録情報を作成した方々の専門知と努力に対して敬意を払うことは忘れてはならない。

一方、そういった既存のデータがない場合には、その種のデータの作成もDA構築作業の中に含まれることになる。まず、目録として冊子などを刊行している場合には、特にそれが活字であるなら、OCRにかけてテキストデータ化するという方法もある。最近のOCRはソフトウェアによってはかなり性能が高いものもあり、大きな手間をかけずにおおよそ正確なデータを作成することもできるかもしれない。ただし、紙の目録の場合、デジタルデータとしての公開を想定せずに作成されている可能性があり、Web公開時の利用条件をどうするか、そもそもWeb公開可能か、ということも場合によっては確認する必要があるため、注意されたい。あるいは、紙の目録も存在しない場合であっても、個々の資料の識別番号があれば、資料の性質にもよるが、場合によっては、とりあえずデジタル撮影などをした上で、識別番号を頼りにWebから関係者のみが見えるような形にして、Webで画像を確認しながらメタデータを追加していくという方法もある。この場合、Google Spreadsheet上で作業するのが効率的かつ有用だろう。また、Omeka等のコンテンツ管理システムでもそういった共同作業がWeb上で実現可能である。

なお、Google Spreadsheetやエクセル等の表形式で作成する場合には、総務省が策定した「統計表における機械判読可能なデータ作成に関する表記方法」[3)] に従うことで、より適切な検索が可能なメタデータを作成できるため、可能な範囲でぜひ参考にされたい。

新たにメタデータを作成するにしても、既存の目録やデータに対してWeb公開用に何らかの変換を行うにしても、DAサーバーに検索のために載せるメタデータの項目は、何らかの既存の国際標準・業界標準的なルールに沿って作成することが後々のために有用である。これについては前項で述べたとおりである。そのようにして作成したメタデータは、IIIFの枠組みでは少なくとも二つの活用方法がある。一つは、後述するIIIF manifestのmetadataの項目に組み込んでいく方法であり、もう一つは、何らかのルールに沿って作成したメタデータのファイルをWebに載せてURLを与え、そのURLをIIIF manifestの対応項目に記述するという方法である。特に後者に関しては、より専門的な文脈からの活用への道が拓かれるため、可能であればぜひ対応されたい。あるいは、項目をどうするかについて自ら調査するための手がかりがみつからない場合には、同じ・もしくは近い分野でデジタル化を強く推進している機関の実務者や研究者に問い合わせてみることも検討されたい。

【メタデータの準備に関する検討事項】

1. 既存の目録情報はデータとしてはどれくらい入力されているか。
2. 権利面と技術面の両方の観点から、既存の目録情報データはDAに転用可能か。
3. データがまったくない場合、紙の目録情報は存在するか。
4. 紙の目録情報は、権利面においてDAに転用可能か。
5. 目録情報が紙でもデータでも存在しない場合、どのようにしてメタデータを作成するか。
6. メタデータは検索しやすい形になっているか。

7. 関連する分野等でよく用いられる標準的なメタデータ形式・項目は存在するか。
8. 標準的なメタデータ項目が存在する場合、それに準拠可能か。
9. 標準的なメタデータのファイルを作成して Web 公開するか。
10. 標準的なメタデータについての情報が得られない場合、関連組織等に問い合わせてみる。

1-4．画像等のコンテンツデータの準備

大部分の DA ではデジタル撮影画像をコンテンツとすることが多いだろう。近年は動画や音声、3D をコンテンツとするものも徐々に登場しつつあるが、ここでは主に画像について採りあげる。

2023 年現在、デジタル画像はスマートフォンをはじめとしてさまざまな局面で日常的に用いられるものになっており、その可能性や課題については多くの人が共有しているだろうが、念のため簡単に確認しておこう。

デジタル画像は、撮影やスキャンした際の機器の性能に精度が左右される。そして、この種の機器は着々と性能が向上しており、さらに、費用をかければかけるほどより精度の高い機器を利用できることになる。つまり、精度を高めようとすると、費用面でどこかにしわ寄せが来ることになるため、目指す目的に沿った精度かどうかを検討することも重要である。DA の場合、作成者がすべての用途を想定できるわけではなく、むしろ想定外の使い方をされることで DA の新たな可能性が拓かれるということもあり、作成時点での判断で必要以上に精度を下げることが可能性を狭めてしまうことも考慮しておく必要がある。たとえば、古典籍資料の本文さえよめればいいからとモノクロでデジタル画像作成したものの、朱入れの状況を調査したい人にとってはそれでは不十分ということになってしまうことはよくみられる。この場合は結果的に再度のデジタル撮影となることもある。そもそも、現物資料から作成するデジタルコンテンツはデジタル技術の向上によって再作成の必要が生じることもあり、たとえば、当初の画像作成時点よりも大幅に高精細な画像が一般化した場合、再デジタル化作業をせざるを得なくなる場合もある。したがって、その点を考慮しながらデジタル化しなければならないが、そうであるにしても、あまり短期間に再作成の必要が生じないように、なるべく長く広く使われるようなデジタルコンテンツを作成しておきたい。

画像の形式については、保存用と公開用で区別しておくことが望ましい。実際に DA で用いる公開用の画像はオリジナル画像よりもある程度解像度を落としたものとなることが多いようだが、画像の再撮影の必要をなるべく生じさせないためにも、保存する際には無圧縮か、もしくは可逆圧縮の画像を保存しておくべきである。画像形式としては JPEG 圧縮をしていない可逆圧縮の TIFF 形式や、JPEG2000 が長期保存には比較的適している。そして、保存している媒体が壊れてもデータが消失しないように、複数のメディアにコピーを作成しておくことをおすすめする。テープドライブや光ディスク等、長期保存を念頭に置いたメディアもあるので、予算的に可能であればぜひ検討されたい。あるいは、デジタルデータを長期保存するための手続きを定めた

OAIS 参照モデルという規格もあるので、きちんと保存しようと思う場合には、そちらを参照されたい。

公開用画像の形式の選択には、デジタル画像を IIIF 対応で表示させるための Image API 対応サーバーソフトウェアとの兼ね合いが重要になる。ソフトウェアによっては、高精細の JPEG 画像をソフトウェアがリアルタイムに分割して配信してくれるものもあるが、あらかじめ一つの画像を複数サイズに縮小した上で大きいサイズについては分割したタイル画像として、それらをすべてまとめて一つのファイルにするファイル形式に対応しているものもある。前者の方が画像を準備する手間は少なくなるが、解像度の高い画像を多く公開する場合や、たくさんのアクセスが見込まれる場合には、前者ではサーバーの負荷が大きくなってしまってアクセスが遅延してしまいがちであるため、サーバーの負荷を減らしてアクセスを快適にするために後者を選択できるとよいだろう。この種のファイル形式としては、JPEG2000 と Pyramid TIFF がよく用いられる。JPEG2000 はさまざまな点で優れたファイル形式であり、一応、フリーソフトウェアでも利用できるものの、高速に処理をするためにはあまり安くない有料ソフトウェア（ライブラリ）を購入する必要があり、予算が比較的潤沢な組織でよく用いられているようである。一方、Pyramid TIFF はフリーソフトウェアでも十分に利用できるファイル形式であり、IIIF では広く用いられている。画像サーバーソフトウェアと画像形式の関係については、現時点での大まかなものを二つ、以下に記載しておく。

1. Cantaloupe（JAVA で書かれている。単体でサーバーとして稼働）
   https://cantaloupe-project.github.io/
   対応画像形式 : JPG PNG, BMP, Pyramid TIFF, JPEG2000
2. IIP Image Server（C++ で書かれている。FastCGI 等で Web サーバーと連携して稼働）
   https://iipimage.sourceforge.io/
   対応画像形式 : Pyramid TIFF, JPEG2000

また、IIIF Image API を用いずに単体の JPEG 画像を表示させる場合には、単に JPEG 画像を用意するだけでよい。この場合は、画像を閲覧する際にファイルを丸ごとダウンロードすることになるため、ファイル容量が大きくなりすぎないように注意する必要がある。大きくても数 MB くらいにとどめておくのがよいだろう。

IIIF の枠組みにおいては、2 次元のデジタル画像に関しては専用の API が定義され、それに対応した画像サーバーが提供されているが、それ以外のメディアについては特にそういったものはなく、今のところは Web ブラウザ自体が提供する機能を通じて利用する形になっている。2 次元デジタル画像以外には、動画や 3D モデルなどさまざまなコンテンツがあり得るが、準備にあたっては、いずれも、デジタル化時点でのコスト、フォーマットの持続可能性・オープン性・普及度、ファイル容量、Web ブラウザ等での読み込みのしやすさ、といった点を勘案しながら検討することになる。

【画像等のコンテンツデータの準備に関する検討事項】

1. 画像の精度とコストの兼ね合いをどうするか。
2. 画像の長期保存のための画像形式・保存メディアをどうするか。
3. 公開用画像の形式やファイル容量をどうするか。
4. 2次元画像以外の場合、上記の諸事項をどうするか。

2. コンテンツの利用条件に関する検討

IIIFに準拠するにあたっては、コンテンツの利用条件を明記することが推奨されている。このことの重要性はIIIFとはあまり関係がなく、IIIFに準拠しないとしても重要なことなのだが、とにかく利活用の可能性を高めるためには必須の事項である[4)]。

利用条件についてまず検討すべきことは、デジタル化するコンテンツに著作権があるかどうか、という点である。著作権があるなら、著作権者と相談する必要が出てくる。メタデータでも、詳細なものを作成した場合には著作権があると考えられることもあるだろう。いずれにしても、Webで公開する場合、ユーザー認証等をかけない限り誰にでも見えてしまい、何らかの方法でコピーできてしまうため、コピーされることを前提とした上で、それに対してどこまで利用を許可するか、という観点から検討する必要がある。クリエイティブ・コモンズ（CC）・ライセンスは、Web上でのコンテンツの在り方を踏まえてよく練られた利用条件であり、近年は世界中で広く用いられている。詳しくはCCの公式サイト[5)]などをご覧いただきたい。

一方、DAのなかには、著作権保護期間を満了した資料や著作権保護の対象とならない資料をコンテンツとするものが多い。著作者とのやりとりを発生させずに済むため実務的に公開の難易度がかなり低いことがその理由としては大きいだろう。Web上で公開されている著作権保護期間満了デジタルコンテンツの複製を制限することは、日本では法的にはかなり難しいようである。Webに公開することは、すなわち、万人による自由な理由に供すると考えるのが穏当だろう。しかしながら、近年のデジタルアーカイブの構築・運用に関わる予算編成等の状況に照らしてみると、これに取り組む組織が当該資料を所有しデジタル公開していることについて何らかの明示的な評価を受けることで予算編成を有利に運ぼうとする組織が散見される。そのような場合には、法的には権利がなかったとしても、デジタルコンテンツの再利用について何らかの条件を提示しようとすることがある。この場合、実際のところは、条件というよりは、公開者から利用者に対して行われるお願いという位置付けになるだろう。なお、CCライセンスはあくまでも著作権に関する利用条件であるため、このような場合には利用を避けるべきであるとしている。したがって、このような場合には、CCライセンスを用いるのではなく、再利用の際に所蔵者を明記することを要望するといった形での義務ではない条件を提示することが一つの方法となるだろう。あるいは、こういった条件を提示するための手法として、公開組織が利用条件や権利状態を提示するための Rights Statements という仕組みが提供されており、部分的には利用可能な場合もあるだろう。詳細は公式サイト[6)]を参照されたい。

利用条件を決定できたなら、その条件を書いた URL を用意しよう。CC ライセンスや Rights Statements を利用する場合には、それぞれの条件に対応する URL が提供されているため、それを使用すればよい。あるいは、上記のような独自の利用条件を設定する場合、それを記載した Web 頁を作成し、その URL を用いることになる。国際的な利用を考えるなら、Web 頁には英語での説明も記載しておくことが望ましい。この URL は、IIIF manifest においてそのための項目があるので、そこに記載しておくことになる。

【コンテンツの利用条件に関する検討事項】

1. 公開予定のデジタルコンテンツは著作権保護期間中か。
2. 著作権保護期間中の場合、利用条件に関する著作者の意向はどうか。
3. クリエイティブ・コモンズ・ライセンスは適用可能か。
4. 著作権が適用されないコンテンツの場合、利用条件を提示するか。
5. 法的根拠がない状況で利用条件を提示するとしたら、どのようにするか。

3．画像の変換

保存用画像と Web 公開用画像に、同じ画像ファイルを使うことはあまりないだろう。保存用画像は撮影時の精度をなるべくそのまま反映した状態のファイルとして保続しておく一方で、そこから何らかの変換をかけて Web 公開用画像を作成して公開するのが近年は一般的である。また、それに加えて、快適な閲覧のためには、各画像に対するサムネイル画像も作成しておく必要がある。そういった画像の作成に際しては、元画像から何らかの変換処理をかけることになる。

ここまでみてきた中で、画像の変換としてよく用いられそうなのは、Web での閲覧用に容量を小さくした JPEG か PNG 画像、あるいは、比較的大きなサイズの画像を小さくしたものを複数用意しつつそれぞれをタイル画像として分割配信できるようにした Pyramid TIFF、そして、サムネイル画像としての JPEG か PNG 画像である。これらへの変換について、以下にもう少しみてみよう。

DA においては、一度に処理する画像はかなり数が多くなることもある。手作業で一つずつ変換するのでは、数百・数千・数万等の画像の処理はやや困難だろう。このような場合には、一括処理をすることが有用である。一括処理は、Adobe Photoshop 等の GUI のソフトウェアでも可能な場合もあるが、より安価に高速に行うには、コマンドラインを用いるか、あるいは Python のようなプログラミング言語での処理がおすすめである。そのような場合にも、コマンドライン処理のために画像処理ソフトウェアが必要となる。フリーソフトウェアで有名なもので使いやすいものとしては、ImageMagick[7] と VIPS[8] がある。よく用いられる ImageMagick version 6 では mogrify[9] という一括処理コマンドがついており、コマンドライン（CUI）上でこれを用いればかなり容易に一括での画像変換が可能である。一方、処理速度のはやさという点では VIPS に軍配があがるようであり、大規模な処理をする場合は VIPS をおすすめするところである。VIPS もコマンドラインから利用できるが、さまざまなプログラミング言語からも使えるようになっており、プログラミングに習熟したい向きにはよい訓練になるだろう[10]。

【画像の変換に関する検討事項】

1. JPEG や PNG 画像に変換するか、Pyramid TIFF に変換するか。
2. 一括変換は GUI と CUI（コマンドライン）のどちらで処理するか。
3. CUI を用いるとしたら、ImageMagick のコマンドを利用するかプログラミングをするか。
4. プログラミングをするとしたら、利用可能なプログラミング言語は何か。

4．検索システムの準備

検索システムの準備については、メタデータの準備についての説明ですでに触れたので内容的には重複する部分が大きいが、一応、ここでも改めて簡潔に説明しておきたい。一般的な利便性を備えた DA を構築するためには、メタデータやアノテーション等の検索システムを何らかの形で用意する必要がある。もっとも簡素な方法は、Google 等の検索エンジンにデータを持っていってもらうことを前提にして、コンテンツごとにランディングページを作成して、そこに検索させたいキーワードをすべて記載しておく方法である。次善の策として、もしジャパンサーチにメタデータを載せるルートを持っている組織の場合には、メタデータをまとめてジャパンサーチに提供するという方法もある。この方法は、単に構築が簡素というだけでなく、検索システムを自前で提供した場合に生じるセキュリティ問題への対策が高度化せずに済むという点において運用上も難易度が低い。

一方、自前で検索システムを提供したいというニーズも少なくないだろう。Omeka 等のコンテンツ管理システムを利用した場合には、検索システムがすでに組み込まれており、DA を構築していくことがそのまま検索システムの構築にもつながっていくため、検索システムの準備についてそれほど気にする必要はないだろう。あるいは、検索自体を凝った作りにして利便性をより高めたいという場合は、データベースや検索ソフトウェア等を用いて自ら検索システムを構築することも検討してもよいだろう。この場合、異体字検索の扱いや外字を検索する場合など、かなり細かい調整が可能となる。この種の構築を行うためにはある程度の技術を伴う作業が必要になるが、予算を獲得して専門家や専門企業に外注したり、担当者が自ら勉強して独自に構築するといった方法がある。また、研究者のなかにはこういったシステムを構築することを研究活動の一環としている人もいるので、そういう研究者に相談してみるという手もあるだろう。ただ、気をつけておきたいのは、その場合の持続可能性、つまり、企業にしても研究者にしても、その担当組織・担当者がいなくなった時にメンテナンスや改良ができなくなってしまわないようにしておくという点である。これには、データ形式は国際標準的な規格に従ったものが利用できるか、ソフトウェアはオープンソースのソフトウェアを使う形となっているか､が重要なポイントになる。

【検索システムの準備に関する検討事項】

1. そもそも自前のサーバーで検索システムを提供するのか。
2. 利用するDAサーバー・システムに検索システムがすでに用意されているか。
3. 検索システムを自前で用意する場合、誰が担当になるのか、どのような予算で行うのか、関連する業務の分担はどのようになるのか。
4. 自前で検索システムを開発する場合の持続可能性はどうか。

5．IIIF manifestの作成

IIIF manifestの作成は、IIIFに準拠したDAを構築するにあたって欠かせないものである。画像やメタデータ、注釈等のさまざまなデータを一つの資料としてまとめあげてWeb上で一括して一定の手続きで扱えるようにしたのがIIIF manifestである。ここまでに説明してきた、画像を表示するためのIIIF Image APIやDAサーバー上にあるJPEG画像はURLとしてここに記述されることになる。

IIIF manifestは、ファイルとして作成してもよいし、アクセスごとに生成されるデータとして用意してもよい。いずれの場合でも注意しておきたいことは、このIIIF manifestは、保存用のフォーマットではないという点である。保存用フォーマットとしては、それぞれの分野ごとにきちんと定められた形式が存在するものであり、それに準拠してきちんと作成し保存しておくべきである。その上で、そのようにして作成されたデータからIIIF manifestを生成することが望ましい。

IIIF manifestにおいてもう一つ注意しておきたいのは、これは資料のメタデータのための形式ではないという点である。IIIF manifestはメタデータを含むことができるようになっているものの、さまざまな分野のフォーマットのメタデータを取り込めるようにする必要があるため、メタデータの項目は特に定めていない。メタデータの項目は自由に設定してよいが、それも含めてきちんと記述するというのがIIIF manifestにおける約束事である。

この記述ルールはIIIF Presentation APIにおいて説明されており、これを熟読すればIIIF manifestの作成は可能である。ただし、JSON-LDやWeb annotationなど、既存の技術規格を前提として説明されているため、読み込むためにはそういった知識も要求される。したがって、Web技術に知悉している人でない限り、基本的には独力で読み込もうとするのはやや難しいだ

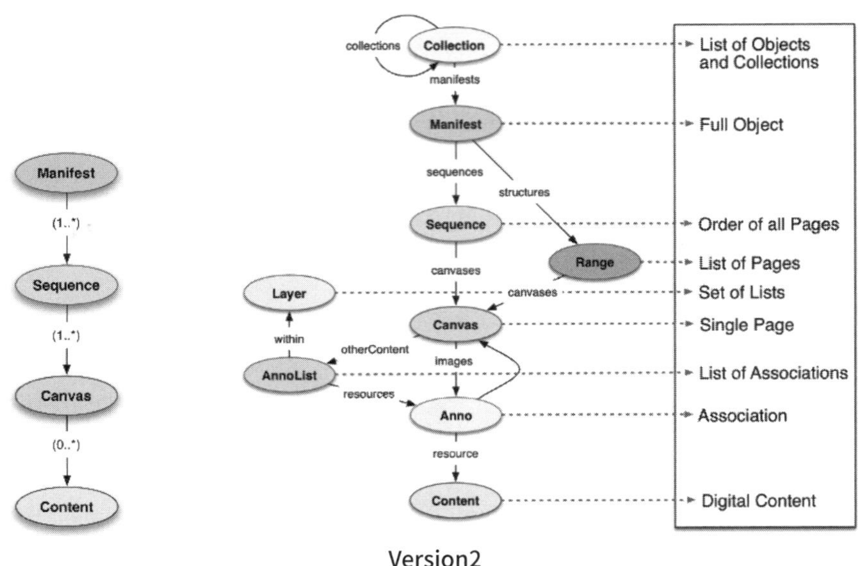

Version2

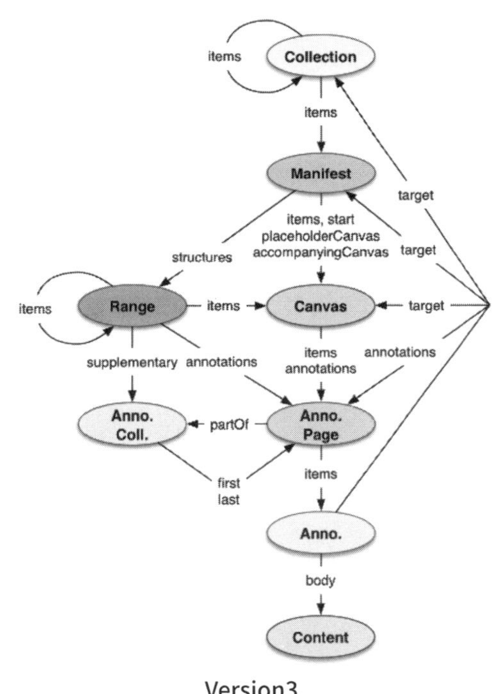

Version3

ろう。ただ、この説明をすべて理解しなくてもIIIF manifestの作成は可能であり、以下にその概要を述べていきたい。

IIIF Presentation APIは、現在、version3が最新であるものの、version2も広く用いられており、version2しか対応していないアプリケーションも存在することから、現時点ではversion2とversion3の両方に対応することが適切だろう。この二つのバージョンにはいくつかの大きな違いがある。version3ではJSON-LDというデータ形式は同じであるものの、動画・音声を適切に扱うためにタイムラインの概念が導入されており、また、データモデルそのものも変更されていることから、構造は異なったものになっている。また、version3ではメタデータ項目を含め各項目に言語情報を付与して多言語化できるようになっており、その点でも下位互換性はない。とはいえ、IIIF Presentation APIは、元になるデータが存在することを前提に、それを相互運用するために存在するものであり、元になるデータからversion2とversion3をそれぞれ作成する形にできれば、あまり問題にはならないだろう。

IIIF Presentation APIの元になるデータは、コンテンツのメタデータと、そのコンテンツに含まれる各画像のURLである。さらに、もし用意されているのであれば、各画像に対して付与されたアノテーションなどのデータも含まれることになる。version3における音声・動画の場合も、基本的には同様だが、アノテーションをコンテンツと紐付けるための情報として時間情報の扱い方が定義されているという点が異なっている。

IIIF Presentation APIのversion2とversion3のデータモデルを図にしたものがIIIF協会の公式サイトに掲載されているのでそれを引用しつつ、少し検討してみよう。

Version2は、古典籍等のまとまった紙の資料をデジタル化したものを比較的強く念頭に置いていたと考えると理解しやすいものだが、古典籍等の一つのまとまったコンテンツを表す概念としてManifestがあり、その資料に含まれる各頁等の個々のものの並び順を示す概念としてSequenceがあり、そこで並べられる個々のCanvasに個別の画像やアノテーションなどが集約されることになる。つまり、一つのコンテンツに含まれる画像等のデータは、まずは各頁に対応するCanvasに集約され、この頁単位で順番を得て、一つのまとまったコンテンツを形成することになる。一方、version3は、Sequenceが拡張される形でAnnotation Pageが導入され、version2を踏まえつつ、Canvasに対してCanvasを重ねることができるようになっているなど、柔軟性が高められている。

IIIF manifestの作成は、各項目とそこに書き込むべき内容を確認しながら進めていくことになる。最初にモデルとなるものを作成する際には多少は手で入力する必要があるが、すべてを手入力で作成するのではなく、モデルとそれに基づくいくつかのサンプルを作成した後はそれに沿って既存データから自動生成するやり方をおすすめする。あるいは、いくつかの項目を入力すればあとは自動的にIIIF manifestを作成してくれるWebサービスやプログラムが公開されていることもあるので、Webを探してみるのもよいだろう[11)]。

モデルの作成にあたっては、タイプが異なる資料について、それぞれ作成してみよう。画像・動画・音声といったタイプの違いはもちろんだが、それだけでなく、一枚物の資料と複数ページがある資料では書き方が異なる場合があるのでそれぞれモデルを作成しておくのがよいだろう。あるいは、古文書であれは、表と裏で異なる内容が異なる順番で書かれている場合もある。古典籍では乱丁や落丁などもあり得るだろう。おおまかに資料のタイプをわけてモデルを作っておくことは、データ作成の場合でも利用者の利便性という観点でも有用である。

作成したIIIF manifestの形式が仕様にきちんと準拠しているかを確認するには、IIIF協会による公式のvalidatorが公開されている[12)]ので、まず、サンプルを作成した際には必ずこれでチェックをされたい。

IIIF manifestができたら、次はIIIF collectionの作成も検討されたい。IIIF collectionは、一つのIIIFサイトに含まれるIIIF対応コンテンツの一覧を記述するためのものであり、これを公開すれば、DA上のデジタルコンテンツにアクセスできる仕組みを外部の者でも容易に作れるようになる。また、IIIF viewerの中にはIIIF collectionに対応しているものもあり、その場合には、IIIF collectionのファイルの方でコンテンツを分類して記述しておけば、分類して提示する役割を Viewer 側に任せることができる。これは、用途によっては非常に便利な場合がある。IIIF collection の内容としては、そのコレクションに含むコンテンツの IIIF manifest の URI と label(作品名等)、各種メタデータや概要、権利情報、提供者などのごく基本的な情報を書き込むことができる。つまり、このファイルを参照すれば、その DA で公開されているコンテンツの全体像を機械可読の形で把握できるため、広くコンテンツを利用してもらいたいという場合には多大な有効性を発揮できる可能性がある。なお、これは、IIIF manifest の URI のリストがあればそこから自動的に生成することも可能である。作成したいが作業が大変そうだという場合には、本書のフォローアップサイトにもそのためのスクリプトが紹介されているので、利用を検討されたい。

【IIIF manifest の作成における留意事項及び検討事項】

1. IIIF manifest は保存用フォーマットではない。
2. IIIF manifest は対象資料のメタデータについては特に規定していない。
3. IIIF manifest は、一つのコンテンツを示すファイルもしくはデータであり、対象となる画像の URL やメタデータ、アノテーション等を含む。
4. IIIF manifest の作成では、資料のタイプごとにモデルを作成すべきである。
5. IIIF manifest は、すべてを手入力するのではなく、モデルを作成できたらあとは元データから自動作成できるようにするとよい。
6. IIIF manifest を作成したら、サンプリング的にいくつかのファイルを IIIF 協会の validator にかけて形式の確認をすべきである。
7. IIIF manifest は、version2 と version3 の両方を作成しておくとよい。
8. IIIF collection は、現状ではやや面倒だが、もし可能であれば作成しておきたい。

6．IIIF Viewer の選定

IIIF に準拠して DA を公開するなら、やはり Viewer は IIIF 対応のものを利用するのが低コストであり利便性も高い。また、IIIF の仕様においては IIIF manifest URI を与えればどの Viewer でも表示できることになっているため、利用者側が Viewer を選択できるようにしておくという方法もある。たとえば、以下の DA では、各資料画像の右下に四つの Viewer のアイコンが並べられており、好きなものを選択して画像を表示できるようになっている【図 1】。

一方、いろいろな Viewer を選択可能にできるとは言え、デフォルトで表示する Viewer を決めておく必要はあるだろう。Viewer はそれぞれに特徴を持っているものの、常に開発が継続されていて時々機能追加もあり、一概にどれがよいとは言えない面がある。全体的な傾向としてみてみると、Universal Viewer は図書館・博物館等での展示に適した簡素な表示と動画や 3D 等さまざまなメディアタイプに対応しており、筆者が見る限りではもっとも広く用いられているようである。

図１　東京大学総合図書館所蔵 サンスクリット写本 データベースより

Mirador は学術用途を志向しておりアノテーション表示機能や複数画面を並置する機能を持っている。Version3 では音声・動画にも対応している。プラグインの追加が可能となっているためアノテーション付与をはじめさまざまな機能が用意されており、さらに自分で開発・追加することも可能である。

IIIF Curation Viewer はアノテーション付与を中心として IIIF コンテンツをさまざまに活用することに重点を置いている。

TIFY は他に比べると簡素かつ軽量であり、モバイル対応や簡素なアノテーション表示機能といった特徴がある。

このように、IIIF viewer にはさまざまなバリエーションがある。ここに挙げたもの以外にもいくつかのものがあり、独自に開発することも可能である。独自開発する場合には、IIIF Image API のみに対応している OpenSeadragon [13] という Web 画像 Viewer が用いられることが多いようである。OpenSeadragon は、Universal Viewer や Mirador にも組み込まれて画像表示を担当しているものであり、非常に多機能かつ安定したオープンソースソフトウェアであり、IIIF に限らず Web 上で高精細画像を表示するようなサイトにおいて採用されている例は多くみられる。IIIF 準拠の DA で採用する場合には IIIF manifest を処理する部分を別途開発する必要があるが、それさえ開発できればよく、さらに、OpenSeadragon 独自の機能を組み合わせて活用することもできるため、応用範囲は幅広い。

IIIF においては、このようにして Viewer を選択できることも魅力の一つである。デフォルトの Viewer は提供するコンテンツの良さを体験してもらうことにつながるため、なるべくコンテンツの想定用途に適したものを選択するのがよいだろう。いろいろ検討してみていただきたい。

【IIIF Viewer の選定に関する検討事項】

1. なるべく複数 Viewer を選択できるようにしておく。
2. デフォルトの Viewer にはコンテンツの想定用途になるべく適したものを選択する。
3. Viewer を独自開発するという道もある。

7．公開とその後

公開に際しては、基本的に一般的なDAについての留意事項と同様である。まず、現在の日本でDAのコンテンツを広く活用してもらおうと思うなら、ジャパンサーチへメタデータを提供することは最良の方法である。IIIF対応のDAであれば、提供するメタデータにIIIF manifest URIを含めることで注目度はより高まる。そこで、自らの組織がジャパンサーチにメタデータを提供する手続きを採ることが可能かどうか、まずは確認してみることをおすすめする。それに加えて、分野的に、あるいは内容的に関連する著名なDAやデータベース、特に、統合的な情報提供を目指しているところがあれば、情報提供をしておくとよいだろう。また、Webサイトや SNS、報道関係者向けプレスリリースなど、一般向けの広報の仕組みが身近にあれば、それもぜひ活用しておきたいところである。

公開後は、(1) システムや機器のトラブルへの対応、(2) コンテンツの問題への対応、(3) セキュリティ対策、(4) IIIF等のバージョンアップへの対応、(5) システム更改への対応、といったことが課題となる。なお、これらの課題はIIIFを採用しないDAにおいてもほとんど同様であり、DAの一般論と軌を一にするものとなることを御承知置きいただきたい。

7-1．システムや機器のトラブルへの対応

DAは、基本的に、特に理由がない限りずっと運用するものである。Web公開するものは外部の他者から参照されることを前提とすることになるため、何らかの理由で停止してしまったり、コンテンツが見えなくなってしまったりした場合、元に戻さなければならない。Webはいろいろな技術や機器を組み合わせて運用されているものであり、ネットワーク機器やサーバーコンピュータ、そこで動作するさまざまなサーバーソフトウェアが常に期待通りに動作する必要がある。どこかにトラブルが生じた場合、そのトラブルを元に戻すために、機材を購入したり、それを設置したり、あるいは設定を修正するといったことが必要になる。つまり、交換用機器購入の費用と、対応作業をするための人件費が必要となる。DA構築を専門企業に依頼する場合には、保守契約の締結を提案されることが多いと思うが、これはそうした突発的な事態に対応するためには非常に重要である。価格の相場は多様だが、組織などの運営上無理のない価格で保守契約を締結しておくことが望ましい。

また、DA構築を自らの組織、あるいは自分で行った場合には、要交換となった機器の購入費用は別途必要になるが、人件費にあたる部分は既存の人件費の中に埋め込まれる形になる。自前で機器購入をする場合には、サーバー用コンピュータであれば、故障した際に、単に交換用部品を提供してくれるだけでなく、担当者が現地に来て部品交換を行う保証サービスを選択できる場合もある。現地対応は5時間以内、翌日等々そして、故障対応の申し込みの時間帯も、24時間365日対応や平日のみ対応など、料金に応じていくつかのメニューが提供されていることもある。それぞれにそれなりの費用がかかるため、予算次第ということになるが、必要に応じて検討して

みるとよいだろう。

いずれにしても、運用を継続していくためには、突発的な事態に対応するための担当者と手続き、そして若干の予算は見込んでおく必要がある。

7-2．コンテンツの問題への対応

DAは、構築する主体がコンテンツのあらゆる側面を把握しているとは限らない。コンテンツをなるべく把握した上で適切な解説もきちんと付けて公開することもあるかもしれないが、とりあえず所蔵している貴重そうな資料があるからDAとして公開してみるということもあるだろう。あるいは、構築作業を進めていた担当者が人事異動でいなくなって内容がよくわからないまままとりあえず引き継いで作業を進めるということもあるだろう。いずれにしても、DAで公開したコンテンツは、しばしば、利用者の方が内容をよく知っているという場合があり、そのなかで、公開の仕方や解説の内容等について修正の指摘を受けることがある。これは、内容によっては放置してもよい場合もあるかもしれないが、対応した方がよい場合もある。何らかの権利に関わる問題が生じる場合は特に対応した方がよいだろう。この種の問題に対応するためには、データの修正が必要になることが多い。そこで、データ修正作業を誰がどのような手続きで進めるのか、その際の責任者は誰になるのか、といった点を公開前に確認しておき、公開後はそれに沿って進められるようにしておく必要がある。あるいは、企業と保守契約を結んでいる場合には、コンテンツを勝手に操作できないようになっていることもある。したがって、保守契約を結ぶ際には、コンテンツ修正の手続きについてよく確認しておく必要がある。あるいはまた、組織の誰かがDA構築を担当した場合には、その人が対応できない状況を想定して、他の人でも対応できるように手順を明確化して共有しておく必要がある。また、法的な問題になる場合には、弁護士等の専門家に相談する必要がある場合もある。専門家に相談する場合の手順や相談先についても確認しておくとよいだろう。

7-3．セキュリティ対策

コンピュータのソフトウェアには、バグがつきものである。しかも、DAのように不特定多数からアクセスできるコンピュータを公開する形になる場合には、そのバグを突いて外部から侵入できるようになってしまうことも少なくない。セキュリティバグを狙う攻撃の中には、相手はなんでもいいからとにかく多数のコンピュータに侵入してそれらを踏み台にしてさらに大がかりな攻撃をしようとする場合もあるため、基本的に、目立たないDAであっても攻撃の対象となってしまう場合があり、対策は必須である。

セキュリティに関わるバグが発見された場合には、ソフトウェアをアップデートする必要がある。Windowsアップデートと同様に、現在はその種のセキュリティ対策は一般化しているため、その必要性については多くの方々が理解していることだろう。DAの場合には、サーバーソフトウェアのアップデートとなるためやや手順が複雑な場合もあるが、基本的にはそれほど大変なこ

とではない。自動アップデートの設定をしておくという手もある。ただ、担当者と確認や作業の手順を決めておいて、漏れがないようにすることは重要である。

また、ゼロデイ攻撃と言われる、セキュリティバグが発見されてからソフトウェア提供元が対策版を配布し始めるまでの期間に攻撃が行われる場合がある。このような場合に備えて、サーバーのログ（自動的に記録される動作状況のデータ）を確認しておくことも必要である。これについても、やはり担当者と対応手順を決めておく必要がある。

DA に限らないことだが、人的なセキュリティ対策ももちろん重要である。データの扱いに関する権限を定めたら、それ以外の人が勝手に操作できないように、技術的も組織的にもきちんと手続きを定めておく必要がある。管理者パスワードの運用もこの観点から重要である。

あるいは、ソフトウェアに問題がなくても、設定の仕方によりセキュリティ上の問題が発生する場合もある。これは特に構築時点でのチェックが重要となる事柄である。専門的な知識が必要となるため具体的にチェックするといった対応はやや難しいが、DA 構築の経験が豊富な企業や専門家に依頼すれば問題が生じることはあまりないと期待したいところである。

また、DA のような公開システムに関する深刻なセキュリティ問題は、独立行政法人情報処理推進機構（IPA）の Web サイトのセキュリティ情報[14)] に掲載されることがある。DA の運用を担当することになった場合には、そこを見て、自らの DA と関係ないかどうかを確認するくらいのことはしておくとよいだろう。確認の有無は、自ら判断できなくとも、保守契約を結んでいる企業があれば、そこに問い合わせれば十分だろう。

7-4. IIIF 等のバージョンアップへの対応

これは IIIF に限らないことだが、DA はいろいろな規格に対応して構築されることになる。画像の規格、配信の規格等々である。セキュリティ上の問題はない場合でも、利便性が向上するためにバージョンアップを検討した方がよい場合もある。IIIF の場合には、主な API である Presentation API と Image API の技術仕様が最近 version2 系統から version3 系統へとバージョンアップし、特に Presentation API に大きな変更が加えられた。version2 系統に対応しているソフトウェアも未だに少なくないため、version2 を完全にやめてしてしまうのは早計だが、二つのバージョンを共存させられるようになっているため、余力があれば version2 と version3 を両方とも公開しておくとよいだろう。ソフトウェアや規格によってはバージョンアップの際に旧バージョンを削除しなければならない場合もあり、その場合には周到な検討が必要だが、この件については両対応という選択肢があるため大きな問題にはならない。特に文化資料を扱う DA の場合、新しいものにすぐに移行するというのは困難な場合が多いため、そのような事情をよくわかっている文化資料系エンジニアたちが開発する IIIF は、その点ではやや安心感がある。

7-5. システム更改への対応

DA は、ホスティングサービス等の形で他の組織の公開用サーバーを利用するのでない限り、いずれはシステム更改をする必要がある。あるいは、ホスティングサービスであっても、やはりシステム更改は必須であり、それも含めた運用体制と料金体系を備えている場合もあるが、組織（主に企業）の体力によってはシステム更改の際にホスティングサービスが終了してしまったり新システムへの移行費用を要求してきたりする場合もある。なぜこれが必要なのかと言えば、コンピュータにもソフトウェアにも寿命があるからである。コンピュータの寿命は物理的な面もあるため比較的わかりやすい。5年が一つの目安になるだろう。

ソフトウェアの寿命にはいくつかのパターンがあるが、よくあるのはセキュリティ対策のバグ修正が行われなくなるケースである。この場合には、新しいソフトウェア、あるいは別のソフトウェアに入れ替えるしかない。入れ替えにあたっては、設定の変更などが必要になるため、それなりの手間がかかってしまい、ある程度の専門知識も必要となる。現在のDAのシステムの多くは、さまざまなソフトウェアを組み合わせることで成立しているものであり、構成要素となるものの一つでバグ修正が行われなくなり、それに伴って全体として使えなくなってしまうということもある。近年のわかりやすい例としては、Flash対応のDA用画像ビューワがFlashの開発停止によって全面的に使えなくなってしまい、それを導入していた全国各地のDAが皆システム更改を迫られたということがあった。

Flashのケースでは、実際に使えなくなってしまうということでシステム更改が必須となったが、動作はするもののセキュリティ対策が行われないまま公開され続けるというケースもある。特に、OS（Operating System）のセキュリティ対策のバグ修正期間が終了してしまうと、OSを入れ替えざるを得なくなる。OSの入れ替えは、ハードウェアはそのままでソフトウェアだけをアップデートすることもできるが、DAに用いられるさまざまなソフトウェアのバージョンアップや入れ替えを伴うことになるため、実質的にシステム更改と言わざるを得ないような大がかりな作業となる。企業に依頼する場合には、多額の費用を請求されることになり（つまりそれに値する作業ということになる）、内製で実施する場合にもかなりの時間を要する作業になる。すでに稼働しているDAであれば、なるべく止めずに済むように、新OS環境での動作テストを実験環境で実施してから本番移行を行うことになるため、作業としては大きな負担となることは間違いない。これは、予算が許す限り、なるべくハードウェアの寿命にあわせて実施するのが妥当だろう。

システム更改時には、自前でハードウェアを用意するか、組織内・あるいは組織外の企業などのホスティングサービスを利用するかの選択が改めて可能となる時期でもある。それぞれにメリット・デメリットがあり、これを機にその都度十分に検討するのがよいだろう。ただし、発注から納品までにはかなりの時間がかかり、他の形態に移行するのであればデータの出し入れや変換なども必要となるため、現状から変更しようとするなら、検討を開始する時期はなるべく早い方がよいだろう。

8．まとめ

ここでは触れなかったが、IIIF には認証機能を定める API が規定されており、それに対応するソフトウェアも徐々に出てきている。認証機能を組み込めば、利用者を限定した DA の提供や、コンテンツに対して段階的に利用権限を設定するといったことも可能になる。IIIF の便利な機能を利用しつつ認証もかけたいという場合は利用を検討するとよいかもしれない。

なお、ここで提示した IIIF 準拠の DA 作成方法は、DA を広く活用できるものにするための方法の一つである。ここでは、筆者の経験を踏まえ、幅広い利活用をなるべく低コストで実現するという観点から最良の方法と考えるものを提示しているが、DA の構築・運用の目的はさまざまであり、そして、その目的を実現する方法もさまざまである。たとえば、IIIF を敢えて利用しないという考え方もあるだろう。筆者としては、広く活用されることを目的とするのであれば IIIF の採用が現状では最良と考えているが、それもまた議論の余地があると考える人もいるだろう。そもそも自らの DA が広く活用されるべきものかどうかということ、そして、広く活用されるべきだとしたら、そのために IIIF が最適かということを検討しつつ、構築方法を選択されたい。

この章で紹介した内容に関わるより具体的なハウツーやプログラムなどをフォローアップサイト（https://www.dhii.jp/dh/iiif/）に掲載しているので、適宜参照されたい。

注

1 https://www.dhii.jp/dh/iiif/

2 詳しくは、一般財団法人人文情報学研究所監修『人文学のためのテキストデータ構築入門』を参照。

3 https://www.soumu.go.jp/main_content/000723626.pdf

4 この問題については、京都大学人文科学研究所共同研究班編『日本の文化をデジタル世界に伝える』（2019 年、樹村房）に詳述してあるので参照されたい。

5 https://creativecommons.jp/licenses/

6 https://rightsstatements.org/en/

7 https://imagemagick.org/index.php

8 https://www.libvips.org/

9 ImageMagick version 7 ではこのコマンドに変更があり、magick mogirify のようにして利用することになっている。

10 このプログラミングの例については、フォローアップサイトを参照されたい。https://www.dhii.jp/dh/iiif/

11 本書のフォローアップサイトでも簡易な IIIF manifest 作成用の Python プログラムを公開している。

12 https://presentation-validator.iiif.io/

13 https://openseadragon.github.io/

14 https://www.ipa.go.jp/security/index.html

COLUMN 1

IIIF Change Discovery API: IIIF リソースハーベストのための枠組み

西岡千文

1．はじめに

IIIF に準拠して公開されるリソース（以下、「IIIF リソース」[1)]）は増加している。ただし、それらの IIIF リソースは検索システム等のアプリケーションを通じて見つけられる場合のみに有用だといえよう。このことから、IIIF リソース、特にそのメタデータが、アプリケーションに効果的に収集される仕組みが必要となる。さらに、IIIF リソースに変更が加えられた際には、アプリケーションに反映させなければならない。

このようなことから IIIF リソースの作成・更新等の変更をアプリケーションに反映させるための枠組みとして IIIF Change Discovery API の検討が 2018 年頃より実施され、2021 年 6 月に Version 1.0 が公開された。

IIIF Change Discovery API は、IIIF リソースを発見・利用するために必要となる情報を機械間で提供する方法を策定している。具体的には、デジタルアーカイブ等コンテンツ提供者が利用に供している IIIF リソースの変更についてのリストの記述方法を定義している。コンテンツ利用者[2)] はリストを処理することで、IIIF リソースの検索等を可能にするアプリケーションを実装できる。

なお、メタデータスキーマの策定や推奨については、IIIF Change Discovery API の範囲外である。多様な分野でそれぞれのユースケースを満たすさまざまな標準が普及していることから、各々の分野のコミュニティで決定するべきである。また、機械間での転送に関する推奨等、コンテンツ伝送に関する最適化についても対象外である。

本章では、IIIF Change Discovery API を Version 1.0 の仕様[3)] に沿って概説する。

2．IIIF Change Discovery API の概要

IIIF リソースの発見を可能にするには、デジタルアーカイブ等のコンテンツ提供者側で公開されている IIIF リソースの情報を、検索システムをはじめとするコンテンツ利用者に簡潔かつ容

易に伝える必要がある。IIIF Change Discovery API は、このコンテンツ提供者・コンテンツ利用者間のコミュニケーション方法を策定している。具体的には、W3C Activity Streams [4]（以下、Activity Streams）の仕様を使用して IIIF リソースの変更を記述し、シリアライズする。コンテンツ提供者・コンテンツ利用者間のコミュニケーションは ResourceSync [5] に基づく。

Activity Streams は、World Wide Web Consortium（W3C）によって策定された Web の標準化技術の一つであり、オンライン上のさまざまなアクティビティを表現するためのフォーマットを提供する。これにより、異なるアプリケーションやサービス間でのアクティビティの共有と受け渡しが容易になる。一方、ResourceSync は、二つのサーバー間でコンテンツの同期を行うためのプロトコルである。

IIIF Change Discovery API では、IIIF リソースの作成・更新等の変更は Activity Streams の Activity オブジェクトに沿って記述される。ここで記述の対象となるのは、IIIF Presentation API のリソースの変更である。そのうち、IIIF Presentation API の Collection と Manifest 型のオブジェクトは、コンテンツとそれに関するメタデータへの主要なアクセスポイントであるため、IIIF Change Discovery API が特に対象としている。しかし、IIIF Image API のオブジェクトのメタデータ等、他のタイプのリソースへの変更を記述するアクティビティにも対応できる。

IIIF Presentation API では、記述的なメタデータのフィールドを提供しておらず、高度な検索やフィールド検索の実装に必要なセマンティクスを意図的に欠いている。その代わりに、seeAlso プロパティを使用することで、提示されるコンテンツに関する豊富で分野固有の情報を有する外部ドキュメントにリンクすることが可能である。たとえば、博物館分野のリソースは CIDOC-CRM または LIDO 記述への seeAlso 参照を持つかもしれないし、書誌リソースは Dublin Core または MODS 記述を参照するかもしれない。IIIF Change Discovery API に加えて、これらの外部にある記述も積極的に利用されるべきである。

本節では、IIIF Change Discovery API の概要として、IIIF リソースへの変更を表現する Activity とその記述形式のレベル（2-1 項）、さらに Page、Collection という概念（2-2 項）を導入する。

2-1．Activity と三つの適合レベル

IIIF Change Discovery API では IIIF リソースの変更についての情報を Activity Streams の Activity オブジェクトとして記述するが、特徴としてその記述形式に三つの適合レベル（レベル 0 ～ 2）を設けている点が挙げられる。レベル 0 では、公開している IIIF リソースの HTTP(S) URI をリスト形式で提供するだけである。これは、人的・技術的資源の少ないコンテンツ提供者も IIIF Change Discovery API へ準拠しやすくする仕組みである。レベル 1 では、レベル 0 にタイムスタンプが追加され、変更の古いものから新しいものへと順序付けされるため、利用するアプリケーションはリストを遡って処理でき、以前の処理で対応済みの変更に遭遇した場合は処理を停止できる。レベル 2 では、Activity の種別に関する情報が追加され、リソースの作成や削

除を明示的に記述できる。また、三つの適合レベルすべてにおいて、Web サーバー上の静的ファイルのみで実装できるように配慮されており、データベースの運用等は必要ない。

以下では、各レベルについて具体例を挙げながら説明する。

★レベル 0

検索システム等のコンテンツ利用者で IIIF リソースを提供するために必要な最低限の情報として、IIIF リソースの URI が挙げられる。レベル 0 では、IIIF リソースの URI のリストを提供する。リストでの IIIF リソースの順序について指定はないが、各 IIIF リソースはそれぞれ一回のみ出現するべきである。IIIF リソースが削除された場合は、リストから当該 IIIF リソースの URI を削除して再公開する必要がある。レベル 0 とレベル 1 では、変更の種類は「更新（Update)」のみであり、IIIF リソースが新たに作成された場合でも Update と記述する。レベル 0 は、レベル 1 とレベル 2 にも互換性があり、コンテンツ利用者は一つの枠組みでさまざまなレベルを適用する複数のコンテンツ提供者とやり取りを行うことが可能である。

レベル 0 での Activity の記述例 [6]**：**

```
{
  "type": "Update",
  "object": {
    "id": "https://example.org/iiif/1/manifest",
    "type": "Manifest"
  }
}
```

★レベル 1

リストに記載するべき IIIF リソースが多い場合には、コンテンツ利用者側でリストを最後に参照した時刻以降に変更された IIIF リソースのみを扱えば、処理する IIIF リソース件数を減少させられる。リストを最後に参照した時刻以降に変更された IIIF リソースを特定可能とするため、レベル 1 は endTime プロパティを設けており、変更が発生した時刻を明記できる。リストは、最新の Activity（すなわち、endTime プロパティに記載されている時刻が最も新しい Activity）が最後に来るようにソートされなければならない。コンテンツ利用者は、リストを逆順に、末尾から先頭に向かって処理することが求められる。

レベル 1 での Activity の記述例：

```
{
  "type": "Update",
```

```
    "object": {
      "id": "https://example.org/iiif/1/manifest",
      "type": "Manifest"
    },
    "endTime": "2017-09-20T00:00:00Z"
  }
```

★レベル 2

レベル 2 は、最も詳細に IIIF リソースの変更に関する Activity を表現できる。各 IIIF リソースには更新、削除等複数の Activity が発生する可能性があるが、レベル 2 では発生したすべての Activity を記録できる。レベル 0 と 1 で使用されていた「更新(Update)」に加えて、「作成(Create)」、「削除（Delete)」等を使用することで、さまざまな種類の Activity を明示的に記述できる。

なおレベル 2 は、コンテンツ提供者に対して完全な変更履歴の記述を求めるものではない。場合によっては、完全な変更履歴の記述は望ましいものでもない。多数の IIIF リソースに頻繁に変更があるケースでは、個々の変更を複数省略することが可能であり望ましくもある。たとえば、コンテンツ利用者やエンドユーザーから見えるコンテンツに影響がない変更等、重要でないものは省略できる。しかし、最新の変更については常にリストに含めるべきである。

レベル 2 での Activity の記述例：

```
{
  "type": "Create",
  "object": {
    "id": "https://example.org/iiif/1/manifest",
    "type": "Manifest"
  },
  "endTime": "2017-09-20T00:00:00Z"
}
```

2-2．Page と Collection

2-1 項で触れたいずれかのレベルに沿って記載された Activity は、Page オブジェクトとしてまとめられ、コンテンツ提供者での変更のセット（リスト）を構成する。Page は、そのセットの前後の Page、およびその一部である Collection オブジェクト（後述）を参照する。Page に記述されている Activity は、最新のものが最後になるようにソートされる。

Pageの記述例：

```
{
  "@context": "http://iiif.io/api/discovery/1/context.json",
  "id": "https://example.org/activity/page-1",
  "type": "OrderedCollectionPage",
  "partOf": {
    "id": "https://example.org/activity/all-changes",
    "type": "OrderedCollection"
  },
  "prev": {
    "id": "https://example.org/activity/page-0",
    "type": "OrderedCollectionPage"
  },
  "next": {
    "id": "https://example.org/activity/page-2",
    "type": "OrderedCollectionPage"
  },
  "orderedItems": [
    {
      "type": "Update",
      "object": {
        "id": "https://example.org/iiif/9/manifest",
        "type": "Manifest"
      },
      "endTime": "2018-03-10T10:00:00Z"
    },
    {
      "type": "Update",
      "object": {
        "id": "https://example.org/iiif/2/manifest",
        "type": "Manifest"
      },
      "endTime": "2018-03-11T16:30:00Z"
    }
  ]
```

```
}
```

Page は順序づけられて、Collection を構成する。Activity の件数は一つの Page で表現するには多すぎる可能性があることから、最初のエントリポイントとして複数の Page が Collection に集められる。Collection は最初と最後の Page の URI を参照し、最初の Page として最も古い Activity のリストの URI が、最後のページとして最新の Activity のリストの URI が記載される。

Collection の記述例：

```
{
  "@context": "http://iiif.io/api/discovery/1/context.json",
  "id": "https://example.org/activity/all-changes",
  "type": "OrderedCollection",
  "totalItems": 21456,
  "first": {
    "id": "https://example.org/activity/page-0",
    "type": "OrderedCollectionPage"
  },
  "last": {
    "id": "https://example.org/activity/page-214",
    "type": "OrderedCollectionPage"
  }
}
```

3．IIIF Change Discovery API における Activity Streams の詳細

Activity Streams は、コンテンツ提供者による IIIF リソースの作成、更新、削除等のアクティビティを表現するために利用される。JSON-LD で記述されることから、その他の IIIF API 群とシームレスに統合することができる。

本節では、Activity Streams で定義されるプロパティと型のうち、IIIF Change Discovery API で使用されるものを、必須または推奨とされているものを中心にまとめる。Activity Streams で定義されているが、IIIF Change Discovery API の仕様で記述されていないプロパティについても使用可能であるが、動作が保証されるものではない。

3-1．Ordered Collection で使用されるプロパティと型

Activity のリストを管理するための最上位の IIIF Change Discovery API のリソースは Ordered

Collection（2-2 項での Collection）であり、このリソースは Ordered Collection Page（2-2 項での Page）に分かれる。Ordered Collection は、変更に関する Activity を直接含まない。その代わりに、Activity のリストの最初と最後の Page の URI が参照される。

Ordered Collection の順序についてであるが、最初の Page の最初のエントリは最古の Activity であり、最後の Page の最後のエントリとして最も新しい Activity が来る。したがって、コンテンツ利用者は、最後のページの最後のエントリからリストを遡るように処理し、最後にリストを処理した時刻より前の Activity に到達した時点で停止することが求められる。一方、コンテンツ提供者は、Collection のプロパティ id に記載されている HTTP(S) URI で Ordered Collection を公開する必要がある。

以下に、Ordered Collection の主要なプロパティについて述べる。なお、必須・推奨ではないプロパティ totalItems、seeAlso、partOf、rights については本項での説明は省略する。

・id: Ordered Collection の識別子（必須）
値は文字列で、HTTP(S) URI でなければならない。この URI で Ordered Collection の JSON オブジェクトを取得可能でなければならない。
・type: Ordered Collection のクラス（必須）
値は OrderedCollection でなければならない。
・first: このコレクションの最初の Ordered Collection Page へのリンク（推奨）
値は JSON オブジェクトで、id プロパティと type プロパティから構成される。id プロパティの値は文字列でなければならず、コレクション内の最初のページの HTTP(S) URI でなければならない。type プロパティの値は文字列 OrderedCollectionPage でなければならない。
・last: このコレクションの最後の Ordered Collection Page へのリンク（必須）
コンテンツ利用者は最新のページから順に処理するため本プロパティは必須であるが、上記の first については推奨となっている。
値は JSON オブジェクトで、id プロパティと type プロパティから構成される。id プロパティの値は文字列でなければならず、コレクション内の最後のページの HTTP(S) URI でなければならない。type プロパティの値は文字列 OrderedCollectionPage でなければならない。

OrderedCollection の記述例：

```
{
  "@context": "http://iiif.io/api/discovery/1/context.json",
  "id": "https://example.org/activity/all-changes",
  "type": "OrderedCollection",
  "totalItems": 21456,
  "rights": "http://creativecommons.org/licenses/by/4.0/",
```

```
    "seeAlso": [
      {
        "id": "https://example.org/dataset/all-dcat.jsonld",
        "type": "Dataset",
        "label": { "en": [ "DCAT description of Collection" ] },
        "format": "application/ld+json",
        "profile": "http://www.w3.org/ns/dcat#"
      }
    ],
    "partOf": [
      {
        "id": "https://example.org/aggregated-changes",
        "type": "OrderedCollection"
      }
    ],
    "first": {
      "id": "https://example.org/activity/page-0",
      "type": "OrderedCollectionPage"
    },
    "last": {
      "id": "https://example.org/activity/page-214",
      "type": "OrderedCollectionPage"
    }
  }
```

3-2．Ordered Collection Page で使用されるプロパティと型

複数の Activity は Page 内の orderedItems プロパティでソートされており、さらに prev プロパティ（または next プロパティ）が示す関係に沿って Page から Page へシリアライズされている。各ページの Activity 件数は実装者に任されており、コンテンツ利用者がリクエスト時にパラメータ等で指定することはできない。また、Page 間で Activity 件数を統一する必要はない。コンテンツ提供者は、id プロパティ（以下参照）に明記された HTTP(S) URI で、少なくとも 1 件の Ordered Collection Page を公開する必要がある。

以下に、Ordered Collection Page の主要なプロパティについて述べる。なお、必須・推奨ではないプロパティ startIndex については本項での説明は省略する。

・id: Ordered Collection Page の識別子（必須）
値は文字列で、HTTP(S) URI でなければならない。値の URI によって、Ordered Collection Page の JSON オブジェクトを取得可能でなければならない。

・type: Ordered Collection Page のクラス（必須）
値は OrderedCollectionPage でなければならない。

・partOf: この Ordered Collection Page が属する Ordered Collection（推奨）
値は id と type プロパティから構成される JSON オブジェクトでなければならない。id プロパティの値は文字列で、このページが属する Ordered Collection の HTTP(S) URI でなければならない。type プロパティの値は文字列 OrderedCollection でなければならない。

・next: 次の Ordered Collection Page への参照（推奨）
Ordered Collection Page は、最後の Page でない限り、next プロパティを有することが推奨される。値は､id と type プロパティから構成される JSON オブジェクトでなければならない。id プロパティの値は文字列で、次の Ordered Collection Page の HTTP(S) URI である。type プロパティの値は文字列 OrderedCollectionPage でなければならない。

・prev: 前の Ordered Collection Page への参照（必須）
Ordered Collection Page は、コレクションの最初のページでない限り、prev プロパティを有する必要がある。値は、id プロパティと type プロパティから構成される JSON オブジェクトでなければない。id プロパティの値は文字列で､前の Ordered Collection Page の HTTP(S) URI である。type プロパティの値は文字列 OrderedCollectionPage でなければならない。

・orderedItems: この Ordered Collection Page にリストされるアクティビティの配列（必須）
値は 1 件以上の要素から構成される配列でなければならない。各要素は Activity に相当する JSON オブジェクトである。Activity が endTime プロパティを持つ場合、Ordered Collection で Ordered Collection Page がソートされているのと同様に、古い時刻から最新の時刻の順で配列内に記述されなければならない。

OrderedCollectionPage の記述例：

```
{
  "@context": "http://iiif.io/api/discovery/1/context.json",
  "id": "https://example.org/activity/page-1",
  "type": "OrderedCollectionPage",
  "startIndex": 20,
  "partOf": {
    "id": "https://example.org/activity/all-changes",
    "type": "OrderedCollection"
  },
```

```
  "prev": {
    "id": "https://example.org/activity/page-0",
    "type": "OrderedCollectionPage"
  },
  "next": {
    "id": "https://example.org/activity/page-2",
    "type": "OrderedCollectionPage"
  },
  "orderedItems": [
    {
      "type": "Update",
      "object": {
        "id": "https://example.org/iiif/1/manifest",
        "type": "Manifest"
      },
      "endTime": "2018-03-10T10:00:00Z"
    }
  ]
}
```

3-3．Activity で使用されるプロパティと型

Activity は、コンテンツ提供者で発生した変更を表現する。

以下に、Activity の主要なプロパティについて述べる。なお、必須・推奨ではないプロパティ target [7]、startTime、summary、actor については本項での説明は省略する。

・type: Activity の種別（必須）
type の値は Activity の種別として Create、Update、Delete、Move、Add、Remove、Refresh のいずれかでなければならない。以下の【表 1】はそれらの中でも推奨されている種別を取り上げており、その他は省略している。

・object: アクティビティによって影響を受けた IIIF リソース（必須）
値は、id と type プロパティから構成される JSON オブジェクトでなければならない。id は HTTP(S) URI であり、type は IIIF Presentation API で定義されている Collection または Manifest のいずれかであることが推奨される。

・endTime: アクティビティが終了した時刻のタイムスタンプ（推奨）
このプロパティの値は、xsd:dateTime 形式の UTC で表現されたタイムスタンプでなければ

表1　Activityの種別（推奨）とその定義

種別	定義
Create	リソースの作成。各リソースには、それがobjectとなるCreateアクティビティが1件あるべきである。削除後のリソースのURIが再利用される場合は、複数存在する可能性がある。
Update	リソースの更新。作成（Create）と更新（Update）を区別しないシステム（2.1項のレベル0、レベル1）では、すべての変更がUpdateとなる。
Delete	リソースの削除、またはWebからの公開解除。各リソースについて、それがobjectであるDeleteアクティビティは最大1件であるべきである。しかし、再公開されて再度削除された場合は、複数存在する可能性がある。

ならない。objectプロパティで明示された変更されたリソースは、値の時刻以前にそのURIで利用可能でなければならない。また、値はActivityがそのOrdered Collectionの一部として公開される以前でなければならない。

Activityの記述例：

```
{
  "@context": "http://iiif.io/api/discovery/1/context.json",
  "id": "https://example.org/activity/1",
  "type": "Update",
  "summary": "admin updated the manifest, fixing reported bug #15.",
  "object": {
    "id": "https://example.org/iiif/1/manifest",
    "type": "Manifest",
    "canonical": "https://example.org/iiif/1",
    "seeAlso": [
      {
        "id": "https://example.org/dataset/single-item.jsonld",
        "type": "Dataset",
        "format": "application/ld+json"
      }
    ]
  },
  "endTime": "2017-09-21T00:00:00Z",
  "startTime": "2017-09-20T23:58:00Z",
  "actor": {
```

```
      "id": "https://example.org/person/admin1",
      "type": "Person"
    }
  }
```


4. Activity Streams の処理アルゴリズム

本節では、コンテンツ利用者側が IIIF Change Discovery API によって利用可能な情報を最大限に活用することを目的として、IIIF リソースの変更の取得方法について述べる。わかりやすさのため、処理アルゴリズムは仕様に記載されているものから一部省略して記述している。

◆ collection に対する処理アルゴリズム

collection を入力として与えた場合、以下のように処理されなければならない。

(1) 初期化
  (ア) processedItems：処理されたアイテムのリスト、空の配列
  (イ) lastCrawl：前回処理が行われた時刻のタイムスタンプ、初めて処理された場合は null
  (ウ) onlyDelete：False
(2) HTTP(S) 経由で collection を取得
(3) (2)で取得した collection が、少なくとも処理に必要な特徴を有していることを検証
(4) collection.last.id で最後のページ（pageN）の URI を特定
(5) pageN にページに対するアルゴリズム（以下、page に対する処理アルゴリズム）を適用

◆ page に対する処理アルゴリズム

collection page（page)、処理されたアイテムのリスト（processedItems)、前回処理が行われた時刻のタイムスタンプ（lastCrawl）が入力として与えられたとき、以下の手順で処理されなければならない。

(1) HTTP(S) 経由で page を取得
(2) 取得した page が、少なくとも処理に必要な特徴を有していることを検証
(3) page.orderedItems（items）で page に収録されている変更のリストを特定
(4) リストの逆の順序で、items に格納されている各 activity に対して以下の処理を実施
  (ア) activity.endTime が lastCrawl よりも前の場合は terminate [8)]
  (イ) activity.type が Refresh であるかつ lastCrawl が null でない場合は onlyDelete を True に設定、activity.type が Refresh であるかつ lastCrawl が null の場合は terminate
  (ウ) 変更されたリソースの URI（activity.object.id）が processedItems にすでにある場合は continue [9)]

（エ）変更されたリソースの activity の種別（activity.object.type）がプロセッサに認識されていなければ continue

（オ）activity.type が Delete または Remove である場合、activity.object.id の URI をもつ IIIF リソースの削除を実行

（カ）onlyDelete が True である場合は continue

（キ）activity.type が Update、Create または Add である場合、activity.object.id の URI をもつ IIIF リソースの更新・追加等を処理

（ク）activity.type が Move である場合、activity.object の URI をもつ IIIF リソースを削除し、activity.target の URI をもつ IIIF リソースを追加

（ケ）処理された IIIF リソースの URI を processedItems に追加

（5） collection.prev.id で前のページ（pageN1）の URI を特定

（6） 前のページがある場合は、pageN1 に本アルゴリズムを実行

◆インデックス作成における留意点

上記のアルゴリズムを実行する主な目的は、検索システム等のコンテンツ利用者側で IIIF リソースの最新のインデックスを維持することである。このとき、変更された IIIF Presentation API のオブジェクトが seeAlso プロパティを有する場合には、それを利用することが推奨される。該当しない場合、Manifest およびその他の IIIF リソース内のデータを使用することができる。

5．IIIF Change Discovery API のレジストリ

機関リポジトリのレジストリでありハーベストに必要となる OAI-PMH のベース URL を提供している OpenDOAR[10] のように、コンテンツ提供者の最上位の URI が明示されたレジストリが IIIF コミュニティにも必要となる。このことから、IIIF コンソーシアムは、IIIF Change Discovery API の Collection のレジストリ[11] を管理している。このレジストリ自体が IIIF Change Discovery API の実装であり、最上位の Ordered Collection[12] が公開されている。レジストリへの登録は、GitHub のリポジトリ[13] 上でプルリクエストを送信することによって申請できる。

2023 年 8 月現在では、オックスフォード大学ボドリアン図書館の Digital Bodleian のみ掲載されており、Digital Bodleian の変更は Ordered Collection[14] から辿ることができ、実装例として参照できる。

6．おわりに

本章では IIIF Change Discovery API について概説した。IIIF Presentation API が W3C の Web

Annotation Data Model を基にしているのと同様に、IIIF Change Discovery API での IIIF リソースの変更についての記述形式は W3C が策定する Activity Streams に準拠したものとなっており、ウェブの既存の標準に従っている。また、Activity の記述形式について三つの適合レベルを設けており、準拠のハードルは低くなっている。

IIIF に準拠してリソースを公開する多くの機関が、OAI-PMH 等の枠組みで何らかのハーベスト方法を提供済みであることから、公開以降のその普及は緩やかではある。しかし、海外や異分野の IIIF リソースの探索や、機械学習のためのあらゆる分野の IIIF リソースのメタデータ、画像データの収集等、IIIF Change Discovery API が重要になってくる場面は増えてくるだろう。

IIIF Presentation API や IIIF Image API と同様に、事例を積み重ねてベストプラクティスを共有していくことが、肝要になってくるだろう。

注

1　本章では特に IIIF Presentation API で定義される Collection または Manifest 型のオブジェクトを指す。
2　本章では、コンテンツ提供者が公開する IIIF リソースのメタデータ等コンテンツを収集し、検索システム等のアプリケーションを実装する者を指す。
3　https://iiif.io/api/discovery/1.0/
4　https://www.w3.org/TR/activitystreams-core/
5　林豊、CA1845 – ResourceSync：OAI-PMH の後継規格、カレントアウェアネス、No. 323、pp. 17-21、2015. https://current.ndl.go.jp/ca1845
6　本章での記述例は、いずれも IIIF Change Discovery API の仕様（https://iiif.io/api/discovery/1.0/）から引用しているものである。
7　target はプロパティ type の値が Move であるときに必須のプロパティではあるが、Activity の種別として Move は推奨とはなっていないので、本項では省略する。
8　(4)の処理を終了し、(5)の処理を開始。
9　本 activity の処理を終了し、続く activity に対する処理を開始。
10　https://v2.sherpa.ac.uk/opendoar/
11　https://registry.iiif.io/
12　https://registry.iiif.io/index.json
13　https://github.com/IIIF/registry/
14　https://iiif.bodleian.ox.ac.uk/iiif/activity/all-changes

第3部

IIIFの活用事例

第 1 章

江戸期の佐賀地域における
情報基盤の構築とその可能性

吉賀夏子

1．はじめに

人の存在するどんなところにもかならず歴史が積み重なり、そこに住む人で共有される価値や個性が長い年月をかけて醸成されていく。規模の大小はあるが､その醸成された価値観は「文化」と呼ばれている。言い換えると、我々が現在当たり前のように受け入れている価値観には人の営みによる背景がある。その背景を過去の史資料から探ることで、現代の我々が身につけている論理のみでは理解不能な人の営みとその価値観の変遷を知ることができる。

地域の歴史や文化にまつわる事実が記載されている史資料の多くは、民家、旧家の蔵、古書店、古美術店、学校、博物館、図書館と至る所に散在している。しかし、それらのほとんどは適切に管理できないまま放置もしくは破棄されることもある｡運良く研究者や郷土史研究家らが発見し、適切に管理することができた史資料については、自治体などが運営する文書館や図書館に直接行き相応の手続きを経て初めて閲覧できる。

ただし、閲覧可能とは言うものの、古い資料は物理的に脆くなっているためほぼ禁帯出であり、通常はその場で内容を精査することになる。便宜のための写真撮影には許可が必要で、撮影許可が下りても今度は画像を研究や論文に活用し、Web などに掲載してもよいのかどうかを確認しなければならない。

こうしたことにより、地域の歴史文化に興味をもつ人々、特に研究を始めたばかりの学生が気の向くままに史資料を眺め、今時の Web を介した研究活動を進めていくにはハードルが高いのが現状である。

しかしながら、1990 年代以降に Web 空間が発展し、多様な文化財関連のデジタルアーカイブが構築された。そして、研究レベルで史資料の閲覧に耐えうる高画質な画像を Web ブラウザのみで閲覧できる IIIF［1］技術の開発が、少なくとも 2011 年には開始された。利用者は、特別なプラグインやソフトウェアのインストールなしに、ブラウザで地図を操作するように画像を拡大縮小したり複数の画面を並べて比較したりすることができるようになった。

地域の文化財・公文書を公開するデジタルアーカイブにとって、書誌レコードのみではなく、

IIIF技術を取り入れてそのコンテンツまで公開することは、劣化の進んだ一次資料を保護しつつ、資料そのものをデバイス上で直接確認することに大きく寄与する。2017年頃から開始した佐賀大学附属図書館所蔵の小城藩（おぎはん）による「日記」および「日記目録」のデータベース化プロジェクトが始まった当初、日本ではIIIFでの画像閲覧システムの普及は始まったばかりであったが、IIIF配信サーバーや対応ビューワーは誰でも利用可能なオープンソースソフトウェアであり、IIIF公式サイトには仕様が明確に示され、その上手本となるユースケースが掲示されていた。そのため、導入技術に関わる敷居の高さ自体はかなり抑えられていた。また、通信品質の高いインターネット回線が一般家庭に広く普及し、その上ファイル容量の大きいIIIF対応の高精細画像の圧縮技術が高度化するなど、ダウンロードとブラウザによる閲覧についても大きな支障はなくなっていた。そのため、日記類の画像をデータベース上で公開するに際して技術とインフラのミスマッチはほとんど起きなかった。

その一方で、導入や実装よりもはるかに問題であったのは、資料画像や書誌データの所蔵者との利用許諾に関する合意形成だった。学生、研究者をはじめ一般市民に対し、データベース上で掲載している画像とその書誌データすべてをWeb公開することに加えて、ダウンロードして研究や教材、SNS上での情報拡散などに広く利用してもらうことを前提とした利用許諾をあらためて決める必要があった。

さらに、地域の記録の多くは複数の機関にまたがって所蔵されていることがある。たとえば、佐賀大学で所蔵している日記や古典籍に関連する史資料は佐賀県立図書館などの自治体内、あるいは外にも残存している。そのため、特定の組織の利用許諾のみではなく、関連する史資料を所蔵する各組織にも新しい利用許諾の趣旨が受け入れられる素地の形成が求められた。

幸い、後述の「小城藩日記データベース」を公開した2018年前後は、著作物の知的所有権あるいは著作権に関わる利用許諾や再利用の意思表示をアイコン化して簡潔に伝えるクリエイティブ・コモンズ［2］（Creative Commons、CC）を日本の文化財関連組織が実際に利用する動きが顕著になった。そして、市民からの反響は大きく他の博物館・図書館でも導入が相次いだ。そのため、当データベース上のコンテンツに関してもCCを活用することに大きな問題は生じなかった。

また、データ利活用の一環として、構築したデータベース上のテキストから重要なキーワードを抜き出し、その意味合いを示唆する機械可読な付加情報を持たせてテキスト分析を可能にするデータ作りを試みた。この試みは、セマンティック・ウェブ（Semantic Web）という考え方を基にしている。

セマンティック・ウェブとは、Tim Berners-Leeが1998年に提唱したコンセプトで、インターネット上の情報を機械が理解・処理しやすい形で表現する仕組みである。データベースやファイルの内容をWeb空間でリンクとしてつなげ、データの意味や関連性を機械が解釈できるようにすることを目指している。これにより、情報の自動処理や効率的な検索・利活用が可能となる[3]。

具体的には、テキストデータに対して、日記の内容に登場する人物や地名、日時、それらに付随する出来事などがどのように関係しているのかを機械的に抜き出し分析可能にする固有表現抽出や、Web上からIIIF対応画像を呼び出し、任意のアプリ上で求める表示を行えるIIIF用メタデータ（Manifest）の構築を行なった。

本稿では、以上のような時代と技術背景を踏まえて、江戸期佐賀藩とその支藩の動向調査の基盤となるデータベース群の構築について事例を示す。

2．江戸期の地域情報基盤の構築に向けて

2-1．藩政史料の重要性

江戸期のある地域内で起きた政治、経済などの動向を調べる時、藩自体または藩を構成する武家で作成された藩政史料としての「日記」あるいは「万覚帳」と呼ばれる記録類の内容を辿るのは有効な方法である。本稿で言及する「日記」は、その日に起きた史実について書き記した記録である。

各地でデジタル化された日記をWebで調べてみると、たとえば、青森県弘前市立弘前図書館所蔵の「弘前藩庁日記」は寛文元（1661）年から慶応4（1868）年までの約200年にわたる公式記録で、弘前城内についての「国日記」は3,308冊、江戸屋敷についての「江戸日記」は1,226冊それぞれ残存し、そのうち2,192冊分について直接記載内容をブラウザで確認できる［4］。大分県臼杵（うすき）市立臼杵図書館所蔵の臼杵藩による「御会所日記」は、延宝2（1674）年から明治4（1872）年までの間、残存分448冊中［5］321冊を国文学研究資料館のサイトで閲覧できる［6］。また、新潟県上越市立高田図書館所蔵の高田藩による慶安3（1650）年から明治まで約220年間、約1,100冊からなる「榊原文書藩政日記」のうち80冊分は画像で公開されている［7］。

このように、全国約250藩の多くでは、各藩を構成している家あるいは藩の御日記方や旧記方などと呼ばれる記録部署で、日々の業務記録をおよそ200年前後の間大量に作成していたと考えられる。これらの文書には、月日とその時の記事が詳細に記録されている。天候や自然現象について記されているものもある。記事内容は、藩主や家族の体調、名代の依頼、冠婚葬祭、寺社、贈物、参勤交代、領内民・藩士の賞罰や人事、事故、事件、災害、外国船来航、兵役など、ありとあらゆる当地の出来事詳細が含まれている。

仮に、全国に残存しているこれらの日記の記載内容がすべて画像としてありのまま保存された後、くずし字の翻刻はもちろんすべてテキスト化・データベース化されて、Web空間で誰もが閲覧できるようになれば、江戸期の史実をさまざまな角度から分析する斬新な研究が生まれ、地域固有の文化をより深く理解できるだろう。雲を摑むような話に聞こえるが、既存のIT技術と日記に関与する、さまざまな背景を持つ人々の協力と情熱により、このチャレンジを乗り越えることは少しずつ現実的になりつつある。次節から、佐賀地域で作成された日記のデータベース構築について実例を交えながら説明する。

2-2. 佐賀藩関係の日記の特徴

本節では、本稿の著者がデータベースの構築に協力した佐賀藩およびその支藩が作成した日記の概要について、図録の「小城藩日記の世界：近世小城二〇〇年の記憶：令和二年度佐賀大学・小城市交流事業特別展」［8］から要約して述べる。

明治維新で活躍した薩長土肥のひとつの佐賀藩は、現在の佐賀県および長崎県の一部を領土としていた。当藩は領内の上級家臣に三家、親類、親類同格、家老、着座などの家格を設定した。なかでも三家にあたる小城藩、蓮池藩(はすいけはん)、鹿島藩(かしまはん)の三藩は、佐賀藩の参勤交代の代理や名代など重要な役目を担う支藩で最上格とされた。

また、三家から着座までの各武家は、地方知行制により佐賀藩から領地を与えられ年貢や領民の管理を任された。そのため、自身の行政に関する日々の公的記録、すなわち「日記」を家臣の武家が各々作成する必要が生じた。

現在、それらの日記は佐賀藩公益財団法人鍋島報效会(ほうこうかい)所蔵（佐賀県立図書館寄託）「鍋島家文庫」、佐賀大学所蔵「小城鍋島文庫」を構成する史料として伝存している。

佐賀藩に現在残されている日記史料の特徴は、以下の通りである。

（1）主である佐賀藩には、「日記」にあたる藩政の長期的な記録がまとまって残っていない。存在しても単年から数年程度である。
（2）佐賀藩の家臣にあたる武家には公的記録としての日記がそれぞれ数十年分程度残されている。
（3）日記の内容は各武家の内部の記録であるが、藩主佐賀藩の発令には従うため、それらに関する事実が記されている。

以上のことから、佐賀県および長崎県下に伝存する佐賀藩関連の日記を調べることで、それぞれの日記の存在する期間が断続的であっても日付の同じ記録を突き合わせて情報を補完することができる。

たとえば、現在、三家にあたる蓮池鍋島藩の「請役所日記」については、元禄16（1703）年から寛延2（1749）年までであれば1,283冊の記録画像が佐賀県立図書館データベース［9］にPDF形式で格納されている。正徳2（1712）年から文久3（1864）年までは「佐賀藩関係「日記」資料時系列データベース［10］」（以降、時系列データベースと呼ぶ）で日付換算して約74年分を直接IIIF画像で確認できる。

同じく三家の小城藩による日記は、先述の「請役所日記」と比べて記載量自体は少ないものの、時系列データベースで正徳2（1712）年から明治元（1869）年まで84年分のIIIF対応画像から記載内容を読むことができる。その他の武家の記録群も画像として残されていれば当データベース上で同じ日付の記録を横並びにして閲覧することが可能である。

加えて、小城藩の日記については、他のどの藩にもない特徴がある。それは日記とは別に、日記上の各記録を日付別に1行から数行に要約して箇条書きにした、「日記目録」の存在である。小城藩（小城鍋島家）には「旧記方」と呼ばれる過去の業務記録を整理する部署があり、そこで日記や日記目録を作成していた。日記目録は寛文元（1661）年から慶応元（1865）年まで継続して作成されており、現在では日記本体より多い124年分の史料が残存している［11］。現状、日記目録はあるが日記本体はない場合があるため、日記目録もまた調査には欠かせない史料である。ちなみに、日記目録は佐賀大学附属図書館の「貴重書デジタルアーカイブ［12］」にて閲覧可能である。

次節からは、佐賀地域に残された日記および日記目録を用いた多様な研究を支援するためのデータベース群について紹介する。

3．佐賀藩の日記関連データベースの構築

3-1．小城藩日記データベースの目的

まず、「小城藩日記データベース［13］」という名前は、少々語弊があることを説明する必要がある。前節までに述べたように小城藩には「日記」と「日記目録」という業務記録が残されている。そのうち、データベース化したのは、日記目録の箇条書きされた記事文である【図1】。日記は、各記事文に対応した画像が残っていれば手作業で記事文と画像を紐づけてIIIFにて閲覧できるようにした。したがって、「小城藩日記目録データベース」と呼ぶのが今となっては適切ではあると考えている。

ともあれ、本データベースの構築の目的は、日記そのものよりも内容が要約された日記目録の記事文をテキスト化して、研究者の調べたいトピックについての検索を実現させることである。この点において、小城藩は日記内容の要約を実践し「データベース」を構築していたことから、日記情報の利活用に対する意識が他藩よりも高かったと言える。現代の情報処理の観点から見て

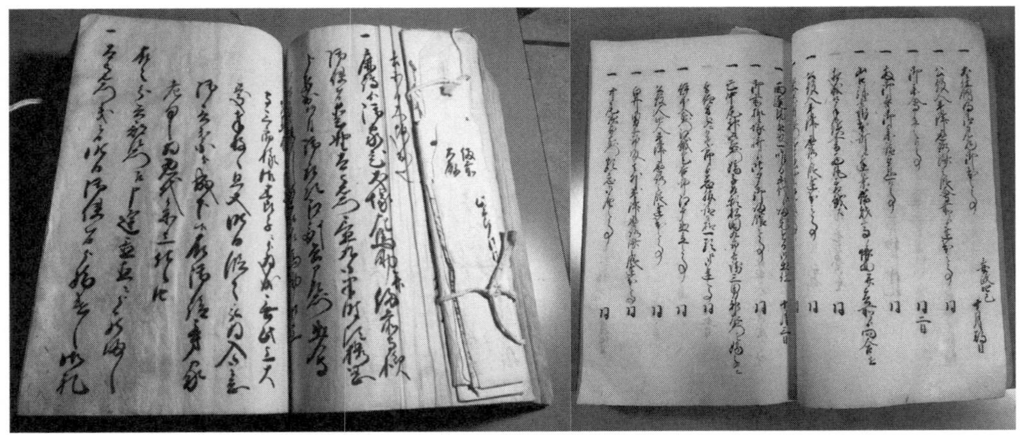

図1　「小城藩日記」と「日記目録」の違い：左の画像は日記の原文。右の画像は日記の出来事それぞれを要約した記事文。

も、事細かな日記の文章より、必要なキーワードのみ含まれた要約文の方がトピックへのアクセスが容易で適切な文を抽出できる可能性が高まる。加えて、数少ないくずし字を読める専門家リソースを日記目録に割くことができ、結果的に2020年には日記目録の翻刻全73,984件（当時）を完了させることができた。

ちなみに、小城藩日記データベースは、この翻刻済み目録記事文に加えて、日記上に登場する藩主やその縁者の別名や親族関係の情報が搭載された人名典拠を調べられるデータベースの二つから成り立つ。

これら構築したデータセットについては、Web空間での共有と再利用を可能にするために利用許諾を見直し、すべてのデータをダウンロード可能にすることで、研究者のみならず国内外の市民が公開コンテンツに興味を持ち、多様な観点から実データを活用する面白さを認識することが期待できる［14］。

3-2．利用許諾の見直し

一般に、デジタルコンテンツやデータセットをWebで公開し、積極的な「利用」を促進するためには、利用許諾が明確でなければならない。ここで言及する「利用」とは、著作物の取り扱いを決定可能な権利者が了解する利用形態を指す［15］。通常、著作権者と利用者で利用許諾について契約し、その範囲内で著作物を利用することができる。

江戸期に作成された日記をはじめとする古記録自体は著作権保護期間を過ぎている。しかし、翻刻テキストや原本を撮影した画像などの著作物の再利用には著作権者が存在するため、取り扱いに注意が必要である。

「小城藩日記データベース」に含まれるすべてのデータセット構築の目的は、研究のハードルを下げ、研究者のみならずすべての市民にデータの自由な閲覧と分析の機会を提供することである。それは、藩政日記のような公的記録の所蔵者側も同じである。

しかしながらその一方で、教育や研究目的外の悪質な利用による所蔵機関自体のブランド力低下、出典の明示なしの利用による元データの改変、データ提供元の詐称などの想定外の可能性にデータ提供側は懸念を抱いている。

このような事から、本データベースを含む関連ウェブサイト全体の利用許諾をアイコンで明示し、必要に応じて多言語で許諾内容を参照できる仕組みであるクリエイティブ・コモンズの「表示－非営利－継承4.0国際（CC BY-NC-SA 4.0）［16］」ライセンスを採用した。このライセンスの意味は、以下の通りである。

(1) CC（Creative Commons）：クリエイティブ・コモンズ自体を指すもので、一般的にオープンなライセンスを提供して、クリエイターが自らの作品をどのように共有するかを選ぶことができる団体を示す。

(2) BY（Attribution）：この部分は「表示」を意味する。著作物を再利用する際に、オリジナルの著者やソースへのクレジット（帰属）を明示する必要があることを示す。

(3) NC（NonCommercial）:「非営利」を意味する。このライセンスのもとでの著作物の利用は、営利目的での使用が禁止されている。

(4) SA（ShareAlike）:「継承」を意味する。著作物を改変して新しい作品を作成した場合、新しい作品も同じライセンス条件のもとで共有しなければならないという条件を示す。

つまり、「CC BY-NC-SA 4.0 国際」のライセンスのもとで提供される著作物は、オリジナルのクレジットを表示しつつ、非営利で、同じライセンスのもとでの再共有を条件として再利用や再配布が許可されるということを意味する。

本データベースが公開された2018年時点では、CCのような利用許諾の採用は試金石的な意味合いがあった。

しかし、当時は京都府立京都学・歴彩館の「東寺百合文書WEB［17］」などの前例があり、実際にCCの適用は学内外で好評であった。基本的に、引用元さえ明らかにすれば面倒な許諾手続きを経ずにWebを含むさまざまな状況でデータを利用できることは、今日の市民活動や教育、研究スタイルに適している。後に、佐賀県立図書館では小城藩日記データベースならびに国内外図書・文化財組織のライセンス状況を踏まえ議論した結果、当館の2019年3月におけるデータベースリニューアルの際にIIIFによる画像公開ならびにCCを採用した。それに伴い、およそ28,000点の画像に対して、営利団体を含めて誰もが自由に使用、複製、再配布、改変することができるパブリックドメイン（Public Domain）の許諾に変更した［18］。また、佐賀大学附属図書館の貴重書デジタルアーカイブ上の全電子化コンテンツもCC BY-NC-SA 4.0国際に統一された。

パブリックドメインの意義は以下の通りである。

(1) 知識の共有：パブリックドメインのリソースは、知識の自由な共有を推進する。これにより、教育、研究、文化の発展が促進されることが期待される。

(2) 創作の基盤：既存のパブリックドメインの作品をベースに、新しい作品やプロジェクトを作成することが可能になる。これは新しい創造活動を助け、多様性を増やす役割を果たす。

(3) アクセスの平等性：誰もが無料でアクセスできる情報は、情報の平等性や社会の公平性を向上させる可能性がある。特に経済的な制約がある場面や地域で、教育や研究の資源としての価値は計り知れない。

IIIFもまたメディアの提供元を超えてWeb上の利用者にさまざまな新しい形でメディアを利用可能にする枠組みの一つである。IIIFを使った画像公開を行う際に、利用許諾を合わせて見直すことでブラウザでの閲覧を快適にするのみでなく、教材やアート素材、アプリ、データ分析、

AI などへの応用の可能性を広げることになる。なお、同図書館データベースのお知らせのページ［19］では、ワークショップ教材や書籍などへの利活用事例を参照できる。

3-3．時間情報を軸にした記事データベースの構造

「小城藩日記データベース」は、先述の通り、日記目録の「記事」と「人名典拠」を検索可能な二つのデータベースで構成されている［14］。本節では IIIF 画像の表示に係る記事データベースの構造について言及する。

記事データベースに設定した主な項目を以下に示す。

（1）登録番号：翻刻された記事にはすべて一意の登録番号を付けた。データベースから IIIF 画像や研究成果に関する情報などを呼び出すために必要である。

（2）和暦年月日およびユリウス通日：各記事には和暦年月日を紐づけた。和暦年月日は時間情報システム HuTime［20］のデータを用いてユリウス通日［21］に変換した。ユリウス通日とは -4712 年（紀元前 4713 年）1 月 1 日まで遡って適用し、そこから数えた経過日数である。たとえば、HuTime で「寛文元年 7 月 25 日」を西暦・ユリウス通日に変換するには、ブラウザの URL 欄に以下の URL を入力して検索する。

http://datetime.hutime.org/calendar/1001.1/date/ 寛文元年 7 月 25 日

検索の結果、「寛文元年 7 月 25 日」はユリウス通日で 2327958.5 と判明する。HuTime は URL で日付を世界中の暦日に解釈可能な Linked Open Data［22］でもあるため、上記のように URL を用いて全記事文に紐づく和暦年月日からユリウス通日を取得すれば、記事文を時系列で並び替えることができるようになる。さらに、現在利用されているグレゴリオ暦での日付も 1661-08-19 と判明する［23］。

（3）記事文：検索の利便のために、あらかじめ旧字体は新字体に変換してデータベースに登録した。

（4）日記画像のファイル名：記事文に紐付く日記画像のファイル名を登録した。

（5）その他の項目：記事文を検索するには、基本的に（1）から（3）までの項目があれば可能である。その他の項目は、各記事文の情報を補足するためのキーワード項目である。

なお、書誌項目詳細はデータベースから書誌データをダウンロードすると確認できる。

3-4．IIIF 画像配信サービスの整備と課題

日記および日記目録の元画像は、デジタルカメラ撮影もしくはマイクロフィルムから変換した TIFF または JPEG 画像である。これらの画像を IIIF の仕組みを用いて Web 配信するには、使用する IIIF 画像配信サーバーの設置と、そのサーバーに対応した画像フォーマットへの変換が必要である。

当データベースサイトは、元々VPS（Virtual Private Server）にWebサーバーとオープンソースのデータベースをインストールして運営している。当初は、VPSに蓄積しているJPEG画像を直接配信できるLoris［24］を追加して運用していたが、Lorisの開発が2020年頃に止まり安定した配信が不可能になった。そのため、IIPImage［25］と呼ばれるツールに移行し、配信対象の画像フォーマットをこのツールに対応するJPEG 2000［26］に再変換した。

また、IIIF画像をブラウザに表示させるには、マニフェスト（Manifest）と呼ばれるJSONファイルをMirador［27］やOpenSeadragon［28］などの対応ビューワで読み込み、Webページ上で画面表示させる。マニフェストには、特定のIIIF画像配信サーバー上にある画像ファイルへのURL、それに紐づくタイトルや権利情報などのメタデータ群および画像上のどの部分をどのような順番で読み込むかなどの情報が記載されている。

そのため、配信サーバーの移転やドメイン変更などの大きな変更があると、マニフェストの記載内容も変更する必要が生じる。実際に、当データベースでもサーバーの移転があり、すべてのマニフェストの書き換えと利用者への周知が必要になった。

IIIFで画像や動画を自前で配信するにあたり、最大のネックになるのはこの配信サーバーの設置と長期的な管理である。上記で述べたように、IIIFの配信はWebサイトの運営とは若干異なる難しさがあるため、個人や小規模グループによる長期的な運営は負担が大きいと考えられる。

しかしながら、IIIFによるメディア配信は、研究用途にも耐えるほどの高精細で行え、かつ利用者側でWebブラウザ以外のアプリを必要としないことから、配信サーバーやURLの課題をクリアできれば採用したいと考える利用者（特に研究者）も多い。その場合、独自サーバーを建てて期間限定の運用と割り切るか、あるいはなんらかの形でURLおよびIIIF画像・マニフェストを維持できる仕組みを利用するのが望ましい。

独自サーバーを建てる手間を省く可能性の一つとして、既存のデータベースやオープンサイエンス［29］推進機関のリポジトリが所属組織で運営されている場合、IIIFで画像を公開できる機能があればそれを利用する方法がある。小城藩日記データベースの場合は、構築当初リポジトリに画像のようなメディア系の研究データを登録する機能はなく、附属図書館、総合情報基盤センター、地域学歴史文化研究センター（いずれも佐賀大学）にそれぞれ協力を要請しながらIIIF画像配信サーバーを独自に設置する必要があった。

しかし、近年は、公的な研究資金を基にした論文やデータ等の根拠資料を、多様な人材・グループとWeb空間で共有し研究活動を進める、いわゆる「研究データエコシステム」の実現に向けた動きが国主導で加速している［30］。そのため、研究データ管理と公開の観点からも、研究組織単位でIIIFを利用できる、あるいは導入を検討する可能性が今後高まっていくと考えられる。あらかじめ、研究者からリポジトリの運営主体にIIIF機能の採用を提案しておくのも一考に値する。ちなみに、大阪大学学術情報庫OUKAでは、2022年9月から貴重書などの画像公開にIIIFを利用可能である［31］。

4．佐賀藩関係『日記』資料時系列データベースの構築

4-1．概要

2-2. 節で述べた通り、佐賀藩の支藩、すなわち小城藩や蓮池藩などの家臣らは、それぞれ日記に該当する記録文書を長期間に渡り作成していた。これらの史料群も多数残存している。佐賀大学地域学歴史文化研究センターでは、小城藩や蓮池藩同様に、他の支藩の日記についても少しずつ撮影し、2021 年に「佐賀藩関係『日記』資料時系列データベース」（以降、時系列データベースと呼ぶ）を公開した。当データベースには、小城藩日記データベースのように日記目録の翻刻データはないが、複数の支藩の日記画像から手作業で抽出した日記の日付（旧暦）とそれに付随する自然現象の記述があれば登録されている。一般的に、日付と自然現象に関する情報はくずし字で書かれていても短くパターン化されているため､通常の翻刻作業と比べて登録は容易である。

日付と自然現象の情報を抜き出すことの相乗効果は大きい。なぜなら、日記間で日付情報を連携できるということは、佐賀藩管轄の領内のみではなく、可能であれば全国の出来事や自然現象も同時に比較できるためである。

4-2．データの登録状況

時系列データベースには、江戸時代 265 年のうち約 60% の 154 年（56,253 日）相当の日付（旧暦およびユリウス通日）情報が登録されている。もし、該当する日付の日記画像があれば、そのファイル名を紐づけている。また、天気や地震、大風（台風）など自然現象の記載も可能な範囲で入力している。

また、なんらかの日記画像が存在するのは正徳 2 年 2 月朔日（1712 年 2 月 7 日）から明治元年 12 月晦日（1869 年 2 月 10 日）までの 38,387 日である。江戸時代全体の約 41% に相当する。

2023 年 8 月時点で 16 種類の日記が登録されている。【表 1】では、当データベースで参照可能な日記の書名、登録画像のある日数および自然現象のある日数をそれぞれ示す。

各日付に紐づけられた画像は IIIF に対応している。同じ日付に異なる日記や日記目録の記事文があれば同時に表示することができる。つまり、ある時点で起きた出来事を異なる立場の武家の視点で観察できる【図 2】。

また、【表 1】の通り、「蓮池藩請役所日記」、「倉町鍋島日記」、「納富（のうとみ）鍋島日記」では、2023 年 8 月の時点で自然現象のデータがある。これらの日記における参照可能な自然現象の一覧および掲載日数を【表 2】に示す。

史実を記録し、個人の意図を含まない地域史料は、その地域の歴史や文化を伝える重要な原本である。しかし、それらの史料は地域の図書館、博物館、寺社、個人宅などに分散して保存されている。そのため、分散している史料上の情報を IT 技術の力を借りて巨視的な視点から俯瞰できる仕組みが求められている。

表 1　2023 年 8 月における時系列データベースに登録されている日記名、登録画像のある日数および自然現象のある日数

日記名	登録画像のある日数	自然現象のある日数
蓮池藩請役所日記	27,276	26,425
小城藩日記	22,731	0
御次日記	3,894	0
御状方日記	4,244	0
菅井御次日記	2,191	0
菅井御状方日記	1,423	0
御引越御在邑御次日記	176	0
直亮公御在邑日記	1,066	0
浜日記	1,976	0
留守御状方日記	340	0
御役所日記	234	0
山本家日記	5,010	0
倉町鍋島日記	0	1,147
納富鍋島日記	0	36,325
白石鍋島日記	0	0
白石鍋島側日記	0	0

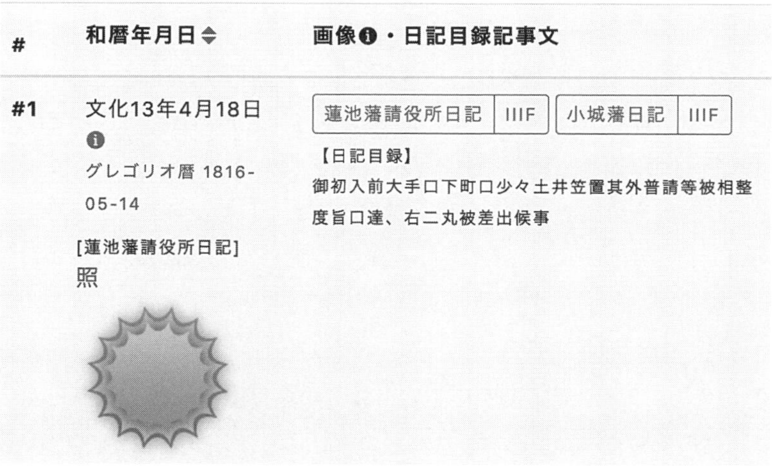

図 2　時系列データベース上の表示例

この観点から、時系列データベースは、デジタルアーカイブで日記史料を公開することの意義を最大限に活かす取り組みの一つと言える。当データベースでは、本文画像を IIIF 画像化し時系列で並べることで、内容分析を効率よく進めると同時に史料内容の保存を図ることができる。

また、メタデータ項目自体は、旧暦およびユリウス通日に紐づく各日記書名、画像ファイル名

および各日記の自然現象が設定されているシンプルなものである。仮に、記録の記載日を原文から抽出しWeb公開かつデータのダウンロードが可能なシステムをこれまでに挙げた全国の藩政史料に適用すれば、個々の史料分析結果を地域間で繋ぐことも可能であると考える。

（本節は参考文献［32］を加筆･編集したものである）

表2　2023年8月時点で時系列データベースに登録されている自然現象名およびその記載日数

自然現象名	記載日数
晴	18,995
照	14,129
雨	11,602
曇 / 雲	8,942
雪	1,091
風	589
大雨	374
雷	332
大風	71
地震	55
日食	2
高潮	1

5．データベースの利活用

本節では、これまで紹介した江戸期佐賀地域の日記・日記目録関連データベースを利用した一連の研究活動について簡潔に述べる。

5-1．小城日記プロジェクト：日記目録記事文からの固有表現抽出

これまで述べたとおり、日本には、江戸時代の約260の藩に関する業務記録や公文書の類が数多く存在している。それら記録類は、毛筆による手書きのくずし字で記述されているだけではない。日常生活で人々の会話に用いる口語や物語のようなこなれた文体は用いられず、「候文」と呼ばれる漢字を多用する文語体が用いられている。小城藩日記および日記目録も候文で書かれている。

そのため、現代人のほとんどは手書きのくずし字を読むことができない上に、データベースで目録記事文を検索できるようにしても、郷土資料研究家などの一部の人間以外は、候文で書かれている内容を理解できない。

そこで、著者を含めた史資料に馴染みのない一般市民でも、記載内容がある程度理解できるような工夫を考えた。多様な出来事が詳細に書かれた日記の内容がわかれば、人々は日記が書かれた時代や地域についてより身近に感じることができる。まずは、手動あるいは自動で手書きのくずし字画像からテキスト化した後に、意味のある単語を抽出すれば、単語のみで大方の文意を把握可能になる。

筆者は、小城藩日記データベース上の記事文内容を知るために、自然言語処理技術の一つである固有表現抽出の手法を用いて翻刻テキストから人名、地名、出来事、役職名などのキーワードを抜き出す仕組みを構築した。その際、地域固有の表現や名詞を的確に捉えるために、地域市民の協力を得る仕組みを作成し、実践した。その結果、少人数でも、機械学習の後押しで大量のキーワード、すなわち固有表現を取得し、当データベース上で各記事文に沿って表示させることで利用者の読み解きを支援できることを示した。

ただし、人名、地名のような固有名詞の大量抽出は、さまざまなバリエーションがあり文中での出現パターンを掴みづらいために、人間ならば容易でもルールベースの機械学習では難しい。そのため、辞書に蓄積して固有表現を検出する上記手法で抽出することには限界がある。

そこで、市民によって作られた候文の正解データと現代日本語の単語の分散表現データを組み合わせ、AI による固有表現判定モデルを開発した。このモデルにより、従来の方法だけでは捉えきれなかった地域特有の固有表現を高い精度で特定することが可能となった［33］。

一連の固有表現抽出の結果、小城藩日記データベースの各記事文には固有表現抽出結果が参照可能な状態になっている。これらの結果を検索キーワードに使用することに加えて、本データベースの搭載機能（ダッシュボード）でキーワードでの検索結果から共起するキーワードを見つけて求める記事文をうまく引き出し、考察することができる【図 3】。

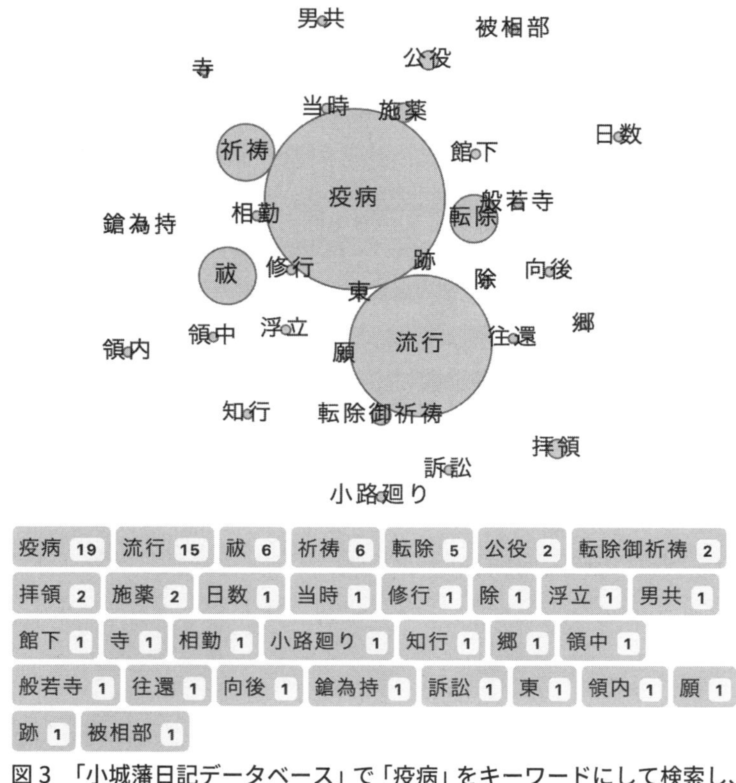

図 3　「小城藩日記データベース」で「疫病」をキーワードにして検索し、ダッシュボードで共起するサブキーワードを表示した例

5-2．AI 用くずし字読解プロジェクト kuzushiji.work

近年、AI 自動翻刻による古典籍の解読とテキスト化が注目されており、国立国会図書館、ROIS-DS 人文学オープンデータ共同利用センター（CODH）、凸版印刷株式会社などで自動翻刻用 AI 技術の開発やアプリのリリースが行われている。

しかしながら、これらの組織での AI の学習に使用されているくずし字が、利用者が翻刻したいくずし字文書と大きくかけ離れている場合、文字の位置判定が概ね正しくとも文字種の判定精度は大きく低下する。現状では、「日記目録」のような漢字が多用され、候文で書かれた江戸期の藩政記録に現行のアプリは適さない。

そこで、筆者は、今後多様な文書スタイルで書かれたくずし字文書を自動翻刻するために、より多くの文書から正解データを収集できるオープンソースのシステム kuzushiji.work［34］、［35］を構築した。当システムで作成されたアノテーションデータは、機械学習用オープンデータとして誰もが利用できるように公開を予定している。アノテーションデータとは、特定の「モノ」（画像やテキストなど）に対して機械学習トレーニングなどの用途のために付加したメタデータである。

Kuzushiji.work には、複数人での作業を想定した作業管理機能および IIIF 画像を用いたくずし字アノテーション作成支援機能がある。詳細は［36］に委ねるが、特に、作業画面上に IIIF 画像およびアノテーションデータから読み出したくずし字一文字分の矩形枠と文字種を表示し、それぞれを編集することができる。この機能は OpenSeadragon［28］および Annotorious［37］で実現した【図 4】。

図 4　アノテーション作業画面の例

OpenSeadragon は、IIIF 画像をブラウザで表示するためのビューワーである。また、Annotorious は OpenSeadragon と組み合わせて IIIF 画像にアノテーション機能を付加することができる。さらに、アノテーション結果を Web Annotation Data Model［38］と呼ばれる World

Wide Web Consortium（W3C）標準形式で入出力する。

したがって、アノテーションを施したい画像が他の組織にあっても、適切な利用許諾と IIIF マニフェストにより、独自アプリ kuzushiji.work にデータを流し込み、グループワークでアノテーションデータを作成することができる。近年は、大組織が AI モデルの基になる正解データを独占し、公開されない場合がある。また、くずし字文書の自動翻刻が実行できても翻刻結果が正しいか否かの判断は利用者に委ねられる。そのため、正解データが公開されている、あるいは正解データを専門家有志が作成できることは、AI の判定結果が人間の専門家の判定結果と一致しているかを後に確認できる点で意義があると考える。

6．おわりに

江戸幕府の成立以降、諸藩で当時の文化や歴史を詳細に記録した日記類が現在も全国に数多く散在している。それらは IIIF 規格を実現する IT 技術の進展と Web 空間でのデータ利活用に合った利用許諾の出現で、誰もが直に内容を閲覧できるようになりつつある。

ただし、閲覧可能であるのは記録史料の一部であるものや、利用許諾および利用形態が Web 空間での利用や機械的データ処理を前提にしていないものが多い。そのため、地域の歴史や文化について研究をしたいすべての人が記録文書類を当該地域の動向を知る、一次資料に準じたツールとして十分に活用できる本格的な情報基盤の構築が求められる。

幸い、国立国会図書館、国文学研究資料館などが先行して、国内の史資料を研究・教育用途で問題ない許諾の下で IIIF 画像を公開している。これに呼応して、自治体や大学でも所蔵文化財・書籍等の画像公開に対しては、利用の手引きなどを再考し利用者ができる限り利用に躊躇しないような許諾に変更されつつある。

佐賀地域においても、上述の通り、佐賀大学および佐賀県立図書館が率先して地域の史資料コンテンツのデジタル画像化、IIIF 規格へのシステム対応、研究･教育活動への利活用を進めている。

総じて、IIIF を通じた情報公開は、今後人文学に関わるあるいは関わろうとしている人の研究スタイルを大きく変え、歴史や文化に対する考察を進化させるものである。未来の研究者たちのためのインフラ整備を進めるのが現在の我々の使命だと考える。

謝辞：本章の執筆にあたり、貴重なデータをご提供いただいた佐賀大学地域学歴史文化研究センターの伊藤昭弘教授、および専門知識を提供してくださった伊藤彰子氏に感謝する。5 節で紹介した研究は JSPS 科研費 JP19K20630 および JSPS 科研費 JP22K18149 の助成を受けた。

参考文献

［1］ The IIIF Consortium (IIIF-C). “International Image Interoperability Framework”. https://iiif.io/,（参照 2023-08-17）.

［2］ 特定非営利活動法人コモンスフィア．“クリエイティブ・コモンズ・ジャパン”．https://creativecommons.

jp/, (参照 2023-08-17).

[3] “W3C Semantic Web Activity Homepage”. https://www.w3.org/2001/sw/, (参照 2023-08-23).

[4] 弘前市立弘前図書館. “弘前藩庁日記”. https://adeac.jp/hirosaki-lib/top/topg/hanchou/index.html, (参照 2023-08-22).

[5] “臼杵の歴史資料についてご紹介 | 臼杵市役所”. https://www.city.usuki.oita.jp/docs/2014030500131/, (参照 2023-08-23).

[6] “臼杵市所蔵臼杵藩関係文書 | 検索結果一覧”. https://archives.nijl.ac.jp/G0000002UU01/kind?l1=01.%E3%83%9E%E3%82%A4%E3%82%AF%E3%83%AD%E3%80%80%E8%87%BC%E6%9D%B5%E5%B8%82%E6%89%80%E8%94%B5%E8%87%BC%E6%9D%B5%E8%97%A9%E9%96%A2%E4%BF%82%E6%96%87%E6%9B%B8&l2=03.%E5%BE%A1%E4%BC%9A%E6%89%80%E6%97%A5%E8%A8%98, (参照 2023-08-23).

[7] “新潟県立図書館 / 新潟県立文書館”. https://opac.pref-lib.niigata.niigata.jp/darc/opac/search-detail.do, (参照 2023-08-23).

[8] 佐賀大学地域学歴史文化研究センター. 小城藩日記の世界 : 近世小城二〇〇年の記憶 : 令和二年度佐賀大学・小城市交流事業特別展. 佐賀大学地域学歴史文化研究センター、2020、97p.

[9] Saga Prefectural Library. “古文書・古記録・古典籍データベース”. 佐賀県立図書館データベース. https://www.sagalibdb.jp/komonjo/index.php?mode=search&page=1&key=%E8%AB%8B%E5%BD%B9%E6%89%80%E6%97%A5%E8%A8%98&sa=and&s1=all&s2=all&s3=all&num=100, (参照 2023-08-28).

[10] 佐賀大学地域学歴史文化研究センター. “佐賀藩関係「日記」資料時系列データベース”. https://crch.dl.saga-u.ac.jp/dates/, (参照 2023-08-29).

[11] 佐賀大学地域学歴史文化研究センター. “日記・日記目録残存状況表 .xlsx”. Google Docs. https://docs.google.com/spreadsheets/d/1Dt_Az1_2CyGyLegHrYZW0vaO4b48wHoN/edit?usp=sharing&ouid=117353106642795478305&rtpof=true&sd=true&usp=embed_facebook, (参照 2023-08-29).

[12] SAGA UNIVERSITY LIBRARY. “佐賀大学附属図書館 貴重書デジタルアーカイブ”. https://www.dl.saga-u.ac.jp/, (参照 2023-08-29).

[13] 佐賀大学地域学歴史文化研究センター. “小城藩日記データベース”. https://crch.dl.saga-u.ac.jp/nikki/, (参照 2023-08-16).

[14] 吉賀夏子ほか. 小城藩日記データベースの構築. 研究報告人文科学とコンピュータ（CH）. 2018、vol. 2018-CH-117、no. 3、pp. 1–7.

[15] “著作権法 | e-Gov 法令検索”. https://elaws.e-gov.go.jp/document?lawid=345AC0000000048, (参照 2023-08-31).

[16] “Creative Commons — 表示 - 非営利 - 継承 4.0 国際 — CC BY-NC-SA 4.0”. https://creativecommons.org/licenses/by-nc-sa/4.0/deed.ja, (参照 2023-08-30).

[17] 京都府立京都学・歴彩館. “東寺百合文書 WEB – 京都府立京都学・歴彩館が所蔵している国宝・東寺百合文書（とうじひゃくごうもんじょ）を紹介しています。”. https://hyakugo.pref.kyoto.lg.jp/, (参照 2023-08-21).

[18] カレントアウェアネス・ポータル. “佐賀県立図書館、「佐賀県立図書館データベース」をリニューアル：パブリックドメインで公開・一部画像は IIIF に準拠”. カレントアウェアネス・ポータル. https://current.ndl.go.jp/car/37815, (参照 2023-09-08).

[19] Saga Prefectural Library. “2022 年度、佐賀県立図書館データベースオープンデータの利活用事例の一部

をご紹介いたします。｜佐賀県立図書館データベース”．佐賀県立図書館データベース．https://www.sagalibdb.jp/news/,（参照 2023-09-08）.

[20] “HuTime - Time Information System”. http://www.hutime.jp/,（参照 2023-08-30）.

[21] “暦 Wiki/ユリウス日-国立天文台暦計算室”. https://eco.mtk.nao.ac.jp/koyomi/wiki/A5E6A5EAA5A6A5B9C6FC.html,（参照 2023-08-30）.

[22] Tom Heath, Christian Bizer. Linked data: Evolving the web into a global data space. Morgan & Claypool Publishers, 2011, 1–136p.

[23] “About: 寛文 1 年 7 月 25 日”. http://datetime.hutime.org/calendar/1001.1/date/%E5%AF%9B%E6%96%87%E5%85%83%E5%B9%B47%E6%9C%8825%E6%97%A5?out=html,（参照 2023-08-30）.

[24] Loris IIIF Image Server. 2023. https://github.com/loris-imageserver/loris,（参照 2023-08-30）.

[25] Ruven Pillay. “IIPImage”. IIPImage. https://iipimage.sourceforge.io/,（参照 2023-08-30）.

[26] “JPEG - JPEG 2000”. https://jpeg.org/jpeg2000/,（参照 2023-09-06）.

[27] “Mirador — Home”. https://projectmirador.org/,（参照 2023-08-31）.

[28] “OpenSeadragon”. https://openseadragon.github.io/,（参照 2023-08-31）.

[29] “国立情報学研究所 オープンサイエンス基盤研究センター”. https://rcos.nii.ac.jp/,（参照 2023-08-31）.

[30] 研究データエコシステム構築事業運営委員会事務局．“AI 等の活用を推進する研究データエコシステム構築事業”. https://www.nii.ac.jp/creded/nii_ac_jp_creded.html,（参照 2023-09-08）.

[31] “大阪大学学術情報庫 OUKA: 貴重書検索”. https://ir.library.osaka-u.ac.jp/repo/ouka/rare/,（参照 2023-09-08）.

[32] 吉賀夏子、伊藤昭弘．[A4] 地域に散在する江戸期古記録の時系列提示による情報補完を目指したデータベースの構築．デジタルアーカイブ学会誌（Web）．2022、vol. 6、no. s3、pp. 131–134.

[33] 吉賀夏子ほか．郷土に残存する江戸期古記録の機械可読化を目的とした市民参加および機械学習による固有表現抽出．情報処理学会論文誌．2022、vol. 63、no. 2、pp. 310–323.

[34] Natsuko YOSHIGA. Kuzushiji data collection system for machine learning. 2023. https://github.com/nikolito/kuzushiji-label,（参照 2023-09-11）.

[35] 吉賀夏子．“機械学習用くずし字データ収集プロジェクト”. https://kuzushiji.work/,（参照 2023-08-17）.

[36] 吉賀夏子、橋本雄太．多様なくずし字画像に対応するアノテーションデータセット収集システムの試作．研究報告人文科学とコンピュータ（CH）．2023、vol. 2023-CH-131、no. 1、pp. 1–8.

[37] “Annotorious | JavaScript image annotation library”. https://annotorious.github.io,（参照 2023-09-11）.

[38] “Web Annotation Data Model”. https://www.w3.org/TR/annotation-model/,（参照 2023-09-11）.

COLUMN 2

IIIF 資料が活用されるための必須事項 ——CORS 設定

本間淳

IIIF（International Image Interoperability Framework）の利点の一つに、さまざまな機関のサイトで公開されている IIIF 資料について、自分好みの機能を備えた IIIF ビューワを使用して閲覧できる点がある。

一般的に、ある IIIF 資料を閲覧中、別の IIIF ビューワの機能を利用したいと思えば、目的の IIIF ビューワが設置されているサイトを訪れ、IIIF 資料の情報を入力する手順が必要となる。この手順は少し手間がかかるが、そのような手間を解消するツールとしてブラウザ拡張機能「Open in IIIF Viewer」[1] が公開されており、同ツールを利用すれば、容易に上記の利点を享受できる。

しかし、そうしたツールを利用するか否かにかかわらず、あるサイトに設置されている IIIF ビューワを用いて他機関の IIIF 資料を閲覧しようとすると、資料が表示されないケースに遭遇するかもしれない【図 1】。

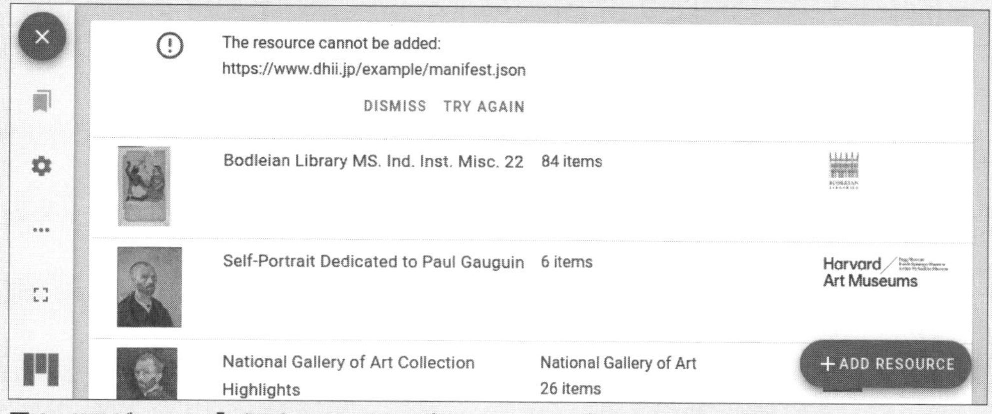

図 1　IIIF ビューワ「Mirador」のエラー表示

本稿では、資料が表示されない原因の一つとなる「CORS」について取り上げる。以下、IIIF 利用者／ IIIF 資料公開者に共通する話題として、CORS エラーの特定方法、次に IIIF 資料公開者向けの話題として、CORS エラーの背景、CORS 設定の注意点について説明する。

1. CORS エラーの特定

資料が表示されない原因を特定するため、ブラウザのエラーメッセージが確認できる「コンソール」を見てみよう。

利用しているブラウザが Google Chrome であれば、ブラウザ画面右上の Chrome メニューアイコンをクリックし、「その他のツール」から「デベロッパー ツール」を選択、表示された画面上部の「Console」を選択する。他のブラウザでも同様のコンソール表示が用意されている。

図 2　コンソール表示（CORS ヘッダ不足）

```
Access to fetch at 'IIIFマニフェストのURL' from origin 'IIIFビューワのオリジン' has been blocked by CORS policy: No 'Access-Control-Allow-Origin' header is present on the requested resource.
```

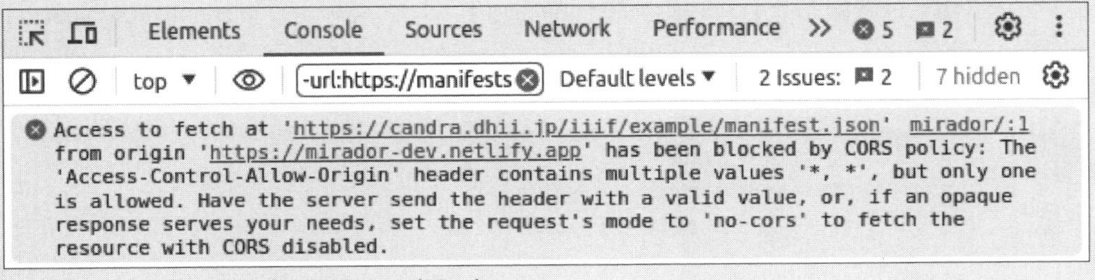

図 3　コンソール表示（CORS ヘッダ誤り）

```
Access to fetch at 'IIIFマニフェストのURL' from origin 'IIIFビューワのオリジン' has been blocked by CORS policy: The 'Access-Control-Allow-Origin' header contains multiple values '*, *', but only one is allowed.
```

コンソールに上記【図 2、図 3】のようなエラーメッセージが表示されている場合、資料が表示されない原因は、IIIF 資料公開サーバの CORS ヘッダ設定にある。

この場合、利用者側では問題の解決策はなく、資料公開側によって設定が修正されるのを待つしかない。資料公開側は、利用者にこうした残念な体験をさせないためには、適切な CORS ヘッダ設定を行う必要がある。次に、このエラーの背景について見ていこう。

2．CORS エラーの背景

ブラウザには「同一オリジンポリシー」（same-origin policy）というセキュリティの仕組みがある。この仕組みによって、あるオリジン（スキーム、ドメイン、ポート番号の組み合わせ）から読み込まれた JavaScript が他のオリジンにあるリソースへアクセスすることは制限され[2]、たとえば、悪意のあるサイトに設置された JavaScript を実行した場合であっても、その JavaScript が他のサイトにあるリソース（たとえば、ユーザがログインしている他のサイト上のリソースなど）にアクセスして内容を盗むことはできないようになっている。

このようにセキュリティ上重要な同一オリジンポリシーの仕組みであるが、あるサイトに設置された IIIF ビューワなどの JavaScript から他のサイトにある IIIF リソース（IIIF マニフェストや IIIF 画像取得のための info.json など）にアクセスして利用したいというケースにおいても、そのアクセスが制限されてしまう。

こうしたケースに対応する手段として、ウェブサーバ側で「他のオリジンからのアクセスを認める」と明示し､同一オリジンポリシーによる制限を緩和する仕組みが用意されている。これは、ウェブサーバの応答に適切な CORS（オリジン間リソース共有、Cross-Origin Resource Sharing）ヘッダを含めることによって実現される[3]。

先ほどのエラーメッセージは、IIIF 資料公開サーバの応答に適切な CORS ヘッダが含まれていない状態、すなわち、CORS ヘッダの一つである Access-Control-Allow-Origin レスポンスヘッダの不足や誤りにより、同一オリジンポリシーによる制限が緩和されず、IIIF ビューワとは別のオリジン（IIIF 資料公開サーバ）から取得した内容へのアクセスがブロックされたことを表している。

IIIF 資料公開サーバ側で CORS ヘッダ設定が不足している場合であっても、自サイトに設置した IIIF ビューワから自サイトで公開している IIIF 資料を表示する限りは特に問題は発生しない。問題に気付くには意識して外部サイトに設置された IIIF ビューワを利用し表示を確認する必要がある。CORS ヘッダの具体的な設定方法は､各ウェブサーバの技術文書を参照してほしい。ここでは、サイト構築の際やサイト更新の際に発生しがちな CORS 設定の問題について、注意点を挙げておく。

3．CORS 設定の注意点

IIIF 資料公開サイト構築の際、IIIF ビューワでの表示がエラーとなり、コンソールに「`The 'Access-Control-Allow-Origin' header contains multiple values '*, *'`」【図 3】のようなエラーメッセージが表示されている場合は、デベロッパーツール画面から「Network」を選択し、IIIF マニフェストのレスポンスヘッダを確認してみるとよい【図 4】。`Access-Control-Allow-Origin` レスポンスヘッダが二重に出力されている可能性がある。こうした状況は、ウェブサーバ（Apache HTTP Server など）と IIIF 画像サーバ（IIPImage server など）の両方、Apache HTTP Server のサーバ設定（httpd.conf ファイル）とディレクトリ設定（.htaccess ファイル）の両方など、複数の箇所で CORS ヘッダ出力設定を行っていると発生することがある。そのような重複設定がないか確認するとよいだろう。

× Headers　Preview　Response　Initiator　Timing

▼ General

Request URL:	https://candra.dhii.jp/iiif/example/manifest.json
Request Method:	GET
Status Code:	● 200 OK
Referrer Policy:	strict-origin-when-cross-origin

▼ Response Headers

Accept-Ranges:	bytes
Access-Control-Allow-Origin:	*
Access-Control-Allow-Origin:	*

図 4　デベロッパーツール（ネットワーク）表示

また、無事に CORS 設定を終え、サイトが安定稼働を続けたのち、IIIF リソースの URL が変更となることもあるだろう。http から https への変更、ドメインやディレクトリの変更などの場合、旧来の URL へのアクセスを新しい URL へリダイレクトすることがある。このとき、このリダイレクト応答自体にも適切な CORS ヘッダ設定を行わなければならない。この点を見落とすと、外部サイトに設置された IIIF ビューワに IIIF マニフェストの旧 URL を入力すると表示されず、一方でブラウザのアドレスバーに IIIF マニフェストの旧 URL を直接入力すると内容は表示されるという一見不可解な状況になる。このとき、コンソールへは「`No 'Access-Control-Allow-Origin' header is present on the requested resource.`」【図 2】のようなエラーメッセージが表示される。

4．サイロからの解放のために

適切な CORS ヘッダ設定が行われることによって、IIIF のさまざまなエコシステムの中で資料が活用されうるようになる。それは、自分好みの IIIF ビューワを用いて資料を閲覧できるという単純なケースに留まらず、たとえば、「IIIF Curation Platform」[4] を用いたキュレーションへの利用や、「みんなで翻刻」[5] のプラットフォームを用いた翻刻、「デジタル源氏物語」[6] のように公開元が異なる IIIF 資料を活用したサービスでの利用など、種々に広がる。

IIIF 資料公開サイトを構築する際は、外部サイトからの資料利用を認めたくない特段の事情がある場合を除き、IIIF リソースについて外部サイトからのアクセスを認める CORS ヘッダ設定を行うことを仕様書に含めるとともに、各種 IIIF ビューワのデモサイト[7),8),9)] から資料が利用できることを確認し、ぜひ資料利用を外部に解き放ってほしい。

注

1 https://github.com/2SC1815J/open-in-iiif-viewer/

2 https://developer.mozilla.org/ja/docs/Web/Security/Same-origin_policy

3 https://developer.mozilla.org/ja/docs/Glossary/CORS

4 http://codh.rois.ac.jp/icp/

5 https://honkoku.org/

6 https://genji.dl.itc.u-tokyo.ac.jp/

7 https://projectmirador.org/

8 https://universalviewer.io/

9 http://codh.rois.ac.jp/software/iiif-curation-viewer/demo/

第2章

「顔貌コレクション」と IIIF Curation Platform：Interoperabilityが拓く利用者・研究者主導の画像活用

鈴木親彦

1．IIIF の Interoperability が拓く可能性

デジタル化・デジタルアーカイブでの資料公開という動きは、あえて看板とするものではないという程度には一般化してきた。このような環境下で、人文学の研究者が研究に利用してきた各種資料のデジタル公開は大きく進展し、筆者は特に絵画・写真・古典籍などの画像資料を研究に活用してきた。こうした画像資料が、本書のテーマである IIIF（International Image Interoperability Framework）[1] に則って公開されることは、利便性の面での向上のみならず、新しい研究方法を拓く可能性をもたらしている。

この点を示すために、本章では、IIIF の Interoperability（相互運用性）に注目する。デジタル画像公開者としてではなく、デジタル画像利用者として、研究者が「自分自身のニーズに沿った形で画像およびその一部をコレクションし、情報を付加する」＝「キュレーション」が可能になった状況を示していく。具体的なツールとして IIIF Curation Platform（以下 ICP）[2] を、また研究成果として「顔貌コレクション」（以下「顔コレ」）[3] を取り上げる。

2．IIIF Curation Platform の紹介

ICP は、ROIS-DS 人文学オープンデータ共同利用センター（以下 CODH）によって開発された複数のソフトウェアからなるプラットフォームであり、オープンソースライセンスで配布されている [4]。端的に説明するならば、ICP は IIIF 画像を閲覧し、横断的に収集し、メタデータを付与し、検索や整理が行えるプラットフォームである。ICP の基本的な機能は、CODH の Web サイト上で公開されているデモ機能から確認できるので、本章を読み進めながら実際に操作を行うことも可能である。

ICP の最も基本的な機能は IIIF Curation Viewer [5] によって提供されている。IIIF Curation Viewer は、IIIF 画像を閲覧することが可能なビュワーソフトであり、さらに画像の全体・またはその一部を選択して収集し、独自のコレクション（キュレーション）を作成することができる

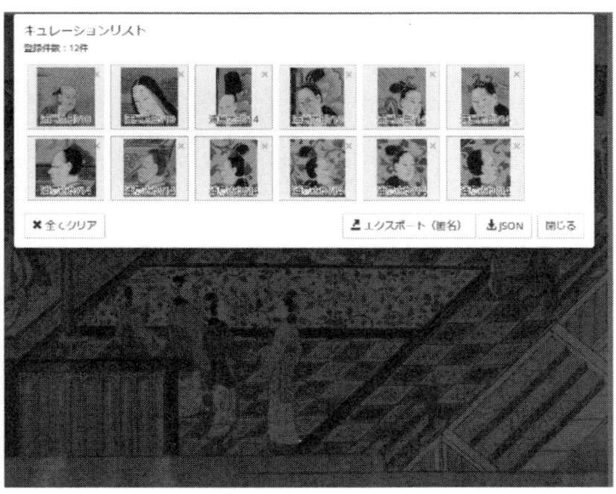

図 1　IIIF Curation Viewer で画像の一部を選択し、コレクションを作成する
「浦島太郎」国文学研究資料館所蔵 doi : 10.20730/200017771（CC BY-SA）

図 2　IIIF Curation Viewer で選択した部分とメタデータを元の画像上に表示する
「浦島太郎」国文学研究資料館所蔵 doi : 10.20730/200017771（CC BY-SA）

コレクション作成ソフトでもある【図 1】。IIIF Curation Viewer は、キュレーションに集めた各画像に対し、メタデータを付与する機能も有している。メタデータと共に収集した画像を連続して表示することも、元画像の中に選択部分とメタデータを表示することも可能である【図 2】。キュレーションに収められた各画像は、切り抜きを行った元画像全体の IIIF Manifest との関係を保っている。ICP によるキュレーションはあくまでも元の画像上の URL とその画像上の座標情報を収集しているだけなので、元々公開されているオリジナル画像へといつでも戻ることが可能である。

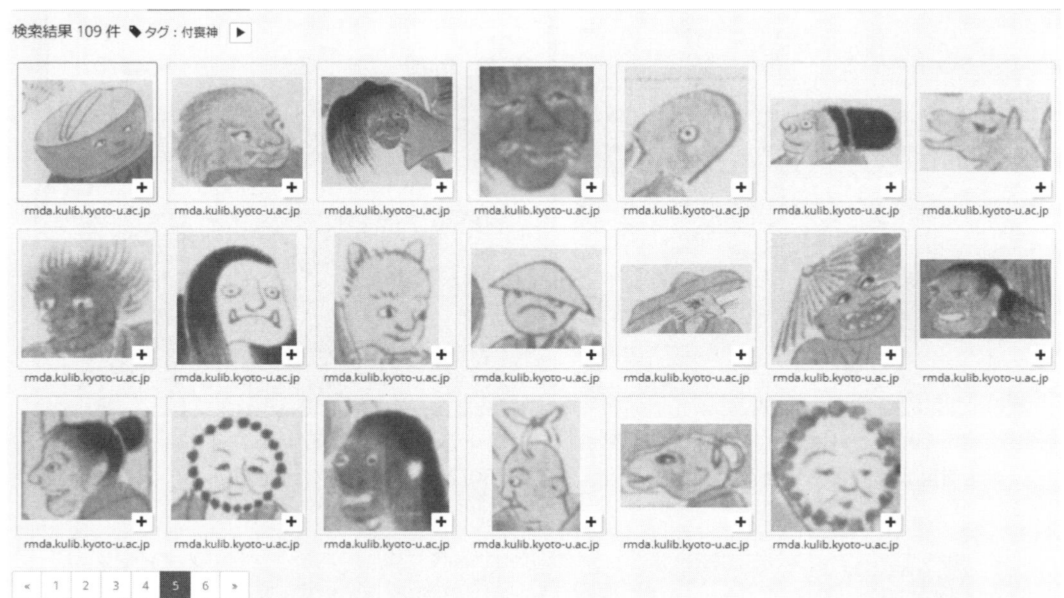

図 3　「顔コレ」で「付喪神絵巻」に登場するさまざまな顔貌を検索し網羅的に表示する

ICP は、作成したキュレーションを単に眺めるだけでなく、デジタル平面上に整理する、付与したメタデータをキーワードとして検索するといった機能も提供している。IIIF Curation Board [6] を利用すれば、画像をデジタル平面上に並べて、たとえば KJ 法の様に整理しながら、相互の関係性を整理したり、新たな発想を生み出したりすることができる。また、IIIF Curation Finder を利用することで、IIIF Curation Viewer で付与したメタデータを基に、キュレーション内部の画像を検索することが可能になる。IIIF Curation Finder の検索画面には、付与したメタデータを付与された画像数と共に一覧表示することも可能で、簡単な量的把握にも利用することができる。

3.「顔貌コレクション」IIIF Curation Platform による研究のための画像再利用

このように IIIF 画像を自由に収集し、メタデータを付けて再編成できる ICP の機能を利用したのが「顔コレ」である。「顔コレ」では IIIF で公開されている、中世末から近世（16 ～ 19 世紀）を中心とした日本の美術作品画像から、ICP を利用して「顔貌」部分のみを作品横断的に収集している。さらに、各顔貌に構造化・半構造化したメタデータを付与して、検索可能にしたサービスである。

美術作品の作者の異同を判定するための基本的作業として行われるのが、「様式比較」である。描きこまれた細部の特徴を確認・比較して、作品を描いた作者の持つ様式を見出していく。日本美術のみならず世界各国の作品を対象に行われる方法で、その理論はイタリアの美術史家であり

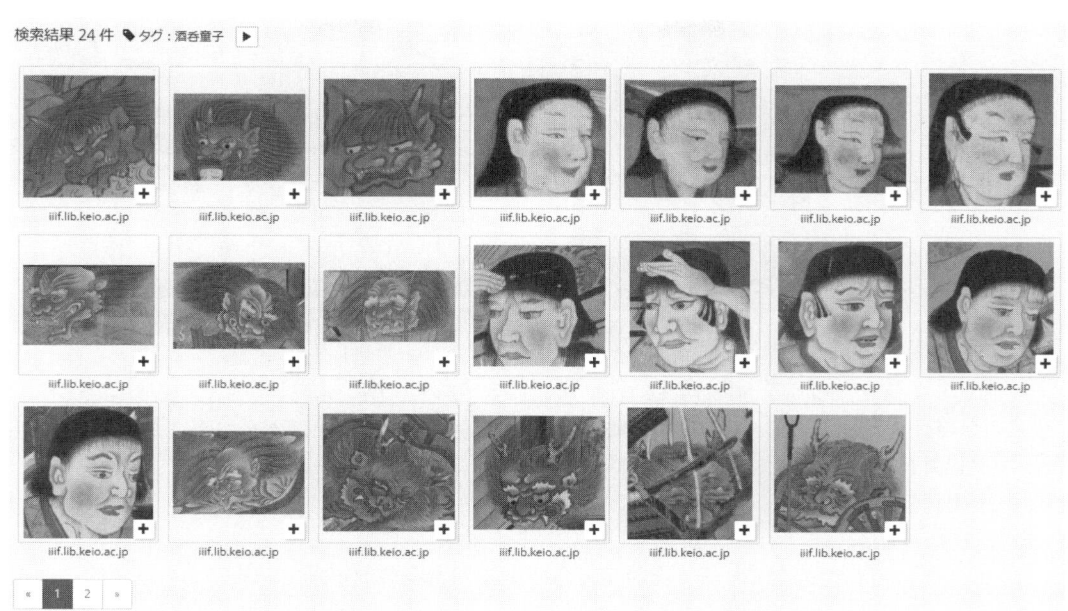

図 4 「顔コレ」でさまざまな絵巻物に登場する「酒呑童子」を検索し横断的に表示する

政治家・医者でもあったジョヴァンニ・モレッリ（1816–1891 年）にまで遡れる[7]。日本美術研究における基本的な論考をまとめた『講座日本美術史』シリーズ第二巻「形態と伝承」では、美術史研究の二つの基軸の一つが様式比較に置かれている[8]。

「顔コレ」においては、こうした様式研究を支えるために、付与したメタデータ単位で顔貌の検索が可能で、作品名で検索をして特定作品に登場する顔貌を網羅的に確認して作風を分析することが可能である【図 3】。さらには、自由記述タグのメタデータが付与されたモティーフ、たとえば「酒呑童子」や「文正」などといった固有名、を利用して作品横断的な図像の比較分析を行うなど【図 4】、幅広く美術史の研究に役立つことを企図して構築を行ってきた。

たとえば、「顔コレ」で収集された顔貌の中に、詞書が朝倉重賢筆と同定されている「大黒舞」「羅生門」（国文学研究資料館蔵）という作品がある。顔貌に付与するメタデータとして「原典」という項目があるので、これらの二作品の顔貌のみを眺めることが可能である。顔貌をピックアップして比較してみあると、同じ詞書染筆者の作品であっても全くことなった様式的特徴を持っていることが一目瞭然となる【図 5】[9]。

こうした「顔コレ」によって提供されるデジタル的な手法は、具体的な美術史の研究に適用することが可能である。複数の絵師工房によって描かれた絵巻物「遊行上人縁起絵巻清浄光寺甲本」の分析に「顔コレ」を応用し、そこに描かれている男女の顔貌表現を網羅的に比較するという共同研究を行った。「遊行上人縁起絵巻清浄光寺甲本」には、服装・髪型という点においては全く見分けのつかない時宗の僧侶・尼僧（時宗の語彙においては僧衆・尼衆）が 700 人以上描かれている。そこでこれらの男女の顔貌をすべて顔コレ形式で整理し、実際に「男らしい」「女

図 5 「大黒舞」（左）と「羅生門」（右）の顔貌比較

らしい」またはそれを越えて「個人を特定できる」顔貌表現が取られているのかを網羅的に調査した。さらに上述の IIIF Curation Board の機能をフル活用することで、分析対象となる 700 を超える顔貌を、男女別・登場場面別にデジタル平面上に整理して、文字通り「網羅的」な様式比較が可能となった。「顔コレ」の手法を援用したこの研究成果は、情報処理学会及び人文科学とコンピュータ研究会において高い評価を得ることができた [10)]。

4.「顔貌コレクション」の展開と利用者主導の画像活用

現在、「顔コレ」は美術史での活用に止まらない、幅広い展開を見せている。一つは Google Brain（現 Google DeepMind）の研究者の提案を受けて CODH が機械学習用のデータセット「顔コレデータセット」も整備したことである [11)]。機械学習に利用しやすいように、以下の様に画像サイズを統一し、データ形式を変換してデータセットを提供している。

- 顔貌画像（画素：256 × 256）の所在情報（URL）をまとめたテキストファイル
- 専門家が付与した属性情報（メタデータ）をまとめたテキストファイル
- 機械学習のためのラベルとデータ分割を指定する CSV ファイル

上述の「遊行上人縁起絵巻」の研究においては、「顔コレデータセット」を機械学習による顔貌自動抽出に利用した。この自動化の成果の一部は、「AI 顔貌検出サービス」として提供されている [12)]。

また、研究以外の社会的な活用も試みられている。国文学研究資料館はアートプロジェクト「ないじぇる芸術共創ラボ」を主催し、現代アーティストによる古典籍との共創を進めている。このプロジェクトに参加した梁亜旋は、「顔コレ」の検索結果を利用して作品制作・ワークショップを実施し [13)]、その一部は展覧会「梁亜旋展 古典から再構築へ」の重要な出品作品となった [14)]。このように「顔コレ」は当初の想定を超えたさまざまな展開を見せている。

こうした「顔コレ」そのものの多角的な有用性と同じく、またはそれ以上に、「顔コレ」を可能にしたIIIFとICPの画像活用方法も重要である。「顔コレ」の構築とはつまり、画像提供者ではなく画像を利用して研究する側である筆者が、自身の研究意図に基づいて画像を再編集し、新たなデータセットとして公開したということである。資料を所持し、それをデジタル画像としての公開する機関側ではなく。そうした画像を利用する側が主導的に画像を編集し、研究活用し、データとして公開したのである。この利用者主導という点は、画像を公開する各機関がIIIFを利用したこと、つまり公開画像にInteroperabilityが担保されたことによって可能になった。さらに、その点を最大限活用したICPによって、利用者側が独自のキュレーションを作成し、元の画像との関係を保ったままに、独自の切り口で情報を再編集して発信することが可能となった。

5. 利用者主導の持つ課題

「顔コレ」を実現可能にした、ICPによる利用者主導の画像活用には、可能性と共に整理すべき課題も残されている。キュレーションの作成者・公開者である筆者は、キュレーションされた画像の公開者でもその画像のもととなった資料の所有者でもない。ICPによるキュレーションは、あくまでも元画像のURLとその画像データ上の座標を収集したものに過ぎない。公開者による画像の提供が何らかの理由で終われば、または画像の公開仕様が大きく変更された場合などでも、「顔コレ」の継続は難しくなるだろう。

また、「顔コレデータセット」などの派生的な利用も含めて、権利関係の整理も課題である。たとえば元データのライセンスの「組み合わせ」問題がある。「顔コレ」の形に再編集されても、元画像の公開者が変わるわけではなく、全般のライセンスは元データの公開者が示す条件に従う必要がある。今回は基本的にオープンな利用条件が、具体的にはPD（パブリックドメイン）である旨やCC（クリエイティブコモンズライセンス）が明記されている資料を利用し、一部公開者については個別の了解を得て「研究のため」という条件において公開を行ってきた。

さらに、人文学における利用の「常識」の共有についても意識する必要がある。収集対象とした中世末から近世初頭の作品の中には「縁起」のように、信仰そのものや特定の寺社が建立された経緯を伝承と共に描く絵巻も登場する。宗派の祖師となる人物や、寺社の建立の大本となった神仏などの、信仰や尊敬の対象となる存在の顔貌も含まれる。

同じ美術史研究者間であれば、そうした顔貌は分析対象である一方で、所有者が敬意を払っている対象であるという共通認識が存在する。そのため、あえてそのようなことを明示する必要性は高くない。しかし「顔コレデータセット」として公開したデータが機械学習に利用される場合、こうした文化的なコンテクストを言外の常識として共有しない人々に、さまざまな環境で利用されることもあり得る。意図せずとも、そうした対象が貶められる利用方法がとられる可能性が全くないとは言えない。

そこで「顔コレデータセット」では、法的には強制力のない性善説に立った「お願い」に基づくものではあるが、以下に示す「ガイドライン」を明示することでこの問題の解決を試みている[15]。

(1) 顔コレデータセット（以下、当データセット）は、複数の組織が公開する絵巻物・絵本から切り取った顔貌に関するデータを収集し提供するものです。このガイドラインに則った利用をお願いいたします。
(2) 当データセットには、宗教や思想信条、その他の理由で敬意を払われている対象が含まれる場合があります。利用に際しては、多様な価値観を尊重し、敬意を払われている対象を貶めることのないよう注意してください。
(3) 当データセットの原典や原典制作者、原典画像公開者に敬意を払って利用してください。原典制作者や原典画像公開者の貢献を明示することは、画像のオープン化を後押しするにも欠かせないと考えています。
(4) パブリックドメイン作品の利用については、Public Domain Usage Guidelines - Europeana Collections なども参考にして下さい。

6．IIIF Curation Platform のさらなる可能性と利用案内

最後に、「顔コレ」に利用した ICP の人文学一般への展開可能性を述べておく。ICP のもつ利用者主導型の画像活用技法は、美術史以外の研究にも活用可能である。たとえば筆者は『江戸名所図会』をはじめとする名所記や名所図会など、いわゆる「江戸時代の旅行ガイドブック」から挿絵を抽出した観光データ制作し、CODH が運営する江戸に関するさまざまなデータを繋ぐデータポータル「edomi」[16] で公開している【図 6】。このデータは、国文学研究資料館（国書デー

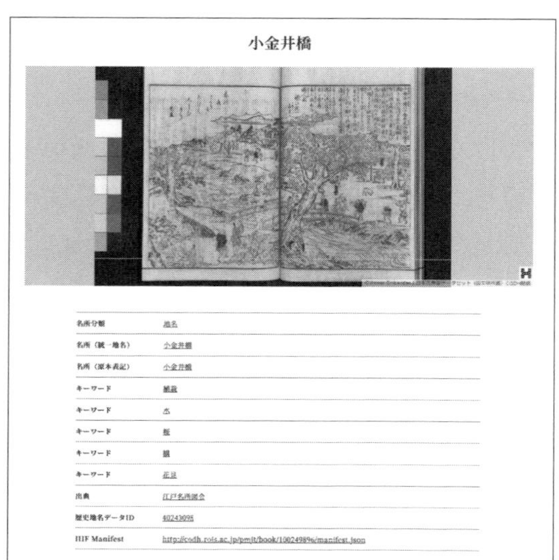

図 6　ICP で収集された江戸名所の挿絵とメタデータ
『江戸名所図会』より「小金井橋」（左）『絵本江戸土産』より「小金井橋」（右）

タベース）や国立国会図書館（NDL デジタルコレクション）など、複数の組織から公開されている IIIF 対応の資料から、名所の挿絵を収集しメタデータを付与することで作成したもので、その作業には ICP を利用している [17]。

ICP は、簡単な画像のコレクションに始まり、研究のためのメタデータ付与、各種ツールによる整理分析、さらには API を利用した外部の Web サービスとの連携まで幅広く活用可能である。CODH のウェブサイトでは、利用のニーズおよび利用者のスキルに応じて、いくつかのレベルで活用できる ICP 環境が提供されているので最後に紹介しておく。

IIIF Curation Viewer による IIIF 画像の収集とメタデータ付与、そして【図 2】で示したような元の画像上での収集部分とメタデータの表示は、特別なスキルがなくてもすぐに利用できる。CODH サイト上で公開されているデモンストレーションバージョンを利用し、そこにキュレーションしたい画像を読み込んでゆくだけでよいので、利用者側に特別な準備は必要ない。

Google アカウントをはじめとする各種 SNS アカウントなどを利用すれば、CODH が提供するこれらのデモバージョンにログインが可能になる。SNS のアカウントのほか、メールアドレスを利用してログインすることも可能である。ログインした後に作成したキュレーションは、IIIF Curation Manager のデモンストレーションバージョンと連携が可能になり、統合的に管理することができる。IIIF Curation Manager からは、IIIF Curation Viewer・IIIF Curation Board のほかに、キュレーションの内容をテキストとして直接編集する IIIF Curation Editor も起動することができ、キュレーション作成・修正と管理を行うことができる [18]。

独自環境を構築して自身やチームのキュレーションを管理する、キュレーション結果を検索可能にする IIIF Curation Finder を設置する、といったニーズがある場合には、ICP に関する操作の技術のみではなく、一般的なウェブサーバー管理に関するする知識・技術が必要となる。ただし ICP Docker バージョンを利用することで、基本的なサーバー知識と docker に関する知識を習得すれば、自分自身のためにカスタマイズした ICP 環境を構築することは比較的容易になる [19]。もちろん、ICP を利用して大規模なデータセットを構築したり、実験的な機能を共同開発したり、というような研究を実施したい場合は、CODH へ共同研究を申し入れるということも選択肢となりうる。

資料を集め、その一部を切り取り、横断的に収集・整理し、統一的な情報を付与してまとめていくというのは、美術史のみならず、人文学においてきわめて古典的な研究手法である。「顔コレ」を例として端的に示したように、ICP はこうした手法を効率化し、大規模化し、インターネットを通じて成果を全世界へ共有可能にするプラットフォームである。

基本的な利用には高度なコンピュータ知識を必要としない点も、ICP の大きな強みであろう。筆者は、ICP の利用をステップバイステップ形式で説明する ICP チュートリアルも公開しており、「ICP で IIIF を活用する」といってもどこから手を付けるべきかわからないという研究者・学生のサポートも行っている [20]。「顔コレ」で示した Interoperability が拓く利用者・研究者主導の画像活用をぜひ体験いただきたい。

注

1 IIIF https://iiif.io/（参照 2023-07-15）

2 IIIF Curation Platform http://codh.rois.ac.jp/icp/（参照 2023-07-15）

3 顔貌コレクション http://codh.rois.ac.jp/face/（参照 2023-07-15）

4 北本 朝展「オープンな画像の利活用を開拓する IIIF Curation Platform」カレントアウェアネス E2301、2020 年 9 月 https://current.ndl.go.jp/e2301（参照 2023-07-15）

5 IIIF Curation Viewer http://codh.rois.ac.jp/software/iiif-curation-viewer/（参照 2023-07-15）

6 IIIF Curation Board http://codh.rois.ac.jp/software/iiif-curation-board/

7 Giovanni Morelli, Kunstkritische Studien über italienische. Malerei, Leipzig,1890

8 板倉聖哲編『講座日日本美術史』第二巻「形態と伝承」、東京大学出版会、2005 年

9 鈴木親彦、髙岸輝、北本朝展「IIIF Curation Viewer が美術史にもたらす「細部」と「再現性」絵入本・絵巻の作品比較を事例に」『じんもんこん 2017 論文集（2017）』pp.157-164、2017 年 12 月

10 鈴木 親彦、髙岸 輝、本間 淳、Alexis Mermet、北本 朝展「日本中世絵巻における性差の描き分け－ IIIF Curation Platform を活用した GM 法による『遊行上人縁起絵巻』の様式分析」『じんもんこん 2020 論文集（2020）』pp.67-74、2020 年 12 月

11 顔コレデータセット http://codh.rois.ac.jp/face/dataset/（参照 2023-07-15）

12 AI 顔貌検出サービス http://codh.rois.ac.jp/face/detector/（参照 2023-07-15）

13 梁亜旋さんワークショップ「古典籍の“面白い顔”が仮面になる！」https://www.nijl.ac.jp/pages/nijl/artist_contents/ryo/solo_exhibition/movie.html（参照 2023-07-15）

14 梁亜旋展 古典から再構築へ https://www.nijl.ac.jp/pages/nijl/artist_contents/ryo/solo_exhibition/index.html（2023-07-15）

15 鈴木親彦「人文学研究者によるオープンデータ研究活用・公開の一考察－「顔貌コレクション」「edomi」の構築実践を踏まえて－」『大学図書館研究』123 巻 2023 年 3 月

16 edomi http://codh.rois.ac.jp/edomi/（参照 2023-07-15）

17 鈴木親彦、北本朝展「人文学資料マイクロコンテンツの実世界との双方向結合とデータポータル edomi」『じんもんこん 2021 論文集（2021）』pp.96-103、2021 年 12 月

18 IIIF Curation Manager http://codh.rois.ac.jp/software/iiif-curation-manager/（参照 2023-07-15）

19 ICP Docker http://codh.rois.ac.jp/software/icp-docker/（参照 2023-07-15）

20 ICP チュートリアル http://ch-suzuki.com/icpt/index.html（参照 2023-07-15）

COLUMN 3

IIIF の情報源

西岡千文

IIIF の効果的な利活用の実現には、IIIF が規定する標準だけではなく、周辺のソフトウェアや実装事例を把握する必要がある。そのためには情報収集が肝要となる。本コラムでは、IIIF に関する情報源を簡単に紹介する。

IIIF についての情報源として、まずは Awesome IIIF [1)] が挙げられる。Awesome IIIF は GitHub のリポジトリとして管理・運営されており、IIIF に準拠するサーバー、ビューワ等の各種ソフトウェア、IIIF についての教材等、IIIF に関するさまざまなリソースのリストを提供している。このリストは誰でも編集の提案をすることが可能であるため、IIIF に準拠したソフトウェア等を新たにリリースした際には、このリストに掲載することで認知を広めることもできる。

続いて、日本語の情報源として、永崎研宣氏のブログ [2)] を挙げる。ブログ記事では、IIIF の導入や先駆的な事例等 IIIF に関する話題を豊富に扱っており、さまざまな観点から IIIF を窺い知ることができる。Awesome IIIF の日本版に相当するリストとして、「IIIF に関する日本語情報の私的なまとめ」[3)] も提供されている。リストの最終更新は 2019 年 11 月となっているが、現時点（2024 年 4 月）からみても古くはない。特に日本のベンダが構築した IIIF 準拠デジタルコレクションのリストもあり、デジタルコレクションを外注して構築することを検討する際には大いに参考になるだろう。また、ブラウザ拡張機能 Open in IIIF Viewer のリポジトリでは、日本国内の IIIF 対応サイトがリスト [4)] されており、各サイトの Open in IIIF Viewer の動作可否が記載されている。現時点でも更新されており、こちらもデジタルコレクションを構築時に参考になるだろう。

筆者は京都大学貴重資料デジタルアーカイブに関する研究開発に携わっていたが、神崎正英氏による LOD Diary のブログ記事 [5)] のおかげで IIIF のデータモデル、すなわち表示 API について理解を深めることができた。構築・運用の際には、先の「IIIF に関する日本語情報の私的なまとめ」の中のセクション「IIIF に対応したデジタル化資料公開の方法について」に挙げられている永崎研宣氏による記事を参考にさせていただいた。

IIIF に関する最先端の動向・情報を得たいのであれば、IIIF のイベントに参加することを勧める。IIIF に関する最大のイベントは毎年 6 月頃に開催される IIIF Annual Conference である。IIIF

Annual Conference では、IIIF に設置されている 3D や認証等の各グループ[6)]の最新の成果・計画や、欧米が中心であるものの世界各地での IIIF の利用事例について発表を聴講できる。IIIF Annual Conference に参加するためには現地へ赴かなければならないが、IIIF が毎月開催している Community Call や各グループの会議[7)]にはオンラインで誰でも参加することが可能である。時差があり日本からは参加しにくいが、議事録や録画は公開されているので、ご関心があればぜひ覗いてほしい。

注

1　https://github.com/IIIF/awesome-iiif（参照 2024-04-09）
2　https://digitalnagasaki.hatenablog.com/archive/category/IIIF（参照 2024-04-09）
3　https://digitalnagasaki.hatenablog.com/iiif（参照 2024-04-09）
4　https://github.com/2SC1815J/open-in-iiif-viewer/wiki/Test-Cases-(in-Japan)（参照 2024-04-09）
5　https://service.infocom.co.jp/das/loddiary/iiif/（参照 2024-04-09）
6　https://iiif.io/community/groups/（参照 2024-04-09）
7　脚注 6 末尾のカレンダーを参照

第3章

SAT 大正蔵図像 DB とコラボレーションシステム[1)]

永崎研宣

1．はじめに

本稿では、SAT 大正蔵図像 DB（以下、SAT 図像 DB）の開発と公開について報告し、SAT 図像 DB をめぐるコラボレーションの今後の可能性について検討する。

2．大正新脩大藏經図像編

『大正新脩大藏經』は、100 巻から成る仏典の集成であり、テキストを主とする 85 巻分に関しては、2007 年には SAT 大蔵経テキストデータベース研究会[2)]（代表：下田正弘東京大学名誉教授）（以下、SAT プロジェクト）によって全文テキストデータベース（以下、SAT テキスト DB）[3)] として公開され、さまざまに活用されてきている［1］。それ以外の 15 巻分、とりわけ、図像編・図像部等と呼ばれる 12 巻分に関しては、テキストのみならず、仏尊や三昧耶形・曼荼羅等の図像を多く含んでいる貴重な資料である。したがって、テキストとして検索できるよりはむしろ、ここに含まれる図像を何らかの形で検索できるようにすることが希求されていた。そこで、SAT プロジェクトでは、この 12 巻分を高精細画像としてデジタル撮影し、図像の属性に関するタグを付与して検索できるようにすることで利便性を高めることを目指した。

3．Web コラボレーションシステム

タグの付与は、主に津田徹英氏の呼びかけにより、全国に散らばる日本美術史の研究者によって行われることとなった。これには、画像上にタグを協働でつけていくシステムが有益であることから、Web コラボレーションシステムを開発することとなった。当初は、Annotorious[4)] という Web アノテーションツールを基本に、画像の座標情報を取得してレコードを作成し、そこに対象となる図蔵に関するタグをつけるという仕組みを構築した。タグの内容については、髪部、面相、臂数、持物、台座、眷属等、仏尊の部分ごとに属性の語彙のリストを作成し、作業者は、

名称以外に関しては、Web フォームでクリックして選択するだけで属性情報をタグとして入力できる仕組みとした【図 1】。サーバー側は、オープンソースのリレーショナルデータベースとして高評価が定着している PostgreSQL 上に、一つの図像に対して一つのレコードを作成し、一レコード内に複数のタグを保存していく仕組みとした。作業者から見ると、タグを付与したい領域を画像上で選択すると入力フォームが表示されるので、そこに仏尊名を入力し、その後、さらに属性リストのフォームを開いて該当する属性をクリックして選択し、送信ボタンをクリックすると、一連のタグ付け作業が完了となる。共同作業を適切に統制するため、これまで SAT プロジェクトが開発・利用してきた他のコラボレーションシステムと同様に、作業者権限以外に管理者権限を用意し、管理者のみが、他の作業者・管理者のタグを変更することや作業者ごとの作業進捗状況のチェック、さらにはアカウント情報の管理もできるように管理者用のインターフェースも用意した。また、作業に際して、タグの用法などの問合せにかかる手間を減らすため、当初より検索機能を提供し、付与したタグ名で検索できるようにしつつ、検索結果は IIIF [5] Image API によって座標情報を用いて画像の該当部分を切り出してリスト表示できるようにした。これにより、作業者は、タグの用法について図像を検索して確認しながら作業できるようになり、作業効率を高めることができた。この Web 協働によるタグつけ作業は、2015 年度及び 2017 ～ 2021 年度にかけて日本学術振興会の研究成果公開促進費（データベース）の支援を受けて実施され、92 名の研究者が参加した。

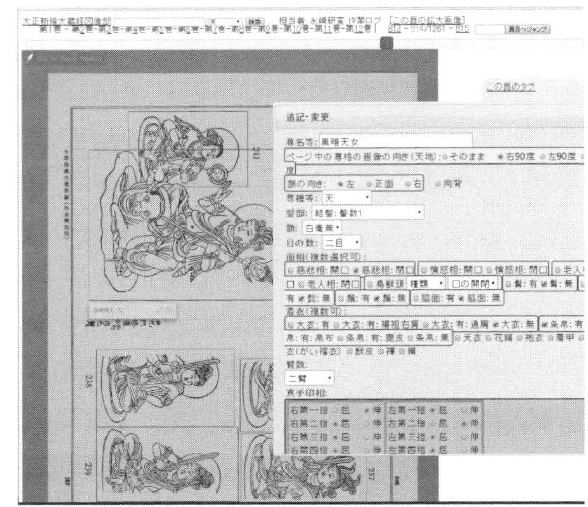

図 1　タグ付け用フォームの画面

4．公開に向けて：IIIF の採用

最初のタグ付け作業は 2015 年度に実施され、この時には図像編第 1 巻・第 2 巻に登場する 4300 件の仏尊・三昧耶形等にタグを付与することができた。この公開にあたっては、IIIF（International Image Interoperability Framework）の Image API 及び Presentation API が version 2.0 となり対応する各種ソフトウェアもこれに対応したことで規格として安定し、海外各地のデジタルリポジトリにおいて採用が進みつつあり、さらに、SAT 図像 DB の公開に適したフリーの Web ビューワとして Mirador が使いやすい形で公開されていたことから、公開に際して IIIF を採用することとした。

IIIF は、図書館・博物館・美術館・文書館などのさまざまなタイプの文化機関から公開されている文化資料デジタルアーカイブにおける画像配信の手法を共通化して低コスト化しつつ利便性を大幅に向上させることを目指したものである。元々は、世界に散らばる中世写本のデジタル画像を統合したコレクションを作ることを課題としたプロジェクト[6]が発展してきたものだが、やがて、欧米・中東などの研究図書館におけるデジタルアーカイブを中心に、一気に普及するようになった。この規格では、「サイロを越える」等のスローガンの下、各地の「デジタルアーカイブ」サイトにおける写本・版本等の画像資料を効率的にまとめてコレクションとして提示したり共同で翻刻やアノテーションを付与したりすることができるようになっている。また、IIIF に準拠すれば Web ビューワを共通化できるため、これをターゲットとした利便性の高いフリーソフトの Web ビューワがいくつも開発公開されるようになっている。とりわけ、Mirador[7]とUniversal Viewer[8]は、多機能な IIIF 対応ビューワとして広く用いられている。いずれも、高精細画像に関しては OpenSeadragon[9]を利用しており、他にもさまざまなツールやライブラリを組み合わせて作成されている。そして、前者は、この時点では対象は高精細画像のみだったが、一つのウィンドウに複数のスロットを作り、それぞれに拡大縮小表示とアノテーション表示が可能となっていた。IIIF の当初の目的の一つであった複数の写本・版本を子細に見比べたいというニーズにはよく合致していたと言える。これに続くバージョン 2.1 ではアノテーションを付加する機能や画像の回転や明度・彩度などの調整もブラウザ上でできるようになっていた。サーバー側が IIIF に準拠していれば、どこのサーバーの画像でも同じように表示して操作できることから、Mirador の複数画像表示機能は IIIF の特性をよく活かしたビューワであったと言えるだろう。また、Universal Viewer は、3D や音声・動画など、さまざまなタイプのメディアを表示する機能を当時から備えていた。XML テキストの検索機能も用意されており、こちらも Mirador とは異なる方向での発展が期待されていた。

このような状況において、SAT 図像 DB では、Mirador の複数画像表示機能の利便性に着目し、これを活用して SAT 研究会の考える利便性の高い表示機能を提供することとした。これにより、IIIF 対応として Image API と Presentation API に準拠する形で画像とアノテーションを公開することになった。さらに、SAT 図像 DB では、CC BY-SA のライセンスで公開したことで、他のビューワや、あるいはまったく別の仕組みでの共有・公開など、さまざまな選択肢をも利用者に提供することとなった[10]。

5．IIIF の実装と付加的な機能

IIIF を書籍のデジタル画像に対して実装するにあたっては、まず、画像そのものをさまざまに操作する IIIF Image API を利用するための画像配信サーバーソフトを、Web サーバー上の高精細画像が読み出せるところに用意する必要がある。そして、一つもしくは複数の画像をまとめて操作する IIIF Presentation API を提供するために JSON 形式のデータの作成が必要になる。

画像配信サーバーソフトに関しては、SAT 図像 DB では、サーバー環境の制約から Loris IIIF

Image server[11]　と IIP Image server[12] の二つを検討し、SAT 図像 DB で公開予定の Jpeg 画像が最大で 80MB に達していることから、動作そのものが比較的速く、Pyramid TIFF を扱うことで配信時の画像分割の負荷が少なく、memcached を利用して配信時の分割画像をキャッシングすることでサーバーの負荷を減らすことができる IIP Image server を採用することとした。なお、IIP Image server では Jpeg2000 も利用することは可能だが、これに使用できる Jpeg2000 用ライブラリがフリーソフトではなかったので、SAT 図像 DB では採用を見合わせた。

Presentation API に関しては、SAT 図像 DB で用いている機能は、基本的な図書のメタデータの提供、一つの資料の中での画像の並び順の指定、各画像へのアノテーション、である。ここでは、画像のファイル情報と PostgreSQL に蓄積されたタグデータと、別途用意した目次情報ファイルを読み込んで Presentation API に準拠した JSON データを作成するスクリプトを組んで、静的な JSON データを用意している。アノテーションのデータには HTML タグを部分的に用いることができるため、タグやその他の情報は HTML で書き込み【図 2】、各タグをクリックしたら画像を検索する、という機能を、JavaScript ライブラリである jQuery 経由で提供した。

画像検索とその結果表示に関しては、IIIF の枠組みではなく外部機能として実装を行った。画像検索は、PostgreSQL

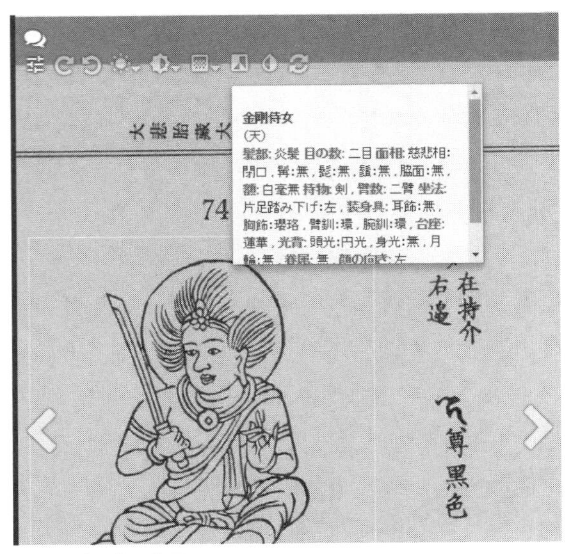

図 2　タグの表示

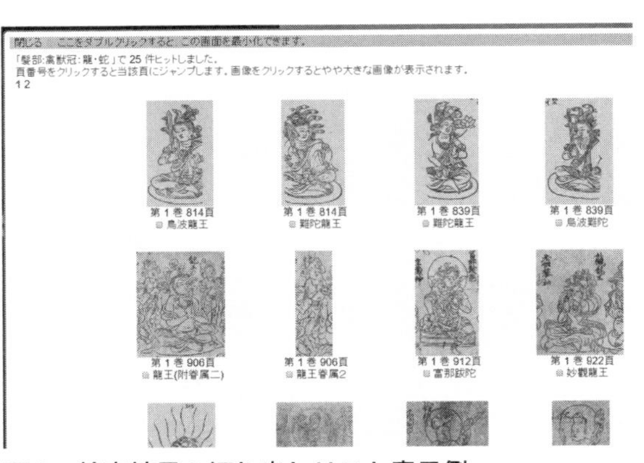

図 3　検索結果の切り出しリスト表示例

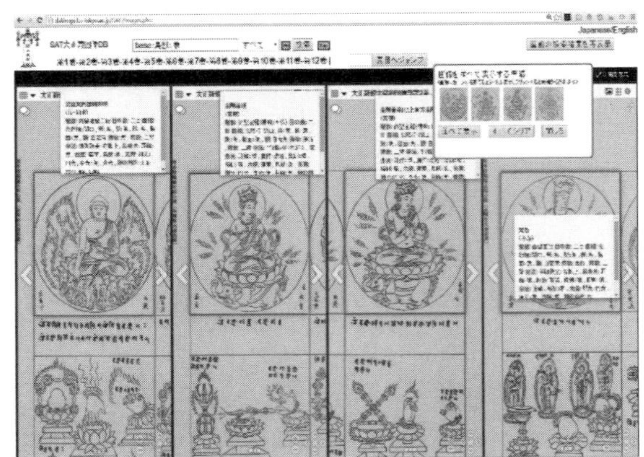

図 4　Mirador の画面分割機能による表示

のテーブルに格納されたタグのテキストを検索することによって実現しており、結果表示には、各タグが付与された画像ファイル名と画像上の座標情報を取得してImage APIで同サイズに画像切り出し表示をするようになっている【図3】。この検索結果表示画面は、GET Methodにより外部から取得できるようになっており、SAT大蔵経テキストデータベース[13]（以下、SATテキストDB）や、国文研データセット簡易Web閲覧システム[14]において公開されていた『仏鬼軍』においても、この検索結果表示画面が表示されるようになっていた。

検索結果表示画面では、各切り出し画像にチェックボックスが付与されており、チェックをつけた複数の画像を、Miradorの複数画像並置機能を用いて一度に並べて表示し、それぞれに、対象となった切り出し画像が各画面中央に位置しつつ、ズームしたりタグ表示・タグ検索したりできるような機能も提供している【図4】。

タグ検索機能では、タグ付与の際に用いた語彙セットをそのまま援用する形で検索フォームを用意し、チェックボックスをクリックすれば検索語が検索語欄に入力され、そのタグで検索できるという機能を提供している。これらの機能は、単に研究上のさまざまな分析に利用できるだけでなく、仏尊の名称がわからない時に部分的な部位で検索して確認することができるという点でも利用者から評価されている。さらに、仏尊の各部位についての知識が十分でない人や、日本語の入力があまり得意でない人にとっても、仏尊の検索が容易にできるようになり、日本語圏・漢字文化圏以外の人々にとっても好評な機能である。そして、SATテキストDBにおいて提供しているCHISE[15]の漢字オントロジーのデータを用いた漢字の曖昧検索機能と、Digital Dictionary of Buddhism[16]を用いた英単語⇒仏教用語変換機能をここでも提供している。これらの機能は、日本語圏以外の利用者からも好評を得ている。

6．おわりに：コラボレーションの可能性

最後に、コラボレーションという観点から、今後の課題についてまとめてみたい。まず、タグ付け作業としてのコラボレーションの発展的継続である。曼荼羅画像等、大きな図像に対する細部へのタグ付けが2015年のタグ付けシステムでは困難だったため、OpenSeadragonで画像を拡大縮小しつつタグを付与できる仕組みをOpenSeadragon Selectionプラグインを用いて新たに開発した。2017～2021年度のタグ付け作業はこのシステムを用いて実施された。このシステムはIIIF Presentation API及びImage APIのversion2を用いているため、今後の継続のためには、それほど遠くない時期に全体的にversion3へと移行する必要がある。

また、この図像編には、図像だけでなく、図像を解説するテキストも多く含まれており、このテキスト部分の翻刻も課題となっている。テキスト翻刻に関しては、筆者らは2005年からWebコラボレーションで取り組んできており、近年はコラボレーションによる取り組みが世界的に広まりつつあるところだが、SAT図像DBに関しては、基本的にはOCRを中心として進めて行く事を目指しており、国立国会図書館が開発・公開しているOCRソフトウェアを核とした協働校

正システムを開発中である。ただし、対象資料には活字資料だけでなく手書きの写本も多く含まれており、また、返り点がついているテキストも多く、やや時間をかけてじっくり取り組んでいく必要がある。これに関連して、テキストデータと IIIF のアノテーションとをどのようにリンクしていくかということも課題として取り組んでいるところである［2]。

コンテンツに関するコラボレーションとしては、IIIF に対応して API を公開することで門戸を開いており、さらに、上述のように GET Method で画像検索結果を取得できるようにしている。こうした形でのコンテンツの提供は、プロジェクトの独立性を保ちながら相互連携によりコンテンツの利活用性を高めることにつながっており、今後もこの方向でのコラボレーションを進めて行きたい。

IIIF は、規格としても対応ソフトウェアとしてもまだ発展の余地が少なくない。筆者らは、コミュニティとしての IIIF へのアプローチという観点からのコラボレーションにも取り組んでおり、IIIF のさらなる発展を視野に入れつつ、適宜、状況に適した技術を採用し、よりよいサービスを展開して、関連する研究の発展につなげていきたい。

謝辞：本章は、タグの入力に取り組んでくださった研究者の方々のご協力の賜物であることをここに記して感謝したい．本章の一部は、国立情報学研究所公募型共同研究「文化資料デジタルアーカイブの研究活用を志向するフレームワークの研究」の助成、および JSPS 科研費（JP15HP8001、JP15H05725）を受けて遂行されたものである．

注

1　本章は、下記の研究報告を改稿したものである。
永崎研宣 , 津田徹英 , 下田雅弘「SAT 大正蔵図蔵 DB をめぐるコラボレーションの可能性」『情報処理学会研究報告』Vol. 2017-CH-113 No. 8, 2017 年 , pp. 1-4.

2　http://21dzk.l.u-tokyo.ac.jp/SAT/

3　http://21dzk.l.u-tokyo.ac.jp/SAT/satdb2015.php

4　http://annotorious.github.io/

5　http://iiif.io/

6　http://www.slideshare.net/Tom-Cramer/iiif-international-image-interoperability-framework-dlf2012

7　http://projectmirador.org/

8　http://universalviewer.io/

9　https://openseadragon.github.io/

10　本稿執筆時点で、外部でこのデータを利用しているサイトとしては神崎正英氏による以下のものが挙げられる。http://www.kanzaki.com/works/2016/pub/image-annotator?u=http://dzkimgs.l.u-tokyo.ac.jp/iiif/zuzoubu/01/manifest.json#p9

11　https://github.com/loris-imageserver

12　http://iipimage.sourceforge.net/

13　http://21dzk.l.u-tokyo.ac.jp/SAT/satdb2015.php

14　国文学研究資料館から再利用可能なオープンデータとして「国文研データセット」が公開された際に、

その画像を用いて、IIIF対応のデモンストレーションとして人文情報学研究所が開発・公開したシステム。
https://www2.dhii.jp/nijl_opendata/openimages.php

15 http://www.chise.org/

16 http://buddhism-dict.net/ddb/

参考文献

［1］永崎研宣、SAT大蔵経テキストデータベース 人文学におけるオープンデータの活用に向けて、情報管理 Vol. 58 No. 6 pp. 422-437. 2015.

［2］Kiyonori Nagasaki, Tetsuei Tsuda, Charles Muller, Masahiro Shimoda. Tagging on Buddhist Images via IIIF and TEI encoding. TEI Conference and Members' Meeting 2016 Book of Abstracts. Vienna (Austria), (2016), pp. 141-143.

第 4 章

IIIF の仏典研究への活用 [1]

永崎研宣

1．はじめに

デジタル学術編集版（Digital Scholarly Edition、以下、DSE）は、学術的に信頼できるものとなることを目指して構築されるデジタル資料を意味しており、デジタル・ヒューマニティーズ（人文情報学・文化情報学）分野の主要なテーマの一つである。デジタル技術の発展に伴い、あるべき DSE の姿はさまざまに変化してきている。かつてはテキストデータを適切に構築しそれをうまく閲覧できるようにするものとして目指されてきたものだったが、Web 2.0 の登場による Web コラボレーションの可能性は、構築手法の新展開だけでなく、クラウドソーシング翻刻 [2] や Social editing [3] といった形でステイクホルダーの拡大の可能性をも、もたらすこととなった。さらに、2 次元デジタル画像共有の可能性を拡張する IIIF（International Image Interoperability Framework）の普及は、それまでに構築してきたテキストデータによる DSE に対して、版面画像との対比の可能性を大幅に広げることになった。この間に、学術利用を主眼とした文字の符号化に大きく踏み出した ISO/IEC 10646（Unicode）もまた、DSE の発展に着実な貢献をしてきている。本章では、このような DSE の流れにおいて、国立国会図書館（NDL）が開発した古典籍 OCR の活用例を通じて、高精度な OCR がもたらし得る役割について検討する。

2．仏教学における DSE の展開と課題

筆者は、1994 年に始まる SAT 大蔵経テキストデータベース研究会（代表：下田正弘東京大学名誉教授）を通じて、仏教研究におけるデジタル研究環境の研究開発に取り組んできており、仏教学のための DSE の構築は重要なテーマである [4]。

IIIF 登場以前の状況としては、仏教学においては、テキストの内容の分析は重要な要素であり、その内容が全体の文脈の中でどのような位置づけになっているかを明らかにする上で、全文テキスト検索は有用であった。一方、1 億字字超の主に漢字から成るテキストデータを基盤とする SAT 大蔵経テキストデータベースの元になった活字本である大正新脩大蔵経では、本文は主に、

木版大蔵経である高麗版大蔵経再雕本（13 世紀刊行）を底本とし、対校本となった宋・元・明代に中国で刊行された木版大蔵経や敦煌写本、聖語蔵写本等のテキストは脚注において底本との異同が示されている。しかしながら、それらは必ずしも正確ではないことが指摘されており、とくに文献に重点を置く研究においては各々の資料を再度確認することが必要とされてきた。また、大正新脩大蔵経編纂時に参照されたこれらの典拠資料以外にもさまざまな木版・写本の仏典が世界各地に残されており、仏典研究においてはそれらを可能な限り参照することが理想ではあったものの、時間的にも物理的にも容易ではない状況であった。英国図書館を中心とする国際敦煌プロジェクトの Web サイトや、国立国会図書館デジタルコレクションなどを通じて仏典のデジタル画像は徐々に Web 公開されつつあったものの、それらのサイトに毎回アクセスして当該箇所を確認するには相当の手間がかかってしまい、関連画像すべてを調査するのは容易なことではなかった。

3．IIIF-BS について

このような中で、筆者らは、IIIF 対応貴重資料のメタデータを協働で改善しつつその成果を共有するためのプラットフォームとして、IIIF-BS（IIIF manifests for Buddhist Studies）を開発した[1)]。これは、世界各地で公開される仏典関連の IIIF 対応画像を一覧できるようにし、それを見ながら各画像のメタデータの修正や付加を協働でできるようにし、さらに、その成果を自由に利用できるようにしたものである。

3-1．IIIF-BS の必要性

文化機関の Web サイトから公開されるデジタル画像は、それぞれの機関が持つ文脈で公開される。それは、何らかの文庫（コレクション）であったり、非常に貴重な資料のみを単発でデジタル化して公開したものであったりと、さまざまな形があり得るが、それはあくまでもその機関が広く紹介したいものをデジタル化して公開するものであり、必ずしも何らかの研究分野のニーズを反映したものになるとは限らない。そもそも、研究分野や研究者たちの関心の方向性は千差万別で、それぞれの文脈にあわせてデジタル化・公開の対象の選択や公開の仕方は変わってくる。結果として、利用者側があちこちの機関のサイトをまわって必要な画像を探ねばならないという状況は、それをそのまま放置してしまうのであれば IIIF で公開したとしてもそれ以前と同様になってしまう。専門司書をそろえているような機関であれば、そうした場合に、研究者が探しやすくなるような詳細なメタデータの付与やその他のさまざまなサービス提供を行っているところもあるが、むしろそうでないところが多く、必要な画像を探すだけでもかなりの手間と時間がかかってしまう場合が少なくない。サイト側で画像の新規公開や更新があった場合への対応も、たとえば国立国会図書館デジタルコレクション（NDL デジコレ）では新規追加分を探せるようにしているが、それでも分量が多いと確認作業はなかなか容易ではない。必要に応じた文脈で画像

を探しやすくする環境を用意しないことには、このことはなかなか解決しない。

一方で、仏教学分野としての必要性という観点では、仏教学資料は、比較的大きい機関のデジタルコレクションの一部として含まれていることが多い。漢籍コレクションの一部であったり、東アジア貴重書コレクションの一部であったり、状況はさまざまだが、仏教学資料専門のデジタル画像コレクションというのは今のところそれほど多くはない。この場合、「仏教学」という文脈から世界のサイトを回って画像を探し出さねばならないということになってしまう。しかしこのことは、典拠確認というごく基本的な次元においてであっても必要なこととなりつつある[5)]。

このようなことから、仏教学という文脈において世界のサイトの仏教資料画像を容易に探せるようにする仕組みが必要であり、そのために開発されたのが IIIF-BS である。すなわち、世界各地でそれぞれの機関のコレクションという文脈で公開される IIIF 対応画像は、IIIF-BS を介することで仏教学の文脈で集約されたコンテンツになり、同時にこれ自体が IIIF-BS という仮想コレクションにもなるのである。なお、未だ探索・収集の途上ではあるが、原稿執筆時点での登録対象機関・サイト名とその登録アイテム（IIIF Manifest URI）件数は以下、2023 年 9 月時点では計 8764 件となっている。

3-2．IIIF-BS の機能

幸いなことに、仏教学分野においては各典籍に目録番号を付与してさまざまな言語の版を対比できるようにしたり、その番号を用いて文献の情報を交換したり、さらには、典拠として用いられやすいものであれば典籍中の行番号で対象とするテキストの位置を示し共有するといったことが、仏教文献データベースのみならず、デジタル媒体登場以前から長きにわたって紙媒体上で行われてきており[6)]、その蓄積は IIIF-BS においても最大限に活用されている。IIIF-BS では、現在のところ、協働ユーザーが任意の IIIF Manifest URI を登録できるようになっており、さらに、大正新脩大蔵経の目録番号、巻番号、行番号を各 Manifest URI に対して付与できるようにしており、ユーザーは、IIIF-BS で各画像を閲覧しつつ、巻単位でそろっているものであれば目録番号と巻番号を、あるいは、欠損があって 1 巻に満たないものや断片的なものであれば、大正新脩大蔵経の対応箇所の始まりと終わりの行番号を登録できるようにしている。これらの付与データは、単に IIIF-BS 上で閲覧できるだけでなく、大正新脩大蔵経の目録番号や巻番号などをキーとしてデータ付与対象の IIIF Manifest URI とともに Web API で取得できるようになっている。取得された JSON 形式のデータは、さらに当該 IIIF Manifest の内容を取得して組み合わせることにより、さまざまな仕方での活用が可能となる。具体的には後述する。

また、IIIF-BS 上での操作や作業を想定し、ユーザーが使える IIIF 対応ビューワを 3 種類用意している。Universal Viewer、Mirador、IIIF Curation Viewer である。それぞれに特徴があり、用途に応じて利用者が適宜選択することを想定している。たとえば、画像をダウンロードしたり、特定画像の特定箇所についてメール等で共有したりしたい場合には Universal Viewer を選択するのがよいだろう。複数画像を並べて比較したい場合には Mirador が適している。ただし、複数画像比較の際に、IIIF アイコンを Mirador ウィンドウ上にドラッグ&ドロップする標準的な手法は、実際には操作に困難を感じる人が少なくないということを、延べ 300 名以上の参加のあった IIIF 講習会シリーズ等での利用者の様子から感じたため、ここでは採用していない。代わりの機能として、すでに Mirador 上で画像を一つ以上表示している場合には、Mirador アイコンをクリックするたびに、Mirador の画面を分割してからそこにその画像を表示するようにしている。あるいはまた、IIIF Curation Viewer は、そのキュレーション機能がそのまま利用可能であり、アイコンをクリックして切り出しを行っていけば、そのリストを作成していけるようになっている。さらに、この場合には、このビューワ自体の機能により、一度切り出し画像一覧を作成すると、IIIF-BS を介さずともその一覧を利用できるようになっており、状況次第では非常に有効に機能することがあるだろう。

3-3．IIIF-BS の仕組み

IIIF-BS は、Apache Solr を中心として構築されている。協働ユーザーが認証を経た後に IIIF Manifest URI をシステムに送信すると、さまざまな言語を含む Manifest ファイルが取得されて Apache Solr に取り込まれ、Manifest ファイルに含まれるメタデータ等に関しては IIIF-BS 上で検索できるようになる。この際、Apache Solr のインデックス作成用フィルターには、中国語を含むさまざまな言語を含むデータが検索対象となっているため、日本語形態素解析等は行わないものとして、Unigram も含む Ngram を用いている。

協働作業に参加するユーザーに関しては、SAT 大蔵経テキストデータベース研究会（以下、SAT 研究会）がこれまで運用してきている協働ユーザーアカウントデータベースを利用して認証を行っており、潜在的な協働作業参加者数は 200 名を超えている。

IIIF-BS の検索機能では、IIIF Manifest ファイルから抽出したメタデータだけでなく、IIIF-BS 上で登録した情報を対象として検索することも可能である。つまり、経典番号、巻番号、行番号で検索を行い、対応する画像を探索することができるようになっている。これは、「この経典についての画像を取得したい」「この経典のこの巻についての画像を取得したい」といったニーズに対応するものであり、たとえば、「妙法蓮華経」に関する画像を閲覧したい場合は、その大正新脩大蔵経経典番号である T0262 を含む以下のような URL にアクセスすると、

```
https://bauddha.dhii.jp/SAT/iiifmani/show.php?m=getByCatNum&cnum=T0262
```

この経典番号を付与された IIIF Manifest URI と、それに付与された他の関連データを、Web API を通じて JSON 形式で入手できるようになっている。敢えて経典名ではなく経典番号を付与してそれを対象として検索する理由は、大蔵経に含まれる経典の中には、内容の異なる複数の経典に同じ経典名がついている場合があることが主な理由である。また、IIIF Manifest ファイルにおいて付与されたタイトルに揺れがある場合や、そもそもタイトルとして経典名が付与されてい

ないものもあり、こういった場合には共通の経典名をつける必要があるが、この際にも、経典番号を付与しておけば、それを用いて経典名を引くことができるようになるため、やはり経典番号を登録してそれを検索できるようにしておくことが有用である。なお、巻も特定してデータを取得しようとする場合には、scrnm というパラメータを上記の URL に加えることになる。

3-4．IIIF-BS の想定利用方法

以上を改めて簡潔にまとめると、IIIF-BS では、機関 A、機関 B、機関 C からそれぞれ公開されている木版や写本等の経典 D の画像を検索して Mirador で並べて表示して比較してみたり、気になる箇所を IIIF Curation Viewer で切り出して並べてみたり、Universal Viewer で気になる箇所について他の人に問い合わせてみたりすることができる。さらに、協働ユーザーであれば、経典 D の大正新脩大蔵経の経典番号・巻番号を付与することができる。これが行われると、登録された IIIF Manifest URI は付与された各種番号で検索され、JSON 形式で一連のデータが取得できるようになる。

3-5．IIIF-BS の成果と課題

IIIF-BS の成果としては、まず、SAT 大蔵経テキストデータベース 2018 年版（以下、SAT2018）[7] においてテクスト閲覧の際の画像参照システムの一部にこのデータが組み込まれるという形での成果が出ている。SAT2018 では、この IIIF-BS 上のデータを AJAX 通信で取得し、付与された巻番号・行番号を用いて各断片の対応箇所を表形式で表示したり、さらにそこから Mirador 上で複数の画像を並べて表示することもできるようになっている。

【図 1】では、「妙法蓮華経」の画像の情報を拡大縮小可能な表中に一覧表示しており、フランス国立図書館やバイエルン州立図書館等の各地のサイトで公開されている断片画像は、付与さ

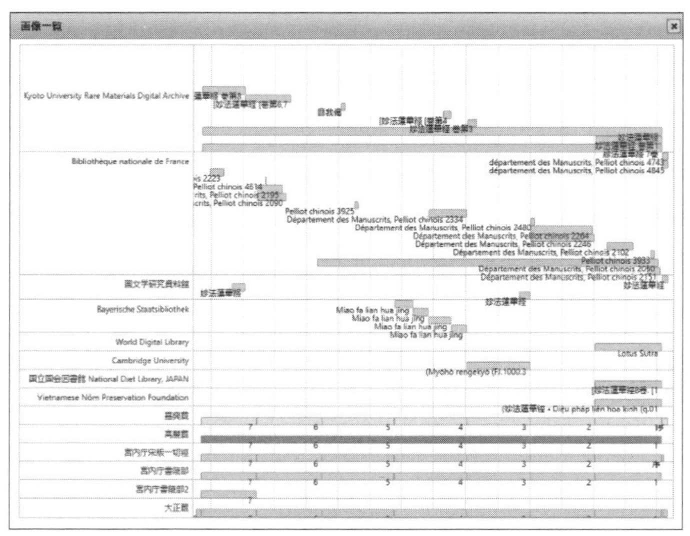

図 1　SAT2018 上での表形式表示の例

図 2　妙法蓮華経の各画像を並列表示

れた巻番号・行番号に基づき、1 巻から 7 巻までの全巻のうちの対応する箇所にプロットされる形で表示されている。それぞれのバーをクリックすると、それに対応する画像が Mirador 上に表示され、二つめ以降の画像表示は、Mirador の画面を分割してから新規ウインドウに表示するようになっている【図 2】。この Mirador のウィンドウの開き方は、上述の IIIF-BS で実装しているものと同様である。

この事例は、IIIF-BS の成果の活用先としては SAT 研究会という一つの研究プロジェクトの中に閉じた話だが、各地の画像提供サイトの立場からは、画像を IIIF 対応で公開したことで専門家コミュニティによる高度な利活用を可能とした事例として見ることができるだろう。

これに加えてもう一つの成果にも言及しておこう。IIIF-BS では京都大学貴重資料デジタルアーカイブ（以下、京大 DA）から提供されているデジタル画像のうち、仏典に関する画像の IIIF Manifest を 248 件取り込んでいる。この中には、経典名が付与されていない断片も含まれている。IIIF-BS 上で、これらの画像に対して一連のデータを付与し、経典名未詳の断片に関しては、確認できたものは経典番号とともに行番号をも付した。これに対して、京大 DA は、この付与データを採用するとともに、これを利用して SAT2018 への経典・巻・行番号のいずれかの単位でのリンクを京大 DA の各当該コンテンツ情報頁に設置した[8)]。このことが意味するところは、IIIF を通じて基盤的に提供されたデジタル化資料が、利用者によって利用者自身のために活用されただけでなく、その利用者が利用者という立場を超えた第三者としてコンテンツに付加価値を与えた上で、さらに、その付加価値が IIIF 対応画像一次公開機関にまでフィードバックされる道を具体的に示した、ということになる。上述のように、一次公開機関資料の内容に関する専門家の多忙や未配置のために必ずしも十分なメタデータや関連情報を付与できるとは限らないという状況があり、その改善はなかなかすぐには見込めない。きちんとしたデジタル化資料を提供することへの責任感や不十分なものを提供することに対する忌避感が、結果として現場に無理を強いることになったり、公開開始を長く延期したりすることにもなりかねない。そのような事態に対してこの事例が示すことは、IIIF 対応で公開することによってメタデータを充実させる等の価値付与が第三者によって行われる可能性が高まるということである。この可能性を高めていくためには、IIIF-BS のようなシステムをさまざまな研究者・専門家が自分たちの専門的活動のために容易に準備できるようになっている必要があるが、それも徐々に進みつつあるように思われる。このような事例が積み上げられてオープンな利用を前提とした IIIF 画像公開の効果に対する認知が広まっていけば、予算が縮減されがちな現状への対応というだけでなく、デジタル化資料公開にあたっての公開機関の負担感の低減や公開作業の遅滞の回避といった点でも有益だろう。

なお、この京大 DA からのリンクは IIIF-BS が提供する動的な機能を用いたものではなく、IIIF-BS のデータを一次公開機関がいったんダウンロードした上で先方のデータベースに取り込んで利用するという形になっているが、動的な内容の改変は今のところ日本の文化機関にはややなじみにくい面があり、それを踏まえた上での対応としても意義のある事例であると言えるだろう。

4．IIIF-BS の運用上の課題と対応

仕組み上は容易であるとは言え、IIIF の仕様上の寛容さにより、仏典研究支援のための機能を開発・運用するにあたっては主に以下のような配慮すべき事項が生じた。

（1）HTTPS 非対応のサイトと対応サイトが混在するため、Web ブラウザのセキュリティ制限によりサイトを HTTPS 対応にできない。
（2）書誌情報としてのメタデータ項目が共通化されておらず、また、粒度がまちまちであるため、対応する仏典テキストと資料画像のマッチングがほとんど自動化できない。
（3）一つの IIIF Manifest に含まれる資料画像の単位がサイトによってまちまちで、対応する仏典テキストとの資料画像の対応づけが困難な場合がある。
（4）頁めくり方向が右から左であるにも関わらず、それを示す項目である viewingDirection の値が right-to-left になっていないものがあり、ユーザーを混乱させる可能性がある。
（5）IIIF Manifest の書き方にエラーがあり、取り込みがうまくできない。
（6）Manifest URI が変更になった場合になんらかの対応が必要。

これらの事項は、主に IIIF 対応画像を提供する側の事情に由来するものである。（1）は HTTPS への対応というサーバー運用に係る問題であり、（2）（3）（4）は、画像提供側のデジタルコレ

クションの管理運用ポリシーに起因するものである。(5) は、IIIF の仕様に準拠するだけで解決するはずだが、IT 企業に IIIF 準拠で発注したにも関わらずエラーになったまま修正がなされないという事例が国内機関において見られる。これも単なる技術的問題だけでなく、提供側の運営上の困難さという観点からも捉える必要がある。(6) は、IIIF 対応画像提供側の問題だが、外部から画像をリンクしているサーバの側からみると、リンクしたデータが全体としてリンク先を失い無意味なものとなってしまうため、変更にあわせた修正を行わなければならない。このように、IIIF という国際的な共通仕様が普及したとしても、課題がなくなるわけではなく、提供側の運用上の問題に対して利活用する側が改めて直面する事態となっている。

これらの課題への対応について検討してみよう。(1) は、IIIF 自体に由来するものではないが、運用上重要な事項である。Web ブラウザのセキュリティ制限が強化されたため、HTTPS 対応サイトから HTTPS 非対応サイトのコンテンツを AJAX で取り込むことができなくなって久しい。しかしながら、Gallica [9] 等の仏典資料を多く公開する IIIF 対応サイトの一部はその制限が適用される以前に構築されたため、HTTPS 非対応となっていた。このため、公開当初の SAT2018 では HTTP で運用していた。連携していた IIIF 対応画像を提供するサイトがすべて HTTPS に対応し問題なく動作することを確認できたため、2020 年 4 月、HTTPS へと移行した。これにより、この課題は仏典研究支援の文脈では解消した。

(2)(3)(4) に関しては、IIIF Presentation API の柔軟性がこのような事態をもたらしている典型例と言えるが、同時に、そのことは、このような IIIF に由来する問題を解決するにあたっても有用性を発揮し得る。この点について、以下に見ていこう。

(2)(3) については、機械的に仏典画像を取り込みリンクしていくのであれば、国際的なデファクト標準 ID となっている大正新脩大蔵経のテキスト・巻・頁・行番号（以下、大正蔵 ID）に対応していることが望ましい。一つのテキストが一つの IIIF Manifest に対応し、メタデータ項目等に大正蔵 ID が適宜付与されていれば、テキストデータと IIIF 対応画像をリンクすることは効率的に可能である。

しかしながら、多くの IIIF 対応仏典画像は、何らかの大きなコレクションの一部に含まれる形で公開されており、特定分野で利用される ID にまで配慮するということはほとんど行なわれていない。したがって、大正蔵 ID が付与されていることはごく稀である。それだけでなく、そもそも IIIF Manifest は冊子や巻物等、一つの物理的なまとまりに対して作成されていることが多く、大正新脩大蔵経のテキストと一対一で対応させられることは稀である。また、逆に、一つの IIIF Manifest が複数のテキスト、もしくはその断片を含んでいる場合もある。さらには、巻物などの長さのある資料の場合、複数画像に分割して撮影しているものもある。結果として、目当ての画像の確認したい箇所にたどり着くことは必ずしも容易ではなく、テキストデータとのマッチングも一筋縄ではいかない。『デジタル源氏物語』[10] のように対比する単位を明確に得られる場合には画像 OCR を経たテキストデータとの機械的なマッチングはある程度は可能であるものの、機械処理のままではユーザーを満足させるレベルに達することはこの時点では困難であった。

そこで、粒度の差異が大きい IIIF Manifest を平準化し、画像とテキストの対比をはじめとする操作を簡便にするために、各地の Web サイトで公開される IIIF 対応仏典画像に大正新脩大蔵経の ID を付与する中間的なシステム IIIF-BS（IIIF Manifest for Buddhist Studies）[11] を別途構築することで、SAT2018 からは大正新脩大蔵経 ID で仏典画像にアクセスできるようにする仕組みを開発した。IIIF-BS は、各地の仏典画像の IIIF Manifest ファイルを集約し、システム上で大正新脩大蔵経の ID 等を付与できるコラボレーションシステムであり、協働での作業が進められている [12]。現在の収録数は 8145 件となっている。ここで作成されたデータは Web API としてどこからでも取得することができ、SAT2018 に拠らずとも、更新され続ける協働の成果をリアルタイムに活用したサービスを第三者が構築することも可能である。

このようにして IIIF-BS によって平準化されたアクセス手法を利用するのが、テキストデータベースを検索・閲覧する研究支援環境としての SAT2018 における IIIF 画像対応機能である。SAT2018 では、IIIF-BS に蓄積された情報を大正新脩大蔵経の ID に基づいて取得し、それを巻や行の単位で紐付けて適宜表示できるようにしている。さらに、大正新脩大蔵経以外の典拠資料に異文があればその異文のテキストを入力するとともに該当箇所の画像をも切り出して登録できる仕組み（SAT IIIF Link）も開発した。このデータは、対応するテキストデータ、大正蔵 ID による文字位置、切り出された画像に関する情報（IIIF ManifestURI 及び Canvas ID）、切り出し画像の位置情報、切り出し作業者、データ確認者、それぞれの作業日時等から成り、独自の形式で RDBMS に保持されている。切り出し画像の情報は、出力される際には IIIF Image API 2.1 に準拠した URL に整形される [13]。これにより、IIIF 対応仏典画像に関しては、研究者が確認すべき箇所を少ない手数ですぐに参照できる環境を SAT2018 上で提供できることとなった。また、SAT2018 では、SAT IIIF Link として構築したテキスト・部分画像の対応情報データを Web API として提供し、自らもそれを取り込んで整形・表示している。この Web API もまた、他のサイトからも利用できる。インターフェース次第では、複数のテキストを併置させるなど、さまざまな仕方で表示することが可能である。

頁めくり方向（4）と IIIF Manifest のエラー（5）に関しては、まずは提供側での対応を期待したいところであり、適宜連絡をとるなどして対応を促してきた。しかしながら、（4）に関しては、提供機関側がメタデータとして頁めくり方向の情報を持っていなければ対応が難しく、特に縦書き以外の資料も含む大がかりなデジタルコレクションの場合、個別対応は実質的には不可能である。また、（5）に関しては、IIIF Manifest の不備ではあるものの、担当した IT 企業としては、システムを一度構築してしまうとその後に改良する体制を作ることが困難な場合もあるとのことであり、修正に多大な時間を要することもあった。このような IIIF Manifest の内容の不足や不備に関しては、IIIF Manifest を別のシステム上で書き直して配信するという手法もあり得るため、今後検討していきたい。ただし、これが問題となるのは仏教学だけではないため、世界の潜在的利用者のために、IIIF Manifest の修正は今後も継続して当該機関に働きかけていくことが必要である。

Manifest URI の変更（6）に関しては、URI が変更にならないような設計を行うことがコンテンツ提供側には強く求められるところだが、IIIF-BSのこれまでの数年間の運用においても、すでに数回のURI修正が必要となった。IIIFに限らず、Web上の情報資源全般の問題として、包括的な対応が必要である。ただ、IIIFに関しては、IIIF Change Discovery APIによる対応の可能性があるものの、この場合には、コンテンツ提供側が自らの修正内容を明示的にリリースする必要があり、それも含めて簡易に実現可能な実装系が必要だろう。また、URIを用いないIPFS（InterPlanetary File System）[14]という技術が現在開発されつつあり、理論的にはこれが普及すればURIの変更という問題はほぼなくなるが、今のところはすぐに使える実装が提供されているわけではない。いずれにしても、運営面での工夫とともに、今後のさらなる技術開発が期待されるところである。

5．IIIFと古典籍OCR

IIIF-BSを介して世界各地のIIIF対応画像を巻単位でリンクしたSAT2018は、中心的な典拠資料である木版の大蔵経（伝統的な漢文仏典の叢書。5000巻以上の典籍から成り、10世紀以降、東アジア各地で木版により度々刊行された）5種類が現在ではほぼ閲覧可能となっており、写本に関しては敦煌写本のうちでフランス国立図書館に所蔵されているものが閲覧可能となり、さらに、国立国会図書館や国文学研究資料館、バイエルン州立図書館など、各地で断片的に公開されている仏典画像もリンクされている。これらを通じて、研究者は、読んでいる仏典テキストの根拠となる木版や写本の画像を、すべてではないにせよ、Webブラウザ上で確認できるようになっている。

しかし、「巻」単位でのリンクでは、巻あたりで3万字を超えるものもあり、そのなかから該当箇所を人が目で探す必要があった。巻の冒頭部分や末尾の部分であれば比較的探しやすいものの、中程にある文字を探そうとした場合、なかなか容易ではなく、結果として、読者にとってそういった確認のためのコストを多くかけてもよいテキストでなければ、わざわざ典拠資料画像の閲覧まではしないということになってしまう。デジタル研究環境構築の立場からすると、せっかく典拠資料の画像が提供されているにも関わらず、それが十分に活用されないということになってしまうのである。この課題は、文献資料のデジタル化画像を公開する場合には避けては通れないものである。そして、この課題の解決に資するのが、以下に紹介する高精度OCRを用いた典拠資料画像閲覧システムである。

5-1．NDL古典籍OCRの登場

SAT2018の元資料である大正新脩大藏經が典拠としており、さらに、SAT2018自身から典拠資料としてリンクされているデジタル画像の多くは木版の仏典画像である。この種のデジタル画像は、従来、OCRによる文字認識があまりうまくいかず、汎用的に簡易に利用でき、ある程度の精度が確保でき、かつ、数十万枚の画像を一括して処理できるものは、なかなか出てこなかっ

た。この状況で登場したのが、国立国会図書館がリリースした古典籍用 OCR[15] である。これは日本の古典籍の OCR を目指して開発されたものであり、日本古典籍の一部を成す漢籍についてもある程度の精度が確保できる。ディープラーニング技術を活用していることから GPU の利用を前提としており、どこでも簡単に大規模利用できるとまでは言えないが、GitHub で公開されているこのソフトウェアは Docker としてのインストールが可能であることから設定は比較的容易であり、コマンドラインから利用できるため自動的な一括処理を低コストに実行でき、GPU を装備したコンピュータさえ用意できれば、数十万枚の画像であっても特に問題なく対応可能である。

5-2．NDL 古典籍 OCR と木版大蔵経画像

SAT2018 からリンクされている IIIF 対応画像のうちで完本に近い木版大蔵経には当初は 2 種類があった。（現在は増上寺三大蔵を含めて 5 種類となっている。）一つは、東京大学総合図書館所蔵の万暦版大蔵経（以下、嘉興蔵。16 世紀頃の刊行、画像 196,192 枚）であり、もう一つは、宮内庁が所蔵し慶應大学斯道文庫から公開されている宋版一切経（以下、宮本。12 世紀頃の刊行、画像 145,024 枚）である。ここで対象としたのはこの二つの大蔵経である。

OCR に利用したハードウェアの主な構成は、インテル Xeon Silver 4210R（2.4GHz,10 コア）× 2、DRAM64GB、SSD2TB、RTX A6000、である。これに Ubuntu20.04.6 LTS 及び NDL 古典籍 OCR の docker をインストールし、このためのバッチ処理プログラムを作成して、四つのプロセスを並行処理する形で OCR を実施した。筆者のシステムにおいてこのバッチ処理方式が確立したのは NDL 古典籍 OCR version 2 を利用する時であり、この際、OCR には、嘉興蔵で約 90 時間、宮本で約 80 時間を要した。

NDL 古典籍 OCR は、木版に対する OCR としては体感的にかなりの精度が確保できていると感じられたため、今回のシステムの開発に着手した。一方で、その精度が具体的にどの程度かを確認する必要も感じたため、比較的精度の高いテキストの任意の箇所を対象とし、SAT テキストの異読（異文）情報を用いて再構成した嘉興蔵・宮本テキスト（それぞれ、SAT 嘉興蔵テキスト、SAT 宮本テキスト）と対応箇所の OCR 結果の比較を行った。

まず、OCR の結果の確認に際して使用したテキストデータについて説明しておこう。SAT テキストデータベースでは、元になっている大正新脩大蔵経で脚注として付与されている嘉興蔵や宮本等の異読情報をテキストに含んでいるため、半自動的にそれらの版のテキストを生成することができる。しかしながら、これは現時点では若干の人力による修正を必要とするため、比較的一致の大きいテキストを対象として、嘉興蔵テキストと宮本テキストを生成し（各々、嘉興蔵テキスト、宮本テキストと呼ぶ）、一方で、それぞれの OCR テキストについても、同じ箇所を比較対象とできるようにした上で、両者を比較してみた。ここでは、NDL 古典籍 OCR の version 1 と、version 2 の領域認識の閾値を変えた二つの認識結果[17]、それに加えて version 3 の認識結果を対比した。それぞれ、v1、v2、v2a、v3 とする。また、比較に際しては、Python でよく用

いられるテキストの差分解析ライブラリ difflib [18] に加えて、同じく Python の拡張として公開されている python-Levenshtein を用いて編集距離も確認した。また、異体字に関しては、SAT 本文テキストと NDL 古典籍 OCR とでは選択ポリシーが異なるため、異体字テーブルを作成し、それを用いて SAT 本文テキストに寄せる形で比較を行った。

ここでは、なるべく文字の認識精度の確認以外の要素が入り込まないような比較を行うために、『維摩詰所説經』の本文冒頭から最初の偈頌の直前までの散文部分（大正新脩大蔵経で 2,853 文字）を対象として比較してみた。というのは、偈頌の箇所の認識に際して、認識領域の順序が乱れることがあり、文字そのものの認識精度を確認する上ではそのような順序の乱れに関わる事項を避けた形で確認することが望ましかったためである。その結果は以下の通りである。

嘉興蔵『維摩詰所説經』冒頭

	テキスト類似度（0-100）	編集距離
v1	93.71671991480298	69
v2	85.39823008849557	170
v2a	86.87089715536105	148
v3	88.35212023617821	119

宮本『維摩詰所説經』冒頭

	テキスト類似度（0-100）	編集距離
v1	94.00630914826499	68
v2	89.01379662749106	157
v2a	92.99839657936932	77
v3	93.22033898305084	69

このようにしてみると、この資料の場合には version 1 がもっとも精度が高いことが、いずれの数値からも判断できる。また、version 2 で閾値のパラメータを変更することが認識精度向上に資することが、この数字からは明らかである。実際の所、行単位で認識し損なったものをパラメータ変更により認識できたりするケースもあった。

次に、もう少し自然な、偈頌も若干含む形での認識精度の確認のために、般若灯論釋巻第二（大正新脩大蔵経の本文部分のみで 15,924 文字）を比較してみよう。これは、a）で実施した未調整の比較では、嘉興蔵 OCR テキストの version1 では 80%、宮本 OCR テキストでは 81% の一致度のものであり、そのままでもすでにある程度の精度が出ているものである。これを、版ごとに内容が大幅に異なるタイトルや著者名、奥書などを削除した上で嘉興蔵テキスト、宮本テキストと比較すると、以下のような結果となった。

嘉興蔵『般若灯論釋』巻第二

	テキスト類似度（0-100）	編集距離
v1	92.56422685409598	455
v2	84.45251058681186	962
v2a	85.05195843325339	918
v3	93.22033898305084	553

宮本『般若灯論釋』巻第二

	テキスト類似度（0-100）	編集距離
v1	93.29467876180679	377
v2	90.45586808923375	648
v2a	93.39731285988484	468
v3	94.44444444444444	360

このテキストの場合には、前の事例と異なり、v3 が、もっとも精度が高くなるという結果となった。全体を通して考えるなら、今のところ、木版大蔵経を扱う場合には v1 か、もしくは v3 を

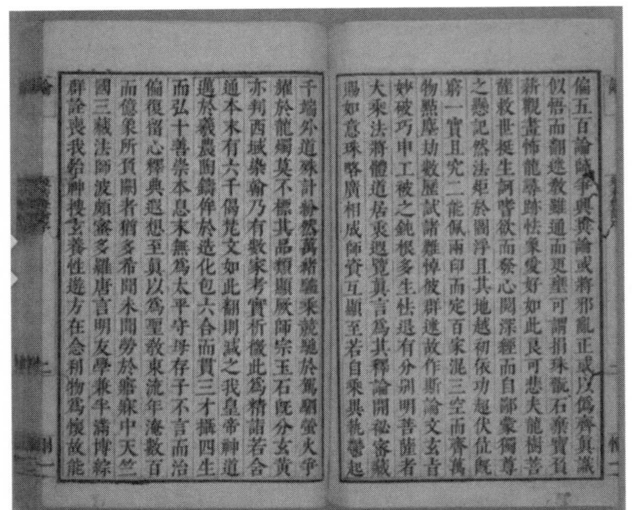

図 3　嘉興蔵の版式の例（東京大学総合図書館所蔵）

図 4　宮本の版式の例
（京都大学附属図書館所蔵）[16]

利用しておくのが妥当だろう。

なお、嘉興蔵 OCR テキストの誤認識の割合が宮本 OCR テキストに比べてやや大きい。その理由は、嘉興蔵は、本文テキストに対して匡郭と経線が付与された版であり、文字を認識すること自体に難しさがある【図 3】一方、宮本は、匡郭はあるものの、経線はない【図 4】。経線を避けて文字を認識することは一般に困難さが高いため、嘉興蔵の OCR は宮本よりも精度向上が困難であることが版式からは想定される。

また、SAT 本文テキストが依拠している木版大蔵経（高麗版再雕本）が 13 世紀刊行であるのに対し、宮本は 12 世紀頃の刊行であり時期的に近いものの、嘉興蔵は 15 ～ 16 世紀の刊行で時期が離れており、テキストの巻の区切り方が異なっていることもある等、テキストの類似度はテキスト刊行の経緯に起因するところも大きいと思われる。

いずれにしても、一致の少なさには段階があり、さまざまな原因が想定される。ランダムにサンプル抽出して内容を確認してみた限りでは、一致の少ないテキストに関しては、上記の理由以外に、OCR ソフトウェアの挙動として、文字を文字として認識できていない箇所や、逆に、文字ではない箇所を文字として認識している例なども散見された。

5-3．DSE に向けた新機能の開発

以上のように、NDL 古典籍 OCR は、比較的相性のよい資料に関しては木版であってもテキスト自体の認識精度は 90%を超えており、多くのテキストはそれに近いものがある。しかし、1000 文字あたり 100 文字近くが誤りということでは、テキストをそのまま利用して分析することはやや難しい。そこで、完璧ではないこの OCR 結果のテキストをそのままテキストとして利用するのではなく、これらの画像を対象とした、任意の箇所を容易に確認できる位置合わせシス

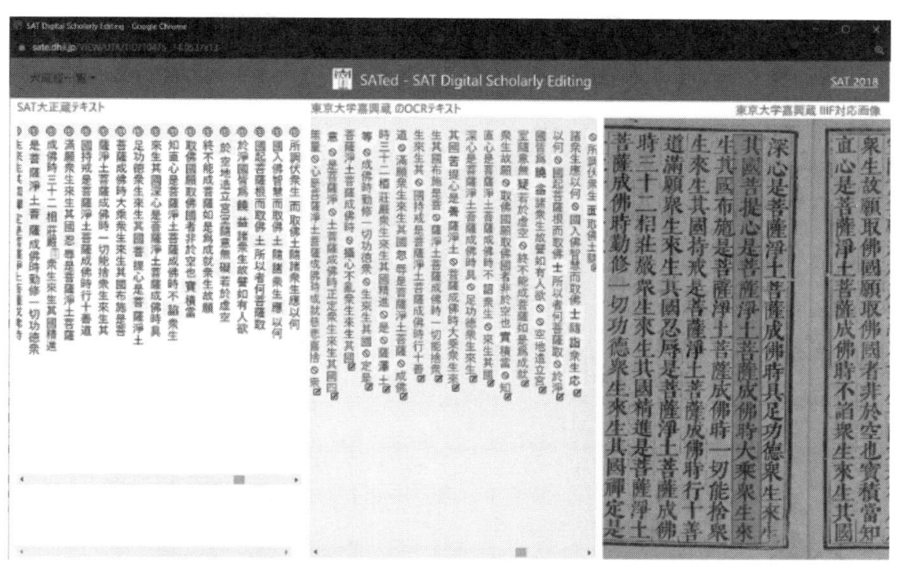

図５　嘉興蔵の該当箇所表示画面の例

テムの開発を行った。このシステムでは、Python において差分を検知するライブラリである difflib における異なる箇所を検知する機能を用い、SAT 本文テキストと各 OCR テキストとの間で異なっている箇所にマーカーと参照情報を HTML で自動的に付与して Web ブラウザに表示し、ユーザーがいずれかのテキスト中のマーカーのついた箇所をクリックするともう片方のテキストの対応する箇所を表示するようにした。さらに、この機能を活かし、大正新脩大蔵経の各行冒頭に「@」文字を入れることで、二つのテキストの間での行単位での位置合わせを可能とした。NDL 古典籍 OCR が生成する OCR テキストは画像上の行単位での座標情報を持っているためそれを用いて IIIF 対応画像の対応箇所を拡大表示することも可能になった。そして、SAT 本文テキストは SAT 行番号で管理されていることから、この行番号を渡せば該当する OCR テキストと IIIF 対応画像を表示する、という機能も実装することができた。

この機能はすでに SAT2018 に実装され、木版大蔵経該当箇所の表示機能を ON にした上でテキストの任意の箇所をクリックすると、その箇所に対応する嘉興蔵や宮本の画像がそれぞれに表示されるようになっている。すなわち、典拠資料の版面の確認に際して、これまでは多ければ３万字超のテキストから探さねばならなかったものが、１クリックだけでほぼ該当箇所にたどりつけるようになったのである。このような典拠資料の該当箇所へのアクセス性の向上は、より確かな典拠資料を適切に提供するデジタル研究環境に向けた大きな前進である。

なお、この difflib が検知したテキスト同士の異なる箇所には、概ね、以下の２種類がある。

- 違い（a）：SAT 本文テキストと各 OCR テキストの相違
- 違い（b）：各 OCR テキストの OCR の誤り

図 6　編集画面の例

違い（a）に関しては、ほとんどは大正新脩大蔵経の脚注において記載されており、多くの場合、対応の必要はない。しかしながら、脚注には時折漏れや誤記があり、それを修正する必要はある。一方、違い（b）に関しては、OCR テキストを修正することで位置合わせをより正確にすることが可能である。そこで、SAT 本文テキストの対応箇所と比較しつつ OCR テキストを修正する仕組みを開発した。1 文字単位での修正だけでなく、行単位での他の巻への移動等についても行単位で選択して移動先を選べば移動できるなど、必要と思われるいくつかの作業が簡易に実行できるようにインターフェースを実装した。

この仕組みは、Web サーバー上で稼働する PostgreSQL に格納されたデータベースに追記修正を行う形で運用されている。OCR テキストは対象画像における行の単位で 1 レコードとなっており、SAT 本文テキストの該当巻 ID、当該行の番号、当該行の画像上での座標情報、IIIF 対応画像のディレクトリ名、ファイル名、OCR テキスト、テキストタイプ、作業担当者、作業日時等から成っている。書き換えは Python 用のウェブアプリケーションフレームワークである Flask を用いて構築した Web サービスを介してサーバー上で PostgreSQL に対してクエリを渡して行われる。認証は現時点では Google 認証を用いているが、Google のサービスを利用できない地域の利用者から編集作業参加の希望が来ているため、別の認証システムの採用も検討している。表示・編集システムともに、同じテーブルからデータを読み込んでいるため、ここで修正するとすぐにこの修正結果が反映され、より精度の高い対比が可能となる。実際の編集画面は【図 6】に一例を示した。

6. 今後の課題

NDL古典籍OCRという精度の高いOCRの登場は、元々用意されていた精度の高いテキストデータの意義をより深め、典拠の簡便な確認という、これまでの大きな課題の一つについて着実な前進をもたらした。この後、相違箇所についてその意味や位置付け、解釈等を記述するためにはTEIガイドラインに準拠した記述が一つの重要な選択肢となる。主に、<app>、<lem>、<rdg>等の校異情報（Critical apparatus）用のエレメントを利用し、double-end-point-attached methodの採用を前提として、現在、それを簡易に記述できるJavaScriptのエディタを開発中である。今後、適切に本システムに組み込むとともに、システム自体の可用性を高め、他の人文学分野にも活用可能なものとしていきたい。

注

1 本章は、以下の三つの発表を統合し、その後の状況にあわせて新たな要素を加味しつつ改訂したものである。
- 永崎研宣、大向一輝、下田正弘、OCRの高精度化を踏まえたデジタル学術編集版の新展開、じんもんこん2023論文集、vol. 2023（2023年12月）：177-182.
- 永崎研宣、大向一輝、下田正弘、「仏教文献研究のためのIIIFの活用における諸課題の解決に向けて」. じんもんこん2020論文集、vol. 2020（2020年12月）：75–80.
- 永崎研宣、下田正弘、オープン化が拓くデジタルアーカイブの高度利活用：IIIF Manifests for Buddhist Studiesの運用を通じて、じんもんこん2018論文集、vol. 2018（2018年12月）：pp. 389-394.

2 Terras, Melissa. Present, not voting: Digital Humanities in the Panopticon: closing plenary speech, Digital Humanities 2010. Literary and Linguistic Computing, 2011, vol. 26, no. 3, pp. 257–269.

3 Siemens, Ray, et al. Building A Social Edition of the Devonshire Manuscript. Digital Scholarly Editing: Theories and Practices, edited by Matthew James Driscoll and Elena Pierazzo, 1st ed., vol. 4, Open Book Publishers, 2016, pp. 137–60.

4 永崎研宣、大向一輝、下田正弘. 仏教学のためのデジタル学術編集システムの構築に向けたモデルの提案と実装. 情報処理学会論文誌、2022、vol. 63、no. 2、pp. 324–334.

5 永崎研宣、インド学仏教学を未来につなぐために―研究資料ネットワークの再形成に向けて―、印度学仏教学研究、第65巻第2号、2017年3月、pp. 1015-1022.

6 Kiyonori Nagasaki, Toru Tomabechi and Masahiro Shimoda, Towards a Digital Research Environment for Buddhist Studies, Literary and Linguistic Computing, (2013) 28(2), Oxford University Press, pp. 296-300.

7 永崎 研宣他、横断型デジタル学術基盤を目指して―SAT2018の構築を通じて―、『情報処理学会研究報告』、2018-CH-117、1、pp. 1-7.

8 京都大学図書館機構、京都大学貴重資料デジタルアーカイブ：経典資料にSAT大蔵経DBへのリンクを記載しました、お知らせ、2018年9月7日. http://www.kulib.kyoto-u.ac.jp/bulletin/1379494

9 https://gallica.bnf.fr/（参照2020-11-09）

10 中村覚他、源氏物語本文研究支援システム「デジタル源氏物語」の開発におけるIIIF・TEI、『情報処理

学会研究報告』、2020、CH-124、No. 2、pp.1-7.

11 http://bauddha.dhii.jp/SAT/iiifmani/show.php（参照 2023-11-09）

12 Kiyonori Nagasaki, et.al. A Collaborative System for Digital Research Environment via IIIF, Digital Humanities 2019, https://dev.clariah.nl/files/dh2019/boa/0378.html（参照 2020-09-14）

13 永崎研宣、下田正弘．国際的な画像共有に基づくデジタル学術編集版の構築 SAT 大蔵経テキストデータベースの事例を通じて、情処研報、2019、CH-120、No. 4、pp.1-6.

14 IPFS とは何か？ https://ipfs-book.decentralized-web.jp/what_is_ipfs/（参照 2023-11-09）

15 NDL 古典籍 OCR アプリケーション、https://github.com/ndl-lab/ndlkotenocr_cli（参照 2023-11-04）

16 この画像は宮本そのものではないが、同版の例として提示した。

17 Version2 に関しては、デフォルト設定と、' score_thr' : 0.1 を 0.01 に設定変更したもの（v2a）で OCR を行った。

18 difflib --- 差分の計算を助ける、https://docs.python.org/ja/3/library/difflib.html（参照 2023-11-04）

COLUMN 4

「みんなで翻刻」におけるIIIF活用

橋本雄太

『みんなで翻刻』（https://honkoku.org/）は、江戸時代以前の史料を対象としたクラウドソーシング型の翻刻プラットフォームである。「翻刻」とは歴史学の用語で、史料に書かれた文字を活字に起こす作業のことを言う。江戸時代以前の文字資料の大多数は現代人には解読困難な「くずし字」で筆記されているため、翻刻はきわめて高度なスキルが要求される作業である。しかしながら、『みんなで翻刻』上ではこれまでに8,000人以上の人々が翻刻作業に参加し、2,000点以上の史料の翻刻が完了している。入力された文字数の合計は3,300万文字に達する。

『みんなで翻刻』上では3,000点以上の史料が翻刻の対象として公開されているが、これらはいずれもIIIF対応のデジタルアーカイブから『みんなで翻刻』のシステムにインポートされたものである。『みんなで翻刻』ではバックエンドシステムにGoogleが運営するFirebaseというサービスを使用しており、翻刻対象の史料情報はこのFirebaseのデータベースに登録されることで、『みんなで翻刻』上で利用可能になる。もっとも、ここでデータベースに登録されるのは史料のマニフェストファイルに記述された情報のみであり、史料画像そのものは各史料の公開元のデジタルアーカイブからIIIF Image API形式で配信される。このため、『みんなで翻刻』のシステム自体はテキスト情報のみ保持すればよく、非常に安価に運用が可能である。

これまでに10機関以上の文化学術機関が『みんなで翻刻』上で史料翻刻プロジェクトを公開しており、『みんなで翻刻』は史料翻刻に関する機関横断型プラットフォームとしての地位を確立しつつある。これは異なる機関の史料へのアクセスを標準化したIIIFの力によるものと言っても過言ではない。

第 5 章

音声読み上げとフォーラム機能を備えた中世文書オンライン展示システムの開発

橋本雄太

1．はじめに

本稿では、中世文書資料のオンライン展示システム『日本の中世文書 WEB』（https://chuseimonjo.net 以下『中世文書 WEB』）の開発と公開後の結果について述べる。『中世文書 WEB』は国立歴史民俗博物館共同研究「中世文書の様式と機能および国際比較と活用の研究」（2016–2018 年）の成果の一部として開発され、2020 年 1 月に一般公開された。

『中世文書 WEB』のシステムは、国立歴史民俗博物館の 2018 年秋企画展示「日本の中世文書ー機能と形と国際比較ー」［1］にて公開された展示コンテンツをベースにしている。このコンテンツは大型タッチパネル上で動作し、企画展の来場者がインタラクティブに展示資料の文書の釈文や読み上げ音声に触れられるように開発されたものであった。このコンテンツの機能を見直し、インターネット上で自由にアクセスできるようにゼロから再構築したものが『中世文書 WEB』である。

『中世文書 WEB』のような古文書資料のデジタル画像のオンライン公開は、近年では珍しいものではない。2010 年代に博物館や図書館、大学に所蔵する歴史文化資料のデジタル画像化が急速に進められ、中世文書を含む多数の文献資料がオンラインで閲覧可能になった。たとえば京都学・歴彩館が運営する『東寺百合文書 WEB』［2］では、東寺に伝来する文書群およそ 25,000 通からなる東寺百合文書のデジタル画像が CC BY ライセンスで公開されている。国立歴史民俗博物館が運営する『館蔵中世古文書データベース』［3］は、「田中本古文書」「越前島津家文書」「水木家資料」など約 2,000 点の中世文書を公開している。また、神奈川県立公文書館が運営する『神奈川デジタルアーカイブ』［4］では、同館が所蔵する中世諸家文書およそ 100 点が PDF 形式で公開されている。

一方で、これらの中世文書デジタルアーカイブを中世史の専門家以外が利用するのは非常に困難である。中世文書の大多数はくずし字で筆記されており、一般の人々には文字を判読するだけでも大きな困難をともなう。たとえ資料の翻刻が提供されていても、中世文書の多くはいわゆる変体漢文で書かれており、これを読み下すには現代とは異なる漢字の読み方や、漢字の返り読みについての知識が要求される。中世の古文書に関心を抱きつつも、日本史学で専門的訓練を受けていない大多数の人々に対して、文書資料の記述内容や歴史背景をわかりやすく伝えるためには、専門家と一般の人々の間にあるギャップを埋める「梯子」をかけることが必要不可欠である。

2. 開発の目的と指針

上述した課題意識のもとで、『中世文書 WEB』の開発は、歴史に関心のある一般の人々に中世文書に記述された内容をわかりやすく伝えることを目的にしている。この意味で『中世文書 WEB』は博物館展示の延長上にあり、デジタル化した資料に対して網羅的なアクセスを与える一般のデジタルアーカイブやデータベースとは性質を異にするものである。また、企画展示「日本の中世文書－機能と形と国際比較－」は、主に文書の「様式」に着目するものであったが、『中世文書 WEB』では、文書の文字資料としての性質に焦点を当て、文書の記述内容を非専門家の利用者にわかりやすく伝えることを目標にした。

中世の古文書に書かれた文章を、一般の人々が「読む」ことを可能にするためには、文書の釈文を示すだけでなく、現代と異なる漢字の読み方や、文章中の返り読みの順序などについても説明する必要がある。さらに、その意味内容を伝えるためには、文書に現れる用語や時代背景についての解説も必要である。そこで『中世文書 WEB』の開発にあたっては、公開資料のプレゼンテーションの方法として、次に挙げる二つのアプローチを採用した。

第一は、文書の読み上げ音声の提供である。すでに国内外のいくつかのデジタルアーカイブでは、文書画像に翻字をアノテーションとして表示する画像ビューワーが採用されているが［5］［6］、この方式では返り読みを伴う文章の読み方や、漢字の読み方を利用者が把握することはできない。そこで、文書の読み上げ音声を提供するとともに、文書画像内に翻字を表示し、さらに音声再生と同期して翻字を強調表示するインターフェースを実装した。これはカラオケの歌詞表示にアイデアを得たものである。なお、文書の読み上げ音声は、共同研究代表者の小島道裕氏にご提供いただいた。ただし小島氏によると、読み上げ方を当時と同じものにすることは不可能であり、読み上げの内容は「現在中世史学の分野で便宜的に行なっている読み方のひとつ」とのことである。文書画像に音声や翻字を組み合わせるプレゼンテーションは本システムが最初のものではなく、たとえば神崎正英氏による Image Annotator plus IIIF Viewer［7］がある。ただし、これは音声とテキストのハイライトを完全にして表示するものではない。

第二は、公開資料について利用者間の情報交換を可能にするオンラインフォーラムの設置である。文書の読み下し方がわかったとしても、背景知識や用語の意味がわからなければ初学者に文書内容を正確に把握することは難しい。専門家による資料の解説を付したとしても、あらゆるレベルの初学者に対応した解説を作成するには多大な作業コストがかかってしまう。そこで、掲載資料の歴史的背景や記述内容について利用者間が情報を交換するフォーラムを設置すれば、資料内容を多面的把握が容易になると考えたのである。ただし、情報の提供者は専門の研究者とは限られないため、必ずしも信頼に足る情報が共有されるとは限らない。そこで投稿を利用者間で相互評価するシステムを実装し、投稿内容の評価数によって投稿内容の品質を担保する仕組みを構築した[1)]。もちろん誤った情報が多数の利用者に評価されることは可能なので、信頼性を担保する方法としてこの仕組みは完全とは言えない。誤った情報が流布することを防ぐため、小島氏に協力を要請し、フォーラムに緩く関わりを持ちながらコミュニティが形成されるように配慮した。

以上の方針のもとでシステムの開発にあたり、2020 年 1 月 8 日に『中世文書 WEB』のシステムを一般公開した。公開時にコンテンツとして収録したのは、【表 1】に示す計 8 点の資料である。これらはいずれも国立歴史民俗博物館が所蔵し、企画展示「日本の中世文書ー機能と形と国際比較ー」にて展示された資料である。収録対象の資料は小島氏に選出していただいた。なおこの 8 点は試験的に公開したもので、今後継続的に公開対象を拡充することを予定している。

表 1 『中世文書 WEB』に収録した資料

No.	名称	資料番号	展示図録［15］中の番号
1	官宣旨（弁官下文）	H-75	2-3
2	関東下知状	H-63-924-2	3-4
3	後醍醐天皇綸旨	H-743-480	2-11
4	足利尊氏御判御教書	H-65-1-2-10	3-12
5	室町幕府奉行人連署奉書	H-743-186-2-7	3-35
6	菊王丸等連署天罰起請文／永隆寺牛玉宝印	H-1315-33	4-31
7	羽柴秀吉書状	H-1907-33	5-18
8	北条家伝馬手形	H-1442	5-30

3. システムの実装

以下では、『中世文書 WEB』の実装方法について説明する。『中世文書 WEB』は Web ブラウザ上で動作する Web アプリケーションであるが、フロントエンドの構築に JavaScript フレームワークの Vue.js［8］を用いることで。単一の HTML ファイルで構成される SPA（Single Page Application）として実装した。SPA はサーバーとの通信量が少なく、高速にページ遷移が可能であるといった利点がある。また、静的解析を有効にするために、開発言語には JavaScript の拡張である静的型付け言語の TypeScript を使用した。

『中世文書 WEB』のシステム構成を【図 1】に示す。ユーザー認証やデータベースの読み取り／更新など、いわゆるバックエンドに属する機能には、Google 社が運営する Firebase［9］を利用した。Firebase はクライアントと直接 WebSocket 経由で通信することで、Web アプリケーションに要求されるさまざまなバックエンド処理を提供する。また、フォーラム機能の一部であるユーザーへの通知など、単純なデータベース操作のみでは実現が難しい処理については、Firebase の

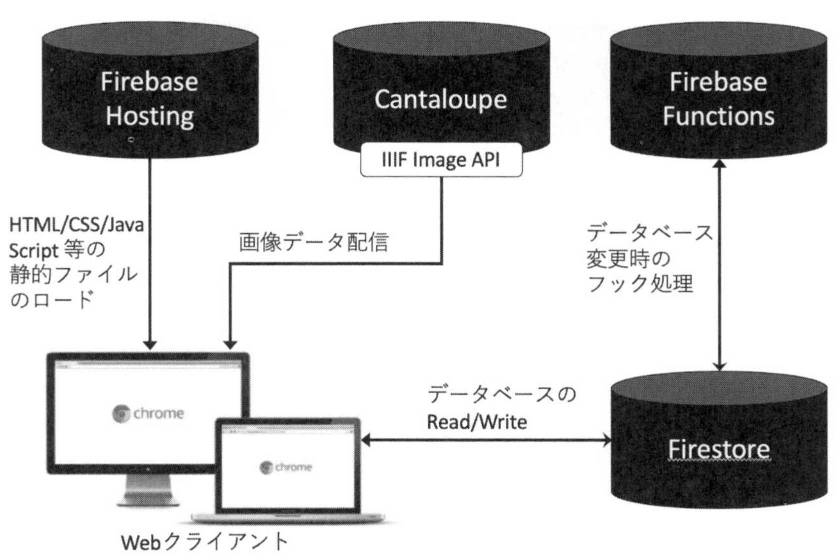

図 1 『中世文書 WEB』のシステム構成

一部である Firebase Functions を使用した。Firebase Functions は HTTP リクエストやデータベース内容の更新といったイベントに対するフック処理として、node.js で記述された任意の関数を実行することができる。このようなアーキテクチャを採用することで、『中世文書 WEB』は HTML/CSS/JavaScript から成る静的アセットを Apache や Nginx など任意の Web サーバーに配置するだけでデプロイできるようになっている。

『中世文書 WEB』で表示する文書画像の配信には、画像配信サーバーの Cantaloupe［10］を使用した。Cantaloupe は IIIF（International Image Interoperability Framework）Image API［11］に対応した画像配信サーバーである。Web クライアント上では、Cantaloupe が配信した画像を JavaScript 製画像ビューアの OpenSeadragon［12］を用いて表示している。実際には、IIIF Image API 対応の画像配信サーバーから配信される画像であれば、任意の画像を『中世文書 WEB』に取り込むことが可能である。

【図 2】に示す通り、文書画像には表示／非表示の切り替えが可能な翻字が実際の文字の位置に合わせて表示される。これは OpenSeadragon のレイヤー機能を用いて実装した。また、文書の読み上げ音声と同期して、「カラオケ」形式で翻字の表示色が変化するようになっている。この仕組みを実装するには、(1) 読み上げ音声、(2) 各文字の文書画像中の位置、(3) 各文字の音声データ中の読み上げタイミングの指定が必要である。読み上げ音声については、前述の通り小島氏が録音した音声を mp3 ファイルとしてご提供いただいた。文字位置と読み上げタイミングの入力はアルバイト作業者に依頼し、(2) および (3) のデータを Google Spreadsheet 上に入力してもらった。Google Spreadsheet は API を公開しており、シートの内容を JSON データとして取得することができる。この API を使用して、アルバイト作業者の入力内容を一括取得することで各文字の座標と読み上げタイミングを取得した。

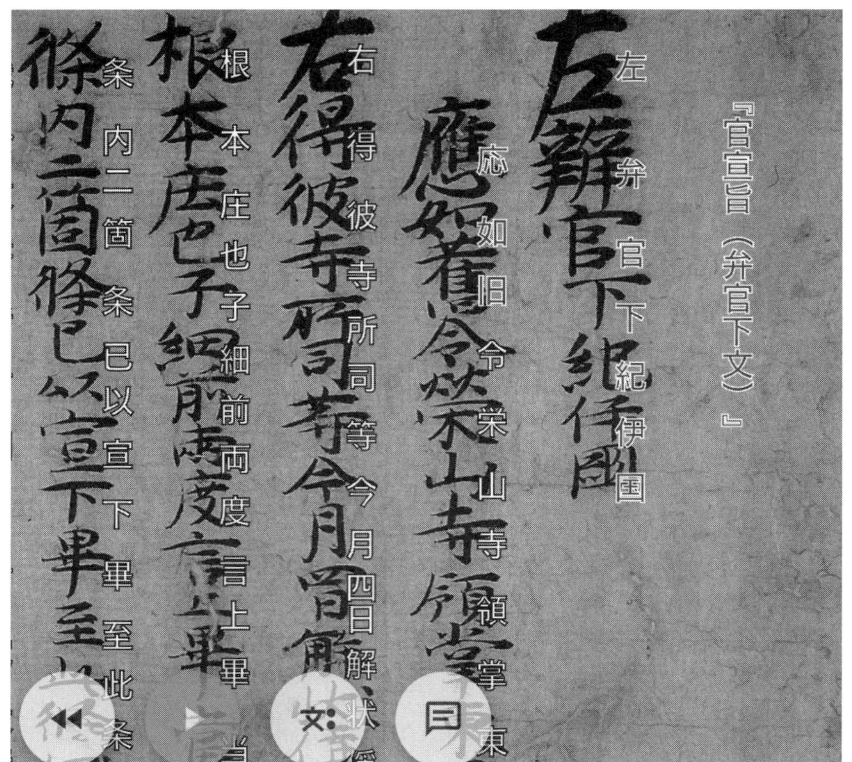

図2　文書画像に表示される翻字。音声と同期して読み上げ箇所が強調表示される。

『中世文書 WEB』の開発にあたって特に重視したのが、スマートフォンやタブレットなどモバイル端末における表示性と操作性である。平成 30 年度版情報通信白書［13］によれば、2017 年の時点でインターネット利用端末としてのスマートフォンの利用はパソコンの利用をすでに上回っている。特に『中世文書 WEB』のように一般の利用者を想定するシステムにおいては、モバイル端末への対応は必須である。今回の開発ではレスポンシブデザイン（デバイスの画面サイズに依存しない Web サイトのデザイン手法）に対応した UI フレームワークの Vuetify［14］を採用し、画面に表示される UI の数を抑えるなどして、モバイル端末においてもデスクトップ PC と同等の表示性・操作性が維持されるように配慮した。

ユーザー間の情報交換の場であるフォーラムには、(1) ユーザー認証、(2) 質問・コメントの投稿、(3) 投稿に対する返信、(4) 投稿に対するユーザー間評価（「あっぱれ！」）、(5) 投稿に対する返信や評価を知らせる通知、からなる五つの機能を実装した。ユーザーの認証には OAuth プロトコルを利用し、Google アカウントないし Twitter アカウントとの紐付けを必須にした。これはいたずらや荒らし行為などの発生を抑えるための措置である。投稿系の機能にはデータベースとの通信が必要であるが、これには前述の Firebase に附属する NoSQL データベースの Firestore を利用した。Firestore はデータ変更をクライアントにリアルタイムで通知する機能を有しており、データベースの内容を即座に各クライアントの表示に反映することができる。

記述したHTMLやCSS、TypeScriptファイルはモジュールバンドラーのWebpack［15］を利用して変換･圧縮･難読化を施し、単一のJavaScriptファイルとしてビルドした。アプリケーションの公開にはFirebaseが提供するホスティングサービスのFirebase Hostingを使用した。

4．公開後の反応

『中世文書WEB』のシステムは2020年1月8日に一般公開された。公開に際してはプレスリリース発信等の外部メディアを用いた広報活動は実施せず、小島道裕氏および筆者のTwitterアカウントでサービスの公開を告知した[2)]。この告知ツイートに対してTwitter上では比較的大きな反響があり､1月14日までに小島氏の投稿は247回､筆者の投稿は772回共有（リツイート）された。以下では、システムが公開された1月8日から同月14日までを評価期間として、この期間に得られたシステムの利用状況とユーザーの反応を（1）Webサイトのアクセス解析の結果と（2）公開後ユーザーに対して実施したオンラインアンケートの結果から確認する。

4-1．アクセス解析

Webサイトへのアクセス解析には、アクセス解析ツールとして広く利用されているGoogle Analytics［16］を使用した。Google Analyticsはサイトへのアクセス回数に加えて、サイト滞在時間や訪問頻度などユーザーの行動パターンを示す各指標を提供する。また検索エンジンなどロボットによる機械的アクセスを除外してアクセス回数をカウントすることができる。

評価期間中、『中世文書WEB』には合計6,333件のアクセス（セッション）があった。【図3】に示す通り、日次アクセス回数は公開翌日の1月9日が3,215回と最も多く、その後は漸減している。サイトを訪問したユニークユーザー数は5,440人、ページビューの合計は13,410回であった。公開から1週間という短期間の集計値であることを考慮すれば､『中世文書WEB』は多数のアクセスを得ることに成功したと言えるだろう。

サイトへのアクセスの大多数は日本国内からのものであったが、ドイツから154件（2.8%)、米国から144件（2.6%)、オランダから33件（0.6%）など、少数ながら欧米諸国からのアクセスもあった。これはサイト開設の情報が欧米の日本研究者コミュニティの間でメーリングリスト等を通じて共有されたためらしい。

サイトアクセスのリファラーに目を向けると、全体の63.5%がTwitterなどSNSを経由したアクセスであり、18.2%が他の一般サイトからのリンク経由、また17.2%がURLを直接指定したものであった。検索エンジン経由アクセスは1%と僅少であったが、これはサイト公開直後で検索エンジンのインデクシングが完了していなかったことが原因である。

1ページごとの平均滞在時間は1分24秒であった。サイトのトップページにアクセスし、他のページに移動せずサイトを去ったユーザーの割合を示す「直帰率」は62.3%であった。残念ながら､サイト内容を詳細に確認したユーザーの割合は､全体の4割にも満たなかったようである｡

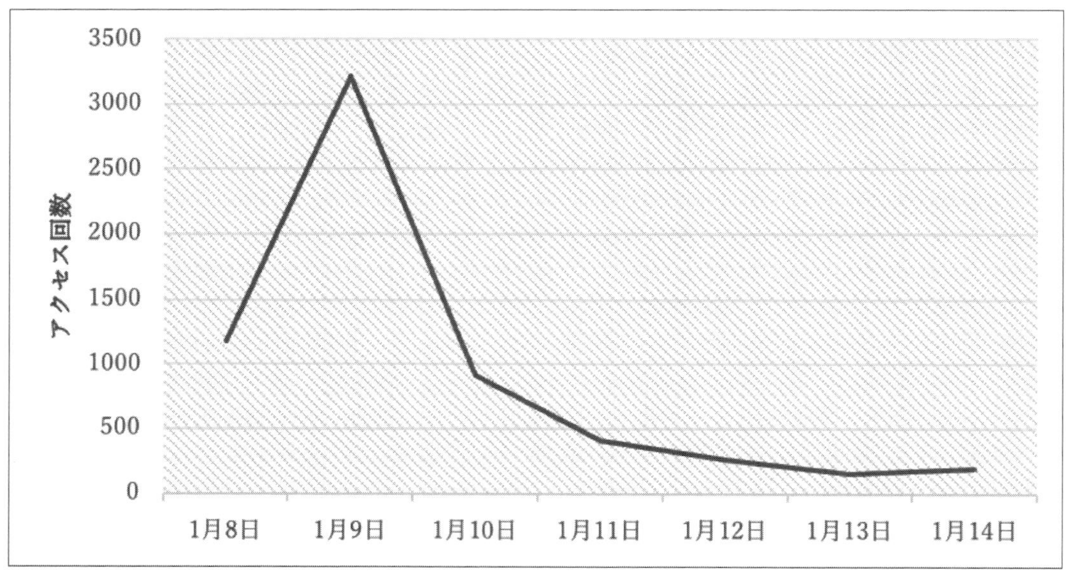

図3　評価期間中の日次アクセス回数の推移

4-2．オンラインアンケート

システムの利用者の反応を調べる目的で、利用者に対してオンラインアンケートを実施した。アンケートはGoogle Formで作成し、『中世文書WEB』サイト本体および筆者のTwitterアカウントで入力の呼びかけをおこなった。その結果、1月8日の公開から同月14日までの7日間で48件の回答が得られた。

(1) 回答者の基本属性

回答者は男性が29名（60%）、女性18名（38%）、無回答が1名（2%）であった。年齢は10代以下が3名（6.3%）、20代が5名（10.4%）、30代が7名（14.6%）、40代が16名（33.3%）、50代が7名（14.6%）。60代が5名（10.4%）、70代が4名（8.3%）、無回答が1名（2.2%）となった。職業は48名中会社員・公務員が13名（27.1%）で最大、ついで常勤または非常勤の大学講師が7名（14.6%）、大学生・大学院生が8名（16.7%）、その他は自営業、公務員、パート・アルバイト、無職など多岐にわたった。

(2) サイトを知ったきっかけ

Twitter上での広報を中心に実施したこともあって、48名中の39名（81.3%）が「Twitter等のSNS」をきっかけに本サイトの存在を知ったと回答した。この他には「知人・友人からの紹介」（2名）や、「Googleなどの検索エンジン」（2名）があった。

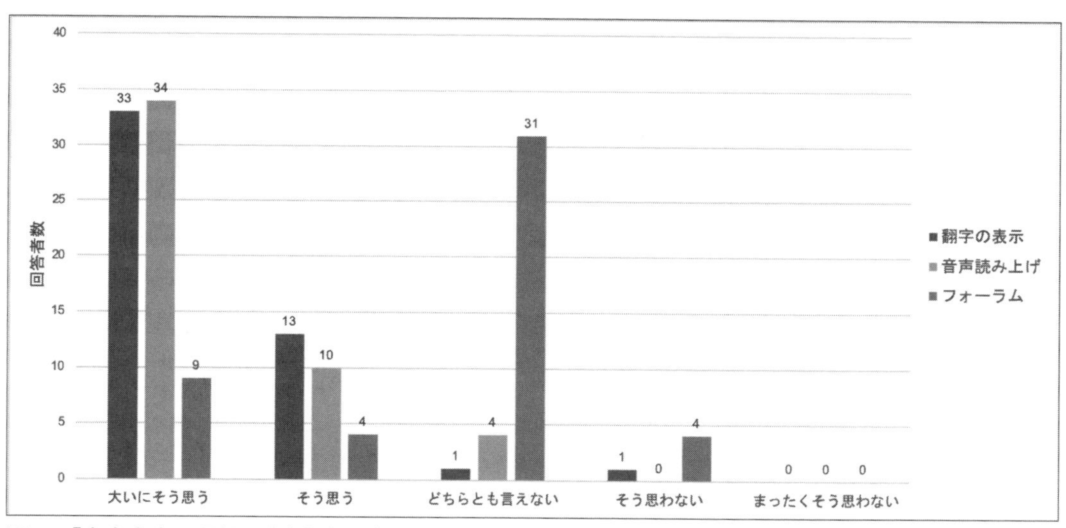

図４　「文書内容の理解に(1)翻字の表示、(2)音声読み上げ、(3)フォーラムの各機能は役立ちましたか？」に対する回答の集計結果。

(3) コンテンツに対する評価

『中世文書 WEB』の「翻字の表示」「音声読み上げ」「フォーラム」について、各機能が文書内容の理解に寄与したかどうかを 5 段階のリッカート尺度で回答してもらった。集計結果を【図4】に示す。「翻字の表示」と「音声読み上げ」はいずれも内容理解に高く貢献したことが見て取れる。一方で「フォーラム」の寄与は高いとは言えず、「どちらとも言えない」の回答が最多であった。

『中世文書 WEB』のコンテンツを継続的に利用したいかどうかを尋ねた設問では、「大いにそう思う」が 26 名（54.2%）、「そう思う」が 14 名（29.2%）、「どちらとも言えない」が 8 名（16.7%）であった。「そう思わない」「全くそう思わない」を選択した回答者はおらず、全体的に好意的な評価が得られた。

また、この設問で「非常にそう思う」、「そう思う」を選択した回答者を対象に、自由記述でその理由を尋ねた。これに対して 33 件の回答が得られた。内容別に自由記述回答を分類すると、最大グループは『中世文書 WEB』の音声読み上げの機能に言及する回答であり、33 件中 15 件がこのグループに分類された。実際の回答を以下に紹介する。

> 文字を見ると頭の中で音読してしまうたちなので、読み方がわかると嬉しいです。このようなコンテンツがあると、ただの文字のかたまりが、意味を持った文章へと変化します。(50 代女性・自営業)
>
> 崩し字を読んだり中世文書を読み下したりする練習に最適でした。まず自分で考えた後に翻刻を見て読み下しを聞くと、本で読むより頭に入りやすく、学習効果が高まるように感じました。(20 代女性・大学生)

初心者です。古文書の読み方を書籍で学ぼうとして挫折しました。字形も文法も自分には難しすぎました。リアルタイムでテキストと音声が現れてくれるのは画期的です。（40代女性・自営業）

独学ではわからない文字の読み方・順番など、ガイドしてもらえるのはとてもありがたいです。（40代女性・パート）

白黒の活字印刷版で「中世文書」を読んでいた身の上としては、生の文書をカラーで表示された上に漢字が表示され、音読して下さるなんてよい時代だとつくづく思いました。こうして発信することで修正や新しい意見、そして発見もありそうですね。中世文書もそうですが、手書きであり人間味溢れる場面も垣間見られ面白いものです。（40代女性・司書）

高校の授業の古文のうろ覚えぐらいの知識くらいなので、漢字の読み自体知らなかったりして、音読をきいて「それか！」となった。とてもわかり易く、理解もしやすい。古文書読んでみたいと思っていたけど、難しそうだとおもってた。でも、読める字が隣に表示できるし、音読で読み方（からの意味）が理解できて、一気に理解が深まった。本当にすごいと思います。（40代女性・会社員）

独学の自分にとっては天の恵みのようなサイトです。特にふだん音読を聞く機会が絶無ですので非常にありがたく思います。（30代男性・会社員）

AIを使ったくずし字解読ツールはあるが最終的に、解読されたものを「正解」として採用するのは人間である。このツールは人間のためのくずし字独学などにも有用であり、さらに音読機能がついているので読み（テキストの発声の意）に自信がない（あるいは間違った読みをしている）場合に大変役立つ。また、海外の学生・研究者にはこうしたオリジナル資料に触れた事がないものが多い（ほとんどは翻字・編集された資料を使う）ため、原典に触れてもらうのにもよい。（40代男性・司書）

高校の授業の古文のうろ覚えぐらいの知識くらいなので、漢字の読み自体知らなかったりして、音読をきいて「それか！」となった。とてもわかり易く、理解もしやすい。古文書読んでみたいと思っていたけど、難しそうだとおもってた。でも、読める字が隣に表示できるし、音読で読み方（からの意味）が理解できて、一気に理解が深まった。本当にすごいと思います。（40代女性・会社員）

独学で「みんなで翻刻」を利用させてもらっている者です。興味の対象が浮世絵であり、古文書に触れる機会は地域史講座参加時程度の超初心者です。「官宣旨」の読み上げを拝聴していて不明な点が出るたびに停止して別タブで検索したんですが、そういう行為自体を新鮮に感じました。講義や講座中に「あ、先生、今のところもういっぺん読み上げお願いしま～す」ってわけには行かないし有り難いサービスです。逆に国会図書館の歴史的音源など、いつの日か「テキストの表示」機能付きにならないかな…などと思ったりもしました。（50代男性・自営業）

翻刻等の機能を持つコンテンツは数あれど、読み上げ機能を持っているのはこちらのサイト位ではないでしょうか。今では江戸時代の地方文書等は一般人からも比較的気軽にアクセスできますが、中世文書ですとなかなかこうはゆきません。本当にありがとうございます。是非今後ともコンテンツの拡充を継続していただきたくお願い申し上げます。何かサポートができることがありましたら、ご協力させていただければと思っております。（30代女性・会社員）

ちょうどよいスピードの音声読み上げと共に文字の色が変わってくれるので、読めない文字も理解できる気がするのが楽しいです。何度も閲覧するうちに、自分で古文書が読めるようになるかも…というワクワク感を抱くこともできました。（50代女性・自営業）

博物館などで読む古文書は、発音がわからないことがあり、そこで読むことが止まることがあったが、音声と共に読むことで引っかかる箇所が減り、より内容に興味を持つことができました。（40代男性・専業主夫）

原本と翻刻をアニメーションで一緒に見えるのがきれいで、音声は特に珍しい機能で、古文書の声での読み方を見せるために、他はないかもしれません。（30代女性・研究員）

ライトに古文書の内容を知りたい際、読み方を調べるのは手間なので、読み上げていただけるのは有難いため。（20代男性・公務員）

以上に示した通り、音声読み上げに言及する回答の大多数は、読み上げ音声とアニメーション表示が文書の読み方を学ぶ上で効果的であると評価するものであった。この他には、少数ながら中世史以外の人文学研究者や学生から、教育や学習に有用であるとの声があった。

専門は平安文学なので中世文書の読解には苦労している。また学生にも紹介したい。（50代女性・大学講師）

近世史を学んできており、中世史の読みに慣れていなかったので勉強にとても役立ちます！（20代女性・大学生）

すでに翻刻が多数出版されている平安文学や、大量の古文書へのアクセスがある近世史を専攻する人々にとって、中世史の現資料にあたる機会は少なく、その点が本システムの評価につながったように見える。

5．考察

5-1．文書資料の展示における音声とアニメーションの有用性

読み上げ音声と翻字のアニメーションを組み合わせた「カラオケ」式のインターフェースは非常に単純な仕組みであるが、前節のアンケート結果で確認した通り、利用者に高く評価された。アンケート回答者の大部分は大学や研究機関には所属していない非専門家であるが、独学で古文

書解読を学ぶ人々が、中世文書に現れる漢字の読み方や返り読みの順序について正確な知識を得ることは難しい。というのも、これらの知識はもっぱら大学の専門課程において口頭で教授されるからである。身体知・暗黙知としての性質が強い古文書の読み上げが、音声とアニメーションによりわかりやすく提示された点が、アンケートの回答者に高く評価されたのだろう。

また、アンケート回答には、読み上げを聴くことで古文書の内容が「本で読むより頭に入りやすく、学習効果が高まるように感じ」たり、「ただの文字のかたまりが、意味を持った文章へと変化」するといった指摘もあった。これが認知的にどのようなメカニズムによるものであるかは本稿の範疇を超えるが、視覚と聴覚の両方を通じて文書に触れることで、その意味内容について理解が深まることは、多くの人々が外国語学習の過程などで日々経験していることである。おそらくそれと同様の効果が働いているのではないだろうか。

古文書の読み上げ音声に触れる機会が少ないのは、日本国内の非専門家のみならず、国外の日本研究者にとっても同様である。カルガリー大学の日本文学研究者、楊暁捷氏は2020年1月11日付のブログ記事［17］にて、次のように『中世文書WEB』に言及している。

> このサイトが提供したユニークな機能は、文書の読み上げ機能、説明にある「（略）音声を再生すると、カラオケ式に読んでいる部分の色が変わ」るというものである。平安や中世の古文書は、資料自身の性格から、どうしても狭い専門の分野に属し、普通の読者には近づきがたい。歴史を専攻する学生にとって必須の訓練にはなるが、そこから一歩でも離れた読み手には、なかなか手につかない。古文書をめぐる読み下しの法則、読解の仕方などをテーマにする参考書は、初心者のための入門書から膨大な用例を網羅する辞書まで、数えきれないほど刊行されてはいるが、そのような知識に丁寧に従っていても、いざ声に出して伝えようとすれば、どうしてももどかしくて、心もとない。そういう意味で、音声を伴うサンプル資料の出現のおかげで、中世の文書が大いに身近なものに感じさせてくれた。

楊氏は近世文学や中世文学の分野で複数の研究書を著しているが、楊氏ほどの研究者にとっても、平安や中世の古文書は「近づきがたい」ものとして感じられるのである。海外の日本研究者にとって、場所を問わず利用できるデジタルアーカイブは貴重な研究資源となりつつあるが、音声リソースの提供はまだ発展途上にある。今後、国外の日本研究を支援する上では、音声リソースも積極的に提供を進める必要があるように思われる。

5-2. フォーラムの利用

公開資料への理解を深めるもうひとつのアプローチとして、『中世文書WEB』にはオンラインフォーラムを設置した。これは文書の背景や意味について利用者同士の質疑応答や情報交換を促すことで、文書内容について多面的な理解がもたらされることを期待したものであった。ところが公開前の期待とは異なり、評価期間最終日の1月14日時点までにフォーラムにおいて利用者の活発な情報交換は見られなかった。小島氏ならびに筆者による3件の投稿を除けば、一般利用者による投稿は『後醍醐天皇綸旨』中の漢字の読み方について書かれた質問1件のみである。以下ではフォーラムにおいて期待通りのユーザー参加が見られなかった原因について考えてみたい。

第一に考えられる原因は、Webサイト構成の不備である。現在の『中世文書WEB』は、トップページにサイトの概要説明を配置しており、フォーラムに移動するにはナビゲーションメニューを開き、そこからリンクを辿る必要がある。本システムの利用者の大半はトップページから文書画像の閲覧ページに遷移するため、フォーラムのページを閲覧する機会が生じにくい構造がある。これを解消する手段として、フォーラム機能の一部をサイトのトップページや資料閲覧ページに移動することが考えられる。たとえば資料閲覧ページから投稿を閲覧・作成できるようにサイトの構造を修正すれば、資料を読む中で浮かんだ疑問点を即座にフォーラムに投稿することが可能になり、利用者による投稿が活発化するかもしれない。

第二に考えられる原因は、フォーラムに参加する動機がそもそも利用者に存在しないことである。『中世文書WEB』では読み上げ音声に加えて資料の釈文や大意が提供されており、大抵の利用者はそれ以上の情報を必要としないのかもしれない。その場合は、利用者間の情報交換を通じて資料への理解を深めるというアプローチそのものを再考する必要があるだろう。

今回利用者に向けて実施したアンケートでは、「フォーラムを利用しなかった理由」についての調査は含めなかった。今後、サイト構成を見直した上で、改めて利用動向について調査をおこない、フォーラム設置の継続について最終的な判断を下す予定である。

6．今後の展望

以下では、『中世文書WEB』の今後の発展の展望と、その実装上のアイデアについて記す。

6-1．プラットフォーム化

本稿執筆時点では『中世文書WEB』の公開資料の点数は8点のみである。しかし今後とも小島氏のような研究者の協力のもと、さまざまなジャンルや様式の古文書に読み上げ音声を付して追加し、コンテンツを体系的に編成していくことで、歴史学の専門教育にも活用可能な教材へと発展することが期待される。また、現在の公開資料は国立歴史民俗博物館の所蔵資料に限定されているが、国内外の他機関の所蔵資料も併せて公開することができれば、さらに多様なテーマを扱うことも可能になる。たとえば漢文式の文書は近代以前の朝鮮でも使用されていたが、これらを日本で発行された文書と併せて公開し、両者の形態や機能を比較できるようにすれば、学術的観点からも興味深い展示となるだろう。古文書の国際比較は企画展示「日本の中世文書－機能と形と国際比較－」の主要テーマのひとつでもあり、今後積極的に取り組みたい。以下では、このように『中世文書 WEB』を機関横断型のプラットフォームとして拡張する上での技術的課題について検討する。

OpenSeadragon をベースにした『中世文書 WEB』の画像ビューワーは、IIIF Image API に基づいて画像データをサーバーから取得する。したがって IIIF フォーマットで配信されている画像であれば、他機関の所蔵資料であっても、画像データの取り込みにかかるコストはほとんど存在しない。資料追加にあたって高い作業コストが予想されるのは、(1) 文書の読み上げ音声、(2) 画像上に表示する翻字の座標、(3) 翻字の読み上げタイミング、の 3 種類のデータの作成作業である。

今回の開発では、音声データは事前に録音した mp3 ファイルを取り込み、文字データについては Google Spreadsheet に入力した座標と読み上げタイミングの情報を API から取得した。しかしこのフローは開発者による支援が必要で作業コストが大きい。資料追加のワークフローを効率化するためには、開発者の支援なしに音声データと文字データの編集を可能にするオーサリングツールが必要である。複数機関のスタッフに協力を要請することを想定すれば、このツールの操作は Web 上で完結することが望ましい。

幸い、HTML5 によって導入された種々の API により、このようなツールを Web ベースで開発することはそう難しくはない。たとえば Web Audio API を使用すれば、マイクが接続された PC を用いて Web ブラウザ上で資料の読み上げ音声を録音し、音声をサーバーにアップロードすることができる。また、これも HTML5 で導入された Canvas 要素を利用すれば、資料画像中の文字の座標を指定するユーザーインターフェースを簡単に構築することができる。

このようにデータを追加するためのツールが整備され、ワークフローが確立すれば、数百点から数千点単位の資料群を『中世文書 WEB』で公開することも可能となるだろう。

6-2．ライブラリ化・プラグイン化

プラットフォーム化とは反対の方向性として、『中世文書 WEB』の資料画像ビューワーを他サイトに埋め込み可能なライブラリとして提供することも考えられる。つまり、Mirador［18］や Universal Viewer［19］等と同様の IIIF 画像ビューワーとして、カラオケ式の音声読み上げに対応したビューワーを提供するのである。これが実現すれば、任意の Web サイトで音声読み上げ対応ビューワーを利用することが可能になる。

ただし画像資料の「カラオケ」式読み上げを実現するには、先述の通り (1) 読み上げ音声、(2) 翻字の座標、(3) 翻字の読み上げタイミングの 3 種類のデータが必要である。これらのデータを IIIF の枠組みで記述するには、IIIF Presentation API［20］に準拠してデータを表現する必要がある。より具体的には、画像情報の構造を記述する「マニフェスト」ファイルと呼ばれる JSON-LD 形式のファイルに (1) ～ (3) の情報を記述する必要がある。

IIIF Presentation API は Open Annotation［21］をベースにデザインされており、ビューワーに表示される画像資料やテキスト情報を、空白のキャンバスに対する注釈（oa:Annotation）として

表現する。また画像情報はキャンバスの images 配列に、音声やテキストなど画像以外の情報は otherContent 配列に記述することになっている。ただし、otherContent は外部ファイルに記述された注釈リスト（sc:AnnotationList）への参照として記述しなければならない。

そこで（1)～(3）の情報を Presentation API に準拠して記述するには、これらを sc:AnnotationList として外部ファイルに記述し、このファイルの URI をキャンバスの otherContent 配列に含めればよい。この方法で記述したキャンバスの情報と、音声・翻字情報を含む外部ファイルの構造を模擬的にそれぞれ【図 5】と【図 6】に示す。なお JSON ファイルはコメントを文法で禁じているが、ここではファイル構造をわかりやすくするためにコメントを記述する。

キャンバスを記述する【図 5】では、21-23 行目の otherContent プロパティにおいて、外部ファイルの注釈リストを参照している。【図 6】に示す参照先の注釈リストでは、キャンバスに対する注釈として、読み上げ音声を録音した mp3 ファイルと、座標情報付きの翻字を 2 文字分記述している。おのおのの翻字には、読み上げされるタイミングが独自プロパティの readAloudAt としてミリ秒単位で記述されている。このキャンバスで使用される独自プロパティは”readAloudAt” のみであり、Mirador や UniversalViewer など、多くの IIIF 画像ビューワーでこの記述を含むマニフェストファイルはエラーを発生させることなく読み込み可能である。後は、既存の IIIF ビューワーを拡張し、注釈リストに記述された音声と翻字のデータを読み込み、readAloudAt プロパティに指定されたタイミングで翻字を強調表示ようなコードを追加すればよい。これは Mirador や UniversalViewer 等既存のビューワーのプラグインとして実装することができる。

本稿では実装にまで至らなかったが、上述したように「カラオケ」式読み上げのデータは、Presentation API の枠内でほぼ記述可能である。また、前節で述べたオーサリングツールから直接マニフェストを生成できるようにすれば、効率的に「カラオケ」読み上げに対応したマニフェストファイルを作成することができるだろう。

日本語の古文書の読み上げ以外にも、音声とアニメーションによる表現には幅広い応用可能性がある。たとえば楽譜や経典を音源とともに公開する際には、この組み合わせは非常に有用だろう。

なお、本稿を執筆している 2020 年 1 月時点で、動画や 3D モデルに対応した IIIF Presentation API 3.0 のベータ版［22］が公開されている。Presentation API 3.0 が正式公開され、主要なビューワーが新 API に対応した際には、上記の実装は変更が必要になる可能性がある。

7．おわりに

本稿では、中世文書のオンライン展示システムの開発と公開後の成果、またそれを踏まえた今後の展望について述べた。本研究で公開した『中世文書 WEB』は短期間で多数のアクセスを集めることに成功し、中世の古文書資料に対して関心をもつ多数の人々が存在することを示した。システムの利用者からは、音声読み上げとアニメーションを組み合わせた「カラオケ」式のイン

```
{
  "@id": "https://chuseimonjo.net/iiif/hideyoshi/canvas/001",
  "@type": "sc:Canvas",
  "height": 3744,
  "width": 5616,
  "label": "コマ1",
  // 文書画像データ
  "images": [
    {
      "@type": "oa:Annotation",
      "motivation": "sc:painting",
      "resource": {
        "@id": "https://chuseimonjo.net/iiif/hideyoshi/full/full/0/default.jpg",
        "@type": "dctypes:Image",
        "format": "image/jpeg"
      },
      "on": "https://chuseimonjo.net/iiif/hideyoshi/canvas/001"
    }
  ],
  // 音声・翻字データへの参照
  "otherContent": [
    "https://chuseimonjo.net/iiif/hideyoshi/annolist.json"
  ]
}
```

図５　キャンバスを記述する JSON オブジェクト

```
{
  "@context": "http://iiif.io/api/presentation/2/context.json",
  "@id": "https://chuseimonjo.net/iiif/hideyoshi/annolist.json",
  "@type": "sc:AnnotationList",
  "resources": [
    // 読み上げ音声のmp3ファイル
    {
      "@type": "oa:Annotation",
      "motivation": "sc:painting",
      "resource": {
        "@id": "https://chuseimonjo/audio/hideyoshi.mp3",
        "@type": "dctypes:Sound",
        "format": "audio/mpeg"
      },
      "on": "https://chuseimonjo.net/iiif/hideyoshi/canvas/001"
    },
    // 翻字（1文字目）
    {
      "@type": "oa:Annotation",
      "motivation": "sc:painting",
      "resource": {
        "@type": "cnt:ContentAsText",
        "chars": "羽",
        "format": "text/plain",
        "readAloudAt": 1203,
        "language": "ja"
      },
      "on": "http://example.org/iiif/book1/canvas/p1#xywh=100,150,500,25"
    },
    // 翻字（2文字目）
    {
      "@type": "oa:Annotation",
      "motivation": "sc:painting",
      "resource": {
        "@type": "cnt:ContentAsText",
        "chars": "柴",
        "format": "text/plain",
        "readAloudAt": 1303,
        "language": "ja"
      },
      "on": "http://example.org/iiif/book1/canvas/p1#xywh=100,180,500,25"
    }
  ]
}
```

図６　音声および翻字テキストを記述する注釈リスト

ターフェースが特に高く評価された。この手法は、中世文書のように専門家以外には文章の読み上げが困難な資料のプレゼンテーションに有用であることがわかった。一方で、ユーザーコミュニティの形成を目的にしたフォーラムは期待通りに機能しなかった。今後設計を見直すとともに、フォーラムの利用が進まなかった原因を見極めることが必要である。

今後の展望として、他機関の資料も包括するプラットフォーム化の方針と、「カラオケ」式読み上げをIIIFの枠組みで他プロジェクトにも提供するライブラリ化の方針を示し、両者の実装方法のアウトラインを素描した。『中世文書WEB』はプロダクトとしては初期段階にあり、今後の開発の継続によって、古文書解読のオンライン教育やIIIFの表現可能性の向上に寄与する可能性を有している。

本研究は、国立歴史民俗博物館共同研究「中世文書の様式と機能および国際比較と活用の研究」(2016–2018年)の成果公開の一環として実施されたものである。『中世文書WEB』のコンテンツ制作全般にわたってご協力いただいた研究代表者の小島道裕氏に厚く御礼を申し上げ、感謝の意を表します。

注

1　同様のフォーラムは、『くずし字学習支援アプリKuLA』[23]などで実装され、難読文字の解決などに利用されている。

2　https://twitter.com/kojima_sakura/status/1214825503044993025(小島氏による告知)。
https://twitter.com/yuta1984/status/1214773235675353089(筆者による告知)。

参考文献

[1] https://www.rekihaku.ac.jp/outline/press/p181016/index.html. 企画展示「日本の中世文書ー機能と形と国際比較ー」、国立歴史民俗博物館WWWサイト。(参照2020-01-20)

[2] http://hyakugo.kyoto.jp/. 東寺百合文書WEB、京都学・歴彩館。(参照2020-01-20)

[3] https://www.rekihaku.ac.jp/up-cgi/login.pl?p=param/tana/db_param. 館蔵中世古文書データベース、国立歴史民俗博物館。(参照2020-01-20)

[4] https://www.klnet.pref.kanagawa.jp/digital_archives/. 神奈川デジタルアーカイブ、神奈川県立公文書館。(参照2020-01-20)

[5] https://dglb01.ninjal.ac.jp/lcgenji_image/. 米国議会図書館蔵『源氏物語』画像(桐壺・須磨・柏木)、国立国語研究所(参照2020-01-20)

[6] https://vuejs.org/. Vue.js(参照2020-01-20)

[7] https://firebase.google.com/. Firebase(参照2020-01-20)

[8] https://www.kanzaki.com/works/2016/pub/image-annotator. Image Annotator plus IIIF Viewer(参照2020-06-20)

[9] https://cantaloupe-project.github.io/. Cantaloupe Image Server(参照2020-01-20)

[10] https://iiif.io/api/image/2.1/. IIIF Image API 2.1.1(参照2020-01-20)

[11] https://openseadragon.github.io/. OpenSeadragon(参照2020-01-20)

[12] https://www.soumu.go.jp/johotsusintokei/whitepaper/ja/h30/pdf/index.html. 平成30年版情報通信白書、総

務省。（参照 2020-01-20）

[13] https://vuetifyjs.com/. Vuetify（参照 2020-01-20）

[14] https://webpack.js.org/. Webpack（参照 2020-01-20）

[15] 展示図録「日本の中世文書一機能と形と国際比較一」、国立歴史民俗博物館、2018.

[16] https://analytics.google.com/. Google Analytics（参照 2020-01-20）

[17] http://emaki-japan.blogspot.com/2020/01/web.html. 楊暁捷氏によるブログ『絵巻三昧』。（参照 2020-01-20）

[18] https://projectmirador.org/. Mirador（参照 2020-01-20）

[19] https://universalviewer.io/. Universal Viewer（参照 2020-01-20）

[20] https://iiif.io/api/presentation/2.1. IIIF Presentation API 2.2.1（参照 2020-01-20）

[21] http://www.openannotation.org/. Open Annotation（参照 2020-01-20）

[22] https://iiif.io/api/presentation/3.0/. IIIF Presentation API 3.0 BETA DRAFT（参照 2020-01-20）

[23] http://www.digitalhumanities.org/dhq/vol/11/1/000281/000281.html. Hashimoto, Yuta et al. “The Kuzushiji Project: Developing a Mobile Learning Application for Reading Early Modern Japanese Texts.” Digital Humanities Quarterly 11 (2016).

第6章

マンガにおける IIIF の活用

三原鉄也

1. はじめに

あらゆる表現、メディア、コンテンツと同様に、マンガもディジタルデータ化されたものがWeb上で流通するようになって久しい。こうしたWeb上のマンガについても他の情報資源と同様に内容の検索や探索が可能であることが望まれるが、そうした機能は未だ一般的ではない。Web上では、マンガは閲覧を目的とする場合には電子書籍やPDFなどの電子ドキュメントなどの単一のファイルや、Webサイト、SNS、スマートフォン用アプリなどのコンテンツの一部としてさまざまな形態で提供されているが、それらのほとんどが画像データである。こうした一般的な画像データからマンガの画像データから機械的にマンガの内容や構造の情報を得ることは未だ困難である。これは、マンガが文字的表現と画像的表現、そして記号的表現が組み合わさった表現であり、その内容の理解が、組み合わせられた表現の、専ら人による複合的な解釈に頼っているためと考えられる［1］。昨今のAI技術の進展により、コンピュータによる画像データからのマンガの内容解釈が飛躍的に向上する可能性が期待されるものの、現時点ではそうした技術はまだ一般化していない。

こうした状況を踏まえて、筆者らはマンガの内容や構造をLinked Open Data（LOD）［2］に基づいたメタデータとして記述し、その効率的な情報の探索や利用を目指す研究を進めてきた。これらの研究ではマンガに含まれる要素同士の関係を明示的に記述し、マンガのメタデータとして蓄積することを提案した［3］［4］。これにより、マンガコンテンツ本体となる画像データを参照することなく、マンガの内包する情報にアクセスし、利用することが可能になった。

筆者らはメタデータを利用したマンガの内容の探索や利用をさらに促進するために、画像データをWeb上でメタデータを組み合わせて用いることに適しているIIIFを用いて、メタデータとマンガ画像を統合的に利用する環境を開発してきた。本章では、IIIFの利用が比較的浸透している歴史文化資料分野以外でのIIIF利用の事例として、筆者らが開発してきたマンガの内容と構造の検索・閲覧システムとマンガのコンテンツ共有のための閲覧・共有システムについて解説する。

なお本章は、橋場天紀、三原鉄也、永森光晴、杉本重雄「マンガの内容と構造のメタデータ記述を利用したIIIFに基づく検索・閲覧環境の構築」（研究報告 人文科学とコンピュータ（CH）、Vol. 2018-CH-116（12）、pp.1-5.）および、加藤夕稀、久行智恵、三原鉄也、永森光晴、杉本重雄「コンテンツ共有のためのマンガの構造記述を利用したIIIFに基づく閲覧環境の構築」（研究報告 人文科学とコンピュータ（CH）、2019-CH-119（16）、pp. 1-6.）を加筆修正したものである。

2．マンガの内容と構造のメタデータ記述を利用したIIIFに基づく検索・閲覧システムの構築

2-1．マンガの内容・構造記述のためのメタデータとそれを利用したマンガの情報探索

近年、パソコンやスマートフォン、タブレット端末の所持が一般的となり、場所を問わずネットワーク接続が可能となったことで、マンガはWeb上において広く掲載・閲覧されるようになった。マンガの出版社やショッピングサイトでは、流通に必要なマンガのタイトルや著者などの書誌情報に加え、価格や発売日、レビューといった情報が提供されている。しかしながら、マンガ画像におけるコマの座標や、コマに含まれるセリフの内容、そのセリフの発話者の情報といったマンガが内包する内容・構造についての詳細なデータは提供されていない。そのため、マンガの検索は既存の画像検索サービスにおける、同一または類似した画像データの検索に留まり、マンガの内容や構造の情報の検索や解析は非常に困難である。これはマンガの内容・構造についてのデータをWeb上において提供するにあたり、それらのデータの記述方法が十分に議論されず、マンガの内容や構造に関する情報が作成されてこなかったためであると考えられる。

筆者らは、こうしたマンガの内容や構造の情報を構造化し、メタデータとして記述する方法を提案してきた。Morozumi［3］はマンガの書誌記述、構造記述、知的内容に関する記述の三つの観点に基づくメタデータ記述モデルであるマンガメタデータフレームワーク（MMF）を定義している。また、三原［4］はこのMMFに基づくメタデータによるマンガのアクセスと制作の支援手法について述べ、LODを利用することによりMMFに基づくメタデータの効率的な開発が可能であることを示した。LODとはWeb上のデータをその意味に基づいてリンク付け、計算機による処理が容易な形式で記述し、公開する仕組みである。LODではResource Description Framework（RDF）を用いて、Web上のデータにUniform Resource Identifier（URI）を付与することで識別しそれらの持つ意味や構造を記述することで、実体間の関連を明示的に記述することができる。マンガには、たとえば、あるコマとコマに含まれるセリフ、そのセリフとそのセリフの発話者、という具合に要素同士の関連が数多く含まれている。そのため、LODに基づいてMMFで規定されたマンガの情報とその関連をRDFで記述することでマンガが内包する実体の関連を明示的に記述でき、マンガの意味的な情報の利用や検索が容易になる。

マンガにおける情報探索の機能としてマンガのメタデータの検索のみでは十分ではない。メタデータのみを検索し参照しただけでは、一体そのメタデータがどの画像データを指すもので、何

について記述されたものであるかを認識することは難しい。そのため、マンガ画像とそのメタデータを統合的に利用することのできる環境が求められる。具体的には、マンガ画像とそのメタデータを同一画面上で重ねて表示することで同時に参照できる閲覧環境、またマンガに描かれているコマやセリフ、キャラクターといったマンガのオブジェクト単位で条件を指定し、検索することで、該当する画像とそのメタデータが提示されるというような検索システムが必要である。

2-2．IIIF を利用したマンガの検索システムの構築

筆者らはマンガの検索システムを構築するにあたり、LOD に基づいて記述されたマンガのメタデータとマンガ画像を共有する方法として IIIF の利用が有用であると考えた。IIIF は Web 上でディジタル画像とそのメタデータのやりとりを実現するための国際的な枠組みである。IIIF は LOD に基づき画像データとそのメタデータを構造的な URI で表し、メタデータを画像に対する注釈として画像データとのリンク付けを行いビューワに表示するための仕様として、IIIF Image API（以下 Image API）と IIIF Presentation API（以下 Presentation API）を定めている。また、メタデータを検索し、画像データとその検索結果を結びつけて提供する仕様として IIIF Content Search API（以下 Content Search API）を定めている。これらの仕様により、画像データとそのメタデータの関係を明示的に示し、公開・共有することが可能となる。そのため、IIIF を利用することで、我々が目指しているマンガ画像とそのメタデータを結びつけて提供し、検索・閲覧することのできる環境を容易に構築することができる。

【図1】は構築したシステムの構成を示している。本研究ではMMF に基づくマンガのメタデータ（マンガメタデータ）を Presentation API に対応する形式に変換を行うことでマンガ画像とメタデータを結びつけて提供する。また、Content Search API に基づいてマンガメタデータを検索

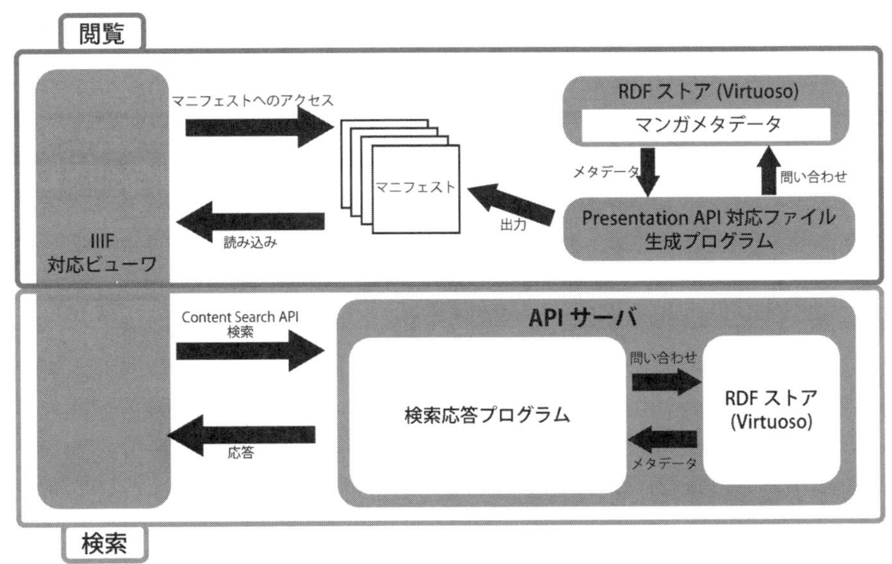

図１　検索・閲覧システムの構成

することのできる環境を整備し、既存のIIIF対応ビューワをマンガ画像とマンガメタデータの検索・閲覧に対応させることでマンガの検索環境を構築する。

2-3. マンガメタデータからのIIIF Presentation API対応ファイル自動生成

ここで構築したシステムにはIIIFに対応するビューワでマンガを再生表示するためのファイルが必要になる。そこで、マンガの構造に則して記述されたマンガメタデータを変換することでPresentation APIに対応するファイルを自動的に生成する手法を開発した。

Presentation APIは画像とそのメタデータを九つのリソースタイプとそのプロパティを定義して構造化している。【図2】にPresentation APIが定めるリソースタイプのモデルを示す。Presentation APIに対応するファイルは一般的に一つの画像データセット全体を表現し、マニフェスト（Manifest）と呼ばれる。また、複数の画像データセットをまとめたものをコレクション（Collection）と呼ぶ。マニフェストを構成する部品としてカンバス（Canvas）が用いられ、マニフェストは必ずカンバスを順番に並べたシーケンス（Sequence）を持つ。画像（Content）はカンバスに対する注釈（Annotation）としてカンバスに紐づけられる。テキストなどの画像以外のリソース（Content）は、カンバスごとに注釈リスト（Annotation List）として注釈をまとめてカンバスに紐付けされる。複数のカンバスに対してリソースを紐づける場合はレンジ（Range）によってカンバスを、レイヤー（Layer）によってレンジごとに注釈リストをまとめてから紐づけられる。

このシステムではRDFストアであるVirtuoso［5］にマンガメタデータを格納し、そのデータをマニフェストと注釈リストに変換するRubyプログラムを作成した。【図3】にマンガ「銀河鉄道の夜」［6］のメタデータをPresentation APIのリソースモデルにマッピングした例を示す。「銀河鉄道の夜」という一冊のマンガに関するマニフェストを作成し、セリフやキャラクターといったマンガのオブジェクトごとに、それらのメタデータを注釈として付与する。ここでは次節で述べるIIIF対応ビューワにおいて、マンガのオブジェクトの種類ごとに注釈の表示を切り替えることを可能にするため、注釈リストを5種類のレイヤーに分けて記述する。セリフやナレーションの文字情報などをDialogレイヤー、キャラクターの名前などの情報をCharacterレイヤー、描かれている

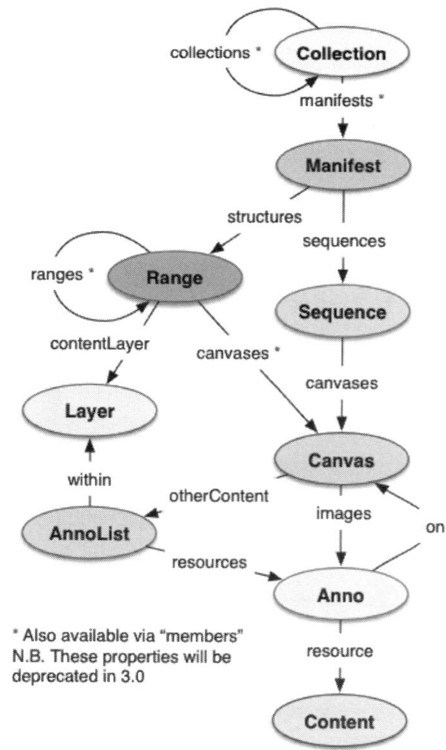

図2　Presentation APIのリソースモデル
（https://iiif.io/api/presentation/2.1/ より）

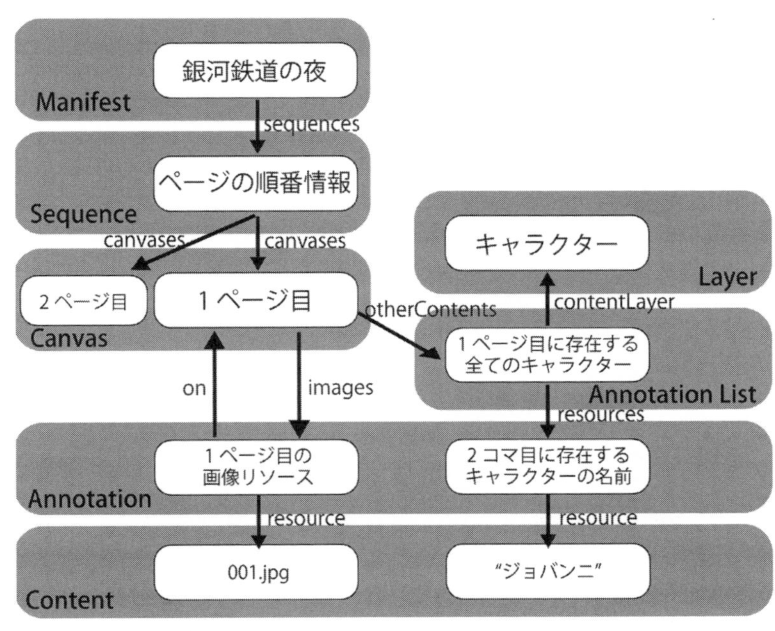

図3　マッピングの例

物の情報をItemレイヤー、擬声語の情報をOnomatopoeiaレイヤー、背景や場所の情報をSceneryレイヤーの注釈リストとして記述した。

2-4. マンガメタデータ検索のためのIIIF Content Search API検索クエリの構造化とAPIサーバー

このシステムではContent Search APIを利用してマンガメタデータに問い合わせることで、メタデータに記述されたマンガの内容を検索可能な環境を構築した。Content Search APIでは検索語を指定するクエリ・パラメータにより、HTTP GETを用いて検索サービスにリクエストを行う。この際に指定することができるパラメータとして、空白で区切られた検索語のリストであるq、空白で区切られたアノテーションの動機の用語リストであるmotivation、空白で区切られた日付の範囲のリストであるdate、空白で区切られたユーザーのIDであるURIのリストのuserの四つが定義されている。しかしながら、この仕様で想定されていると考えられるのは単純なキーワードの組み合わせによる検索のみであり、マンガメタデータの検索において必要な、マンガのオブジェクトの種類ごとにおける検索や、複数の種類のオブジェクトを組み合わせたような複雑な検索を行うための機能は定義されていない。そのため本研究ではqパラメータをマンガメタデータの検索に必要な記述力を持つ形式にさらに構造化することで、マンガメタデータの用いた複雑な検索を実現する。

ここではdialog、character、item、onomatopoeia、sceneryのクエリ・パラメータを指定することによりセリフやキャラクター、アイテム、オノマトペ、背景に関するキーワードやURIを、from、untilのクエリ・パラメータを指定することでページ番号を指定して検索を行えるようにq

パラメータの中身を構造化した。また、このクエリ・パラメータを受けて検索結果を応答するAPI サーバーを Ruby on Rails により構築した。IIIF 対応ビューワと本 API サーバーの関係を【図4】に示す。これはクエリ・パラメータを解釈して RDF の問い合わせ言語である SPARQL クエリに変換を行い、マンガメタデータが格納された Virtuoso へ問い合わせを行うクエリ・パラメータ解釈部、SPARQL クエリによりマンガメタデータを検索する RDF ストア、RDF ストアの応答を注釈リストに変換し、Content Search API の応答として返す注釈リスト応答部の三つの要素によって構成される。

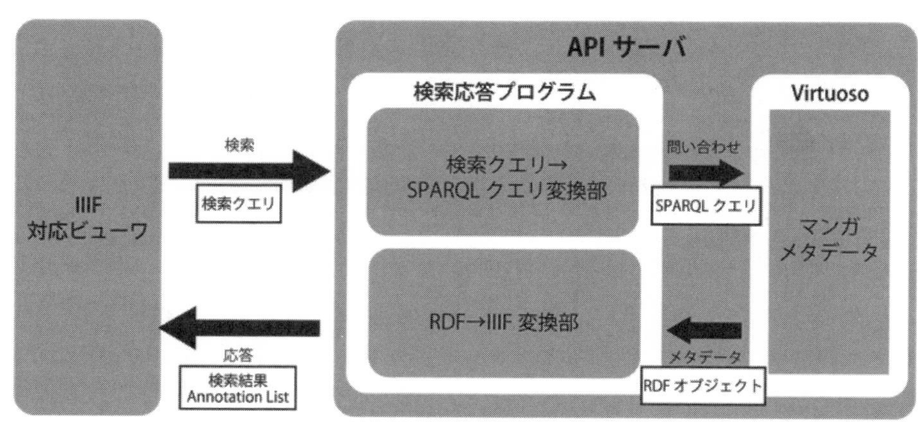

図 4　IIIF 対応ビューワと API サーバーの関係

2-5．IIIF 対応ビューワを用いたマンガの検索・閲覧

このシステムでは、マンガ画像とマンガメタデータの検索・閲覧には IIIF 対応ビューワの Mirador［7］を拡張したビューワを作成した。Mirador はオープンソースの IIIF 対応ビューワであり、Web 上でマニフェストを読み込むことで画像と注釈の表示を行うことができ、画像の一覧表示や見開き表示、画像の拡大縮小、複数のマニフェストの同時表示などの機能を有する。

ここでは既存の Mirador の機能に加えて、マンガメタデータを変換して作成した注釈リストを、2-3 節で述べたレイヤーごとに表示・非表示を切り替える機能、レイヤーごとに表示枠の色や注釈の表示形式を変更する機能や、2-4 節で述べた方法によりマンガメタデータの検索を行うためのインターフェースを実装した。

マンガの検索・閲覧の手順を【図 5】、【図 6】、【図 7】、【図 8】に示す。まず、閲覧者は目的のマンガのマニフェストの URI をビューワに入力することでマニフェストと注釈リストを読み込み、マンガ画像と注釈を閲覧する。検索を行う場合は、閲覧画面左部のタブにおいて、検索条件を入力し検索を実行する。すると、API サーバーからの応答である検索結果の一覧が閲覧画面左部のタブに表示されるため、閲覧者はその検索結果を選択することで、該当する画像箇所と注釈を拡大した状態で閲覧することができる。

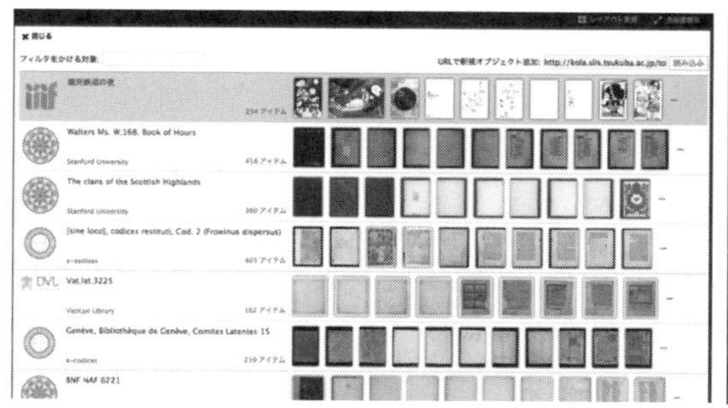

図５　マニフェストの読み込み画面

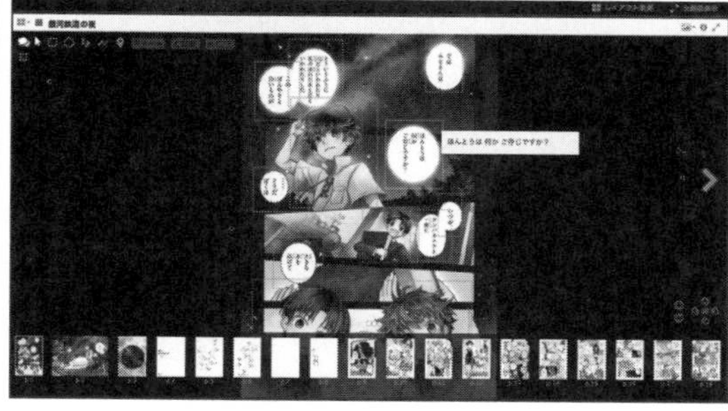

図６　マンガ画像とメタデータの閲覧画面

図７　検索条件入力画面

図８　検索結果表示画面

3．コンテンツ共有のためのマンガの構造記述を利用した IIIF に基づく閲覧環境の構築

3-1．マンガの構造記述を利用したマンガの部分的な共有

パソコンやスマートフォン、タブレット端末の所持が一般的となり、場所を問わずネットワーク接続が可能となったことで、文章、音声、写真、映像など、あらゆるコンテンツが Web 上で共有されるようになった。コンテンツの共有は個人や企業からの発信にとどまらず、それを利用している第三者が新たに情報を共有するサービスとして、キュレーションサービスがある。このサービスは、Web 上で利用できるさまざまなコンテンツをユーザーが収集・引用して記事としてまとめ、情報やコメントを共有するためのサービスである。共有された記事は、情報源にアクセスするために集約された情報として、情報探索に活用されていることが多い。マンガも例外ではなく、実際に Web 上でマンガ画像の一部を引用し共有する、ということが一般的に行われている。こうした記事では、マンガの登場人物の説明とともに、ストーリーの解説や、SNS やマイクロブログでの読者の作品への言及などを収集してまとめている。記事を読んだ読者は、マンガのあらすじやキャラクターについての情報を簡易的に把握することができる。一方で、こうしたサービスにおいて使用されている画像は、記事を作成したユーザーが独自でマンガ画像の特定の部分を切り出してアップロードされたものが大半を占めている。このように、ユーザーが特定のテーマに沿って共有する情報の一部として、マンガ画像をコマごと、ページごとに切り出して

使用する例が多く見られる。同様に、SNSやマイクロブログでもマンガ画像の一部を投稿に使用する例が多く見られる。

このように、一部のみが引用されることが多いディジタルマンガであるが、その多くはビットマップ画像データとして提供されるためマンガ画像中の一部のコマやセリフ、キャラクターの登場箇所といった、マンガコンテンツの部分的な参照や共有を行う際には、ユーザーが各自で画像データを複製、加工して利用する必要がある。利用された画像と元のコンテンツデータを紐づける情報が与えられないため、利用された箇所がどういったマンガの一部であるのかといった情報が得られない利用、出所の明示がない利用が多い要因となっている。さらにマンガ画像は一般に著作物として保護されているため、このような共有を複製権等の著作権侵害に当たると見なす意見もあり、Web上でのユーザーによるマンガの自由な共有の妨げとなっている。

そこで、マンガの構造を記述したメタデータを利用することでユーザーの要求に応じてマンガコンテンツの部分を提供し、共有を可能にするシステムを構築した。このメタデータを利用することで、マンガ画像に対してコマやキャラクターといったオブジェクトが一意に識別でき、それらの画像上での位置を得ることができる。この機能を実現するために、システムで利用するメタデータはLODに基づいて記述する。これにより画像に内包されるオブジェクトをURIで識別し、外部から参照することが容易になる。またメタデータをRDFで記述することでオブジェクト同士の関連を明示的に示すことができる。

本システムにおいては、コマやキャラクター、セリフといったマンガに内包されるオブジェクトおよび、ユーザーが任意で選択したオブジェクトの集合を共有の対象とする。本システムは、これらの要素についてメタデータでマンガオブジェクトを示し、対応する画像箇所と結びつけて提供するものである。本システムでは、Web上でディジタル画像とコンテンツの構造情報の提供にIIIFを利用する。本システムでは、前節で解説したマンガの検索・閲覧システムと同様に、IIIFに準拠した画像提供用のサーバーアプリやビューワを利用・拡張して開発を行った。

3-2．マンガの構造を記述するためのメタデータモデル

本システムでは、システム開発におけるサンプルデータとしてManga109［8］［9］［10］で提供されているデータを利用し、マンガの構造を記述したメタデータをPresentation APIのリソースモデルへマッピングすることでシステムの構築を行った。Manga109は、学術利用のために公開されたマンガデータセットである。Manga109は、プロの漫画家が創作した、絶版となった109冊のマンガ作品からなり、すべての作品に画像に関するアノテーションとしてマンガの構成要素であるコマやキャラクター、セリフに関するメタデータがXML形式のデータで提供されている。

【図9】に、メタデータモデルとIIIFのリソースモデルの全体図、およびマッピングの対応関係を示す。「Book」はマンガ一冊を、「Viewing Area」はマンガの見開きページを表した実体である。「Character Img」「Character FaceImg」「Text」「Frame」はManga109で画像（マンガの見開きページ）に関するアノテーションとして提供されているメタデータと対応する実体であり、

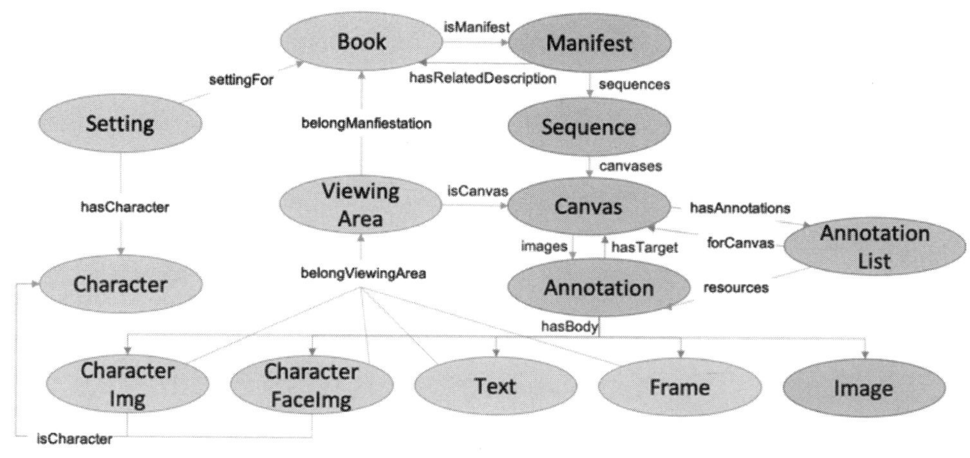

図 9　マンガの構造を記述するメタデータモデル

それぞれキャラクターの全身の画、キャラクターの顔の画、テキスト、コマといったオブジェクトを表す。このマンガメタデータモデルに基づいて、IIIF へのマッピングを行った図中の「Manifest」「Sequence」「Canvas」「Annotation」「Annotation List」は IIIF のリソースモデルの実体を示しており、先に示したマンガの構造を記述する実体をこれらとマッピングしている。Manifest は一つの画像資料群全体を表す要素であるため Book と対応させている。Sequence は画像資料を埋め込むための箱の役割を担う Canvas の順序構造を表す要素である。この Canvas は Viewing Area と対応させている。また、Annotation で対象の Canvas 領域に見開きページに含まれるオブジェクト及び画像データを注釈内容としてリンキングさせている。Annotation List は Canvas ごとに Annotation をまとめるための要素である。このようなマッピングにより、マンガの構造を記述したメタデータを IIIF のリソースモデルのデータに変換し IIIF 環境下において利用可能となった。その結果、特定のコマや特定のキャラクターといった要素に対応するマンガ画像の部分に構造的な URI で一意にアクセスできるシステムを実現することができる。

3-3. ディジタルマンガ共有システムの構築

【図 10】に本システムで構築したシステムの概要図を示す。本システムでは、既存の IIIF 対応ビューワである Mirador を拡張し、マンガ画像およびそのメタデータを閲覧でき、さらにビューワからマンガコンテンツを共有できるシステムの構築を行った。システムは Mirador を拡張したビューワと API サーバーからなり、マンガの画像および対応するメタデータの閲覧機能、メタデータを用いた検索機能、マンガオブジェクトの共有機能を有する。

Mirador 上で画像およびそれに対する注釈を表示するためには、事前に用意されたマニフェストファイルを読み込ませる必要がある。ユーザーの要求に応じたマンガの共有を実現しそれをビューワ上で表示させるためには、マニフェストファイルを動的に生成し、そのマニフェストファイルを表す URI をビューワで読み込まなければならない。本システムでは、ビューワ上でユー

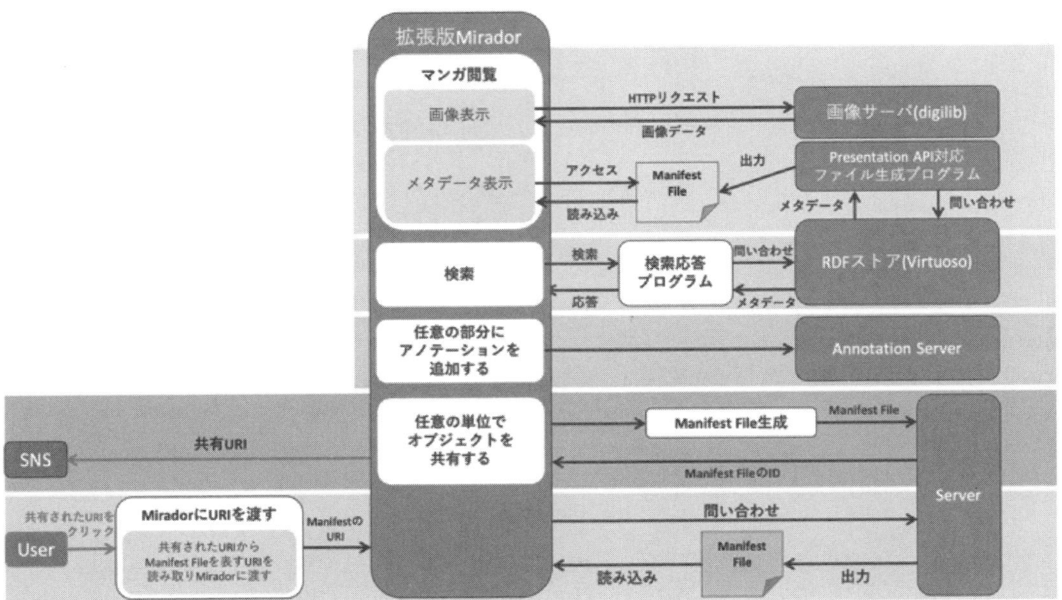

図 10　システム概要図

ザーが選択した範囲をリストアップする機能、そのリストからマニフェストファイルを動的に生成し保存する機能を実装した。

このシステムを用いて、ユーザーは次のことを行うことができる。1）ビューワ上でマンガを閲覧する、2）ビューワ上でマンガが内包する任意のオブジェクトを選択し、生成された共有リンクを用いて外部サービスで共有する、3）共有したいオブジェクトが複数ある場合は、ビューワ上でそれを選択しリストアップすることで一つにまとめる。リストに対して 2）の場合と同様にリンク URL を生成し、外部サービスで共有する。

Mirador 上で画像およびそれに対する注釈を表示するためには、マニフェストファイルと呼ばれる Presentation API 準拠の JSON ファイルを用意し、読み込ませる必要がある。本システムでは、前節で述べたユーザーが共有したいオブジェクトのリストに対応するマニフェストファイルを動的に生成できるよう、Mirador を拡張した。共有において、マニフェストファイルは選択されたオブジェクトを含む本の役割を担う。Presentation API の仕様に則り、選択したマンガのオブジェクトの座標および幅、高さをマニフェストファイルに記述することで対応する画像の部分を指定することができる。リストに含まれるオブジェクトが複数である場合には、Canvas というプロパティを複数記述することで対応できる。マニフェストファイルは Universal Unique Identifier（UUID）［11］を識別子として付与しており一意な識別とアクセスが可能である。このファイルはユーザーがオブジェクトを共有する際に自動で作られ、サーバーに保存される。

SNS 等の外部サービスで共有する際は、ビューワの URL に共有したいオブジェクトの UUID をパラメータとして付与したものを発行する。【図 11】にビューワから Twitter（現 X）にマンガを共有する際の画面を示す。パラメータの UUID をもとにユーザーが共有したオブジェクト

図 11　Twitter（現 X）への共有リンク例

© 山田雨月

図 12　ユーザーが共有したオブジェクトの読み込み

© 山田雨月

図 13　Mirador におけるマンガの部分の表示

に対応するマニフェストファイルをサーバーから取得し読み込むことで、ビューワ上で閲覧することができる。【図 12】は共有されたオブジェクトに対応するマニフェストファイルを読み込んだビューワ画面、【図 13】はビューワ上でマンガの部分の表示を行った画面である。ユーザーがマンガコンテンツを共有する際には、コマやキャラクター、セリフといったマンガに内包されるオブジェクトおよび、それらの集合を共有する場合が多い。そこで本システムでは、ユーザーが

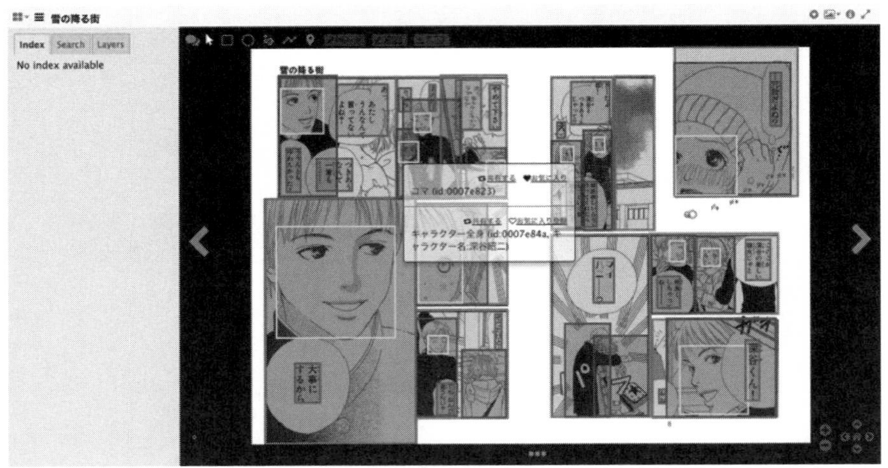

図 14　アノテーション表示とお気に入り登録例　　© 山田雨月

図 15　アノテーション表示　　© 山田雨月

指定したオブジェクトを任意の単位で共有できるよう、リストアップする機能を実装した。【図 14】と【図 15】に、ビューワ上でのアノテーション表示とお気に入り登録例およびビューワ上でのアノテーション表示を拡大した図を示す。ビューワ上では、カーソルを合わせた画像領域に対応するアノテーションが表示される。そのアノテーションそれぞれの右上にお気に入り登録ボタンを実装した。これをクリックすることにより、ユーザーが指定した任意の部分をリストとして保持することができる。複数のオブジェクトをリストアップして共有する場合にも前節で述べたように、対応するマニフェストファイルおよび共有リンクを生成し、外部サービスにて共有することができる。

4．おわりに

本章では、筆者らが開発してきた、IIIF を用いたマンガの内容と構造の検索・閲覧システムとマンガのコンテンツ共有のための閲覧・共有システムについて解説した。本章で取り上げたマンガは産業面からの権利保護の要請が強いコンテンツであり、IIIF が想定しているオープンなコンテンツ公開を必ずしも前提にすることはできない点に注意を要するが、Web 上での共有やメタデータと画像データの組み合わせによるコンテンツ提供についての技術要素については共通しており、IIIF の適用によってマンガの Web 上での流通・共有を効率的に拡張できると筆者らは考えている。

これらの事例は、IIIF が従来主眼に置かれてきた歴史文化資料分野のみならず、Web 上での画像コンテンツの共有についての基盤的な技術であることを示しているといえよう。ディジタルアーカイブやディジタルヒューマニティーズ研究が、その応用においてさまざまな社会還元の可能性を展開できることを強く期待したい。

参考文献

[1] 松下光範．コミック工学の可能性．第 2 回 ARG WEB インテリジェンスとインタラクション研究会、2013、pp.63-68.

[2] Linked Data. https://www.w3.org/DesignIssues/LinkedData.html.

[3] A.Morozumi, S.Nomura, M.Nagamori, S.Sugimoto. Metadata Framework for Manga: A Multi-paradim Metadata Description Framework for Digital Comics. Proceedings of DC2009, 2009, pp.61-70.

[4] 三原鉄也、永森光晴、杉本重雄．マンガメタデータフレームワークに基づくディジタルマンガのアクセスと制作の支援―ディジタル環境におけるマンガのメタデータの有効性の考察―、電子情報通信学会論文誌 A、2015、Vol.J98-A、No.1、pp.29-40.

[5] OpenLink Software: Virtuoso Homepage. https://virtuoso.openlinksw.com/ .

[6] 宮沢賢治原作、木野陽マンガ．銀河鉄道の夜、学研教育出版、2015

[7] Mirador. http://projectmirador.org/ .

[8] 相澤・山崎研究室．Manga109. http://www.manga109.org/ja/ .

[9] Azuma Fujimoto, Toru Ogawa, Kazuyoshi Yamamoto, Yusuke Matsui, Toshihiko Yamasaki, and Kiyoharu Aizawa. Manga109 dataset and creation of metadata. MANPU '16 Proceedings of the 1st International Workshop on coMics ANalysis, Processing and Understanding Article No. 2. Cancun, Mexico. December 04, 2016.

[10] 相澤清晴、松井勇佑、藤本東、大坪篤史、小川徹．学術漫画データセットの構築 -Manga109-．映像情報メディア学会誌、Vol.72、No.3、pp.358-362、May、2018.

[11] RFC 4122: A Universally Unique IDentifier (UUID) URN Namespace. https://datatracker.ietf.org/doc/html/rfc4122 .

COLUMN 5

デジタルアーカイブシステムの仕様書作りについて

吉賀夏子

1．はじめに

本コラムは、本書のIIIF画像閲覧システムに密接に関連するデジタルアーカイブの構築プロジェクトを初めて担当することになった、あるいは構想がある方々に向けた仕様書作りにおけるポイントをまとめたガイドです。

一般に、デジタルアーカイブは内容に関わらず、長期に渡り運営し続けることを前提にするものだと考えられます。また、本書で紹介しているIIIFの画像やマニフェストをインターネット上に公開するとなると、データベースとウェブサイトの公開サーバーを設置することになります。このような状況になった場合は、資金や人員、時間などのコストがある程度掛かりますので、プロジェクトの目的、ハードウェア、ソフトウェア、構成人員、構築期間、検証、公開メディアについての利用許諾、管理体制など多岐にわたる要件定義を作成して、関係者（特に開発者）と誤解がないように内容を共有しておくことになります。

仕様書（要求仕様書）とは、納品物、ここではデジタルアーカイブを利用者がどのように操作し、その結果どのような情報が得られるのかといった完成イメージを説明する書類です。主に発注者側が作成を担当します。これに対して、システム設計書と呼ばれる書類は、仕様書に書かれている完成イメージを基に工程、材料、人員の配置などの具体的な調達や計画に示したもので、発注者との打ち合わせで主に開発者側が完成させます。そのため、仕様書のでき具合でその後のすべての進捗とコストが左右されます。

とはいうものの、最初から完璧な仕様書を書くことは非常に難しいものです。システムを実際に構築する開発者に必要な要素を概要で示した後、開発者側からの提案で詳細を詰めていくことはよくあります。しかし、余りにも仕様書の内容が曖昧であると、高確率に仕様変更が生じて開発者が何度もプログラムやデザインを修正することになるために、その分余計な費用と時間が掛かります。また、発注者側のリテラシーを見越して多めの見積額を提示されることもよくあります。さらに、プロジェクト構成員のモチベーション低下も懸念されます。その結果、発注側が想定していない利用者不在のシステムが納品されます【図1】。やはり、可能な限り変更のない仕

図 1　“Tree swing cartoon”（邦訳「顧客が本当に必要だったもの」）オリジナルの作者および日付は不明。ただし、各コマの絵には CC BY 3.0 Unported License (CC BY-SA 3.0 と等価）が www.projectcartoon.com によって付与されている。

様書を作成しましょう。

2．何を作るのか：目的と範囲を宣言する

デジタルアーカイブの仕様書を書く前に、プロジェクトの目的と範囲を明確にします。つまり、アーカイブする対象（歴史的文書、芸術作品、学術資料など）を特定し、その資料が誰によってどのように利用されるべきなのかといったあるべき姿を想定し、仕様書の冒頭に記載して開発者を含む関係者全員と共有します。

その際、参考にする資料としては、2023 年 8 月に内閣府で作成された「『デジタルアーカイブ活動』のためのガイドライン [1)]」がおすすめです。本資料では、デジタルアーカイブを単なるデータの貯蔵庫としてではなく、私たちの社会を活性化するためにデザインされた知の活動空間として捉えています。言い換えると、個人や組織が教育や研究、地域活性化などでデジタルアーカイブを検索して閲覧するということから一歩進んで、異種のデータを巧みに組み合わせて新たな発見をしたり、利用者同士で交流を深めたりすることができる場としてデジタルアーカイブを成立

させるために、どのような要素を考慮すればよいかがまとめられています。

3．コンテンツ情報を整理する

アーカイブに保存するコンテンツの整理を行います。情報処理が滞りなく行えるという意味での資料整理が十分できていないままデジタルアーカイブのシステム構築を進めるケースがよくありますが、コンテンツのデータには専門的な知識や組織内部での独自ルールが存在するために、外部の開発者が安易に手出しできません。具体的には以下のような問題が生じて、システム作りがしばしば難航します。

1. 実物の資料とそのレコード（実物に対応する書誌データ）が対になっていない。特に実物の所在が曖昧になっている。
2. 各レコードに一意の識別子が付与されていない。または識別子に全角の字体が混ざっている。
3. メタデータ項目（資料の特徴を記述する項目。たとえば、タイトル、著者名、作成日など）の意味と実際に入力された値の内容が一致していない。
4. メタデータの名称と意味および構成が、システムを構築する技術者からみて不明あるいは共有できない状況にある。
5. レコードを構成する各項目の値に、複数の値（項目の示す意味に対応していない別の値）が含まれている。
6. 各資料の公開範囲と利用許諾が不明である。
7. レコード中に仕様書に明記されていない改行や空白などの特殊記号が混入されている。

4．利用者の導線を明確にする

デジタルアーカイブを使用する利用者（以下、ユーザー）はどのような人物で、どのようなニーズがあるのかを特定します。そのニーズを達成するために、単なる文章に限らず模式図や参考画像をうまく用いながら次項からの要件定義の前に概要として説明すると効果的です。特に、ユーザーが操作した時に画面はどのように遷移するのかを、手持ちの資料から作成した仮のイメージ画像を使って図示すると開発者がシステムの全体像を容易に把握することができるようになります。

5．要件を具体化する

デジタルアーカイブに必要な要件を仕様書に記載するには、デジタルアーカイブが動作するために必要な「機能要件」および利用者が快適にデジタルアーカイブを操作するために必要な「非機能要件」の大きく二つに切り分けて記載します。一般に、機能要件と非機能要件の記載はほとんどの情報処理システムやアプリケーションの開発で行うものであり、発注者の要求通りにシステムが構築されているかを検証するために役立ちます。

また、開発者に要件を確実に伝え実装完了後に検証可能にするために、一文の内容は一つに限定し、主語と述語を明確にして、箇条書きで語尾に「〜とする（こと）。」などと記載することが多いです（例：公開用サーバーの容量は 50GB 以上 100GB 以下とする）。また、専門用語や独自のルールを説明する際は、一般にわかりやすい言葉と図表を用いて開発者を支援します。

その際、仕様書のサンプル兼解説書としてまず参考にしていただきたいのは、独立行政法人国立公文書館の「公文書館等におけるデジタルアーカイブ・システムの標準仕様書[2)]」です。次項からの要件定義をどのように書けばよいのかが明確にイメージできると思います。

機能要件と非機能要件は、多少の IT 知識が必要になりますが、開発者に丸投げせずに複数回に分けて十分に話し合いをしながら決定しましょう。通常、開発者は予算やリリース予定日、管理体制など発注者の条件に応じて柔軟なシステム構成を提案できます。

5-1．機能要件とその優先度を定義する

機能要件の記載では、デジタルアーカイブのシステムに発注者側が採用したいハードウェアとソフトウェアについて、予算と管理体制を考慮しながら簡潔に記載します。開発者側が作成するシステム設計書では、この機能要件に従ってより詳細な設計が行われます。

また、機能要件には、発注者によって設定された目的を達成するのにどの程度必要かどうかの観点で優先順位を付けます。

たとえば、ユーザーがウェブサイトの画面を開いた時、まず何が目に入るべきでしょうか？考えられるのは、検索キーワードを入力する簡易フォームやアーカイブのコンテンツ内容が想定できる検索結果およびサムネイルなどでしょう。次にこのウェブサイトは誰がいつ、何故作成したかなどの概要表示や連絡先、利用許諾、お知らせなどもおそらく必要でしょう。ただし、それらの優先度は異なるはずです。

さらに、ユーザーが検索窓にキーワードを入力したときに結果としてどの書誌項目（メタデータ）を表示するか、検索結果の表示順序で基にする書誌項目は何か、表示データはブラウザの画面に何件表示するか、端末画面の大きさに合わせて表示を変えるようにするか（レスポンシブ表示機能の有無）といった細部について必要に応じ画像などを使いながら記載します。近年は、デジタルアーカイブのアクセスにスマートフォンなどの小さな画面を利用するユーザーが増加しているため、画面の大きさに合わせた表示レイアウトを考慮すべきです。

5-2．非機能要件を利用者目線で定義する

非機能要件では、ユーザーの使い勝手や将来的な拡張、互換性などデジタルアーカイブ本体以外に求められる性能や基準について定義します。このような定義は広範囲におよび、アクセスロ

グ、バックアップ、災害時の対応なども含まれています。その中で、受注（開発）側が対処可能な要件については必ず仕様書に記載します。たとえば、Webブラウザでデジタルアーカイブのサイトを開いた時やデータベースを検索した時などに掛かる応答時間の上限は、アクセスピーク時に何秒まで許容できるか、データの更新をウェブサイトで行う場合、そのアクセス権限は誰に付与されるか、また権限に更新はできるが削除はできないなど権限の種類は必要かというような具体的な事柄を列挙していきます。

6．動作検証を行う

システムのプロトタイプができた時、システムを構成する部分的な機能ができた時、そして概ねシステム全体が完成した時といった区切りに、作成された仕様書の内容通りにシステム開発が進んでいるかを動作検証で確かめる必要があります。

機能要件および非機能要件について記載した要件通りにシステムが動作するか（正常系テスト）、また、想定外の利用、たとえば存在しないページにアクセスされた時にエラーの処理が適切に行われるか（異常系テスト）といったチェックリストを作成し検証します。

また、プロジェクト関係者や仮のユーザーを指定して、アンケートやインタビューを通じて意見を収集します。収集したフィードバックは、次回アップデートの課題として、実現可能性および優先順位を検討します。

7．仕様の変更に速やかに対応し更新する

システム開発の現場では、仕様書作成の段階で気づかなかったことが動作確認や開発中に明らかになることがよくあるものです。そのため、やむなく仕様書を変更する場合があります。

仕様書変更では、以下の点に特に注意する必要があります。

1. 関係者全員の同意とコミュニケーションの維持、実務者にかかるストレスの緩和
2. 関連する技術文書、ユーザーマニュアル、プログラムなど仕様書変更が及ぼす影響の範囲や新たに生じる可能性のある問題への対処
3. 構築スケジュールおよび予算の再確認

仕様書の変更に伴い関係者間のコミュニケーションやリスクの管理に予想以上のコストが掛かりますので、慎重に変更内容を検討する必要があります。

8．さいごに

仕様書の作成はデジタルアーカイブプロジェクトの成功の鍵です。本コラムでは、一見無味乾燥に見える仕様書の必要性と考慮すべきポイントを紹介しました。読者の皆さまがこれらの情報を活用し、関係者と良好な関係を保ちながら利用者の気持ちに寄り添ったアーカイブを構築する一助となれば幸いです。

注

1 デジタルアーカイブジャパン推進委員会実務者検討委員会、事務局 内閣府知的財産戦略推進事務局、"「デジタルアーカイブ活動」のためのガイドライン". https://www.kantei.go.jp/jp/singi/titeki2/digitalarchive_suisiniinkai/jitumusya/dai16/siryou1-1.pdf,（参照 2024-01-31）。

2 独立行政法人国立公文書館、"公文書館等における デジタルアーカイブ・システムの標準仕様書"、https://www.archives.go.jp/about/report/pdf/da_180330.pdf,（参照 2024-02-04）。

COLUMN 6

デジタル源氏物語

永崎研宣

『デジタル源氏物語[1]』は、インターネット上にIIIF対応で一般公開されている『源氏物語』の画像や関連データを用いて『源氏物語』研究のプラットフォームの構築を目指す取り組みであり、それを体現するWebサービスである。なかでも、ここでは特にIIIFを活用している面について紹介する。

『デジタル源氏物語』では、『源氏物語』のさまざまな写本・版本の異同を集約した『校異源氏物語』の本文のテキストデータをTEI（Text Encoding Initiative）ガイドラインに準拠した形で検索可能なものとして公開し、さらに、青空文庫から公開されている与謝野晶子訳とのリンク付けを行うことによって、比較的読みやすい現代日本語に近い文章を対照させながら読むこともできるようにしている。そして、ジャパンナレッジの「新編日本古典文学全集」における対応箇所へのリンクが設置されており、ジャパンナレッジの利用契約があれば、写本や版本の画像から対応する古典本文や現代語訳を閲覧するという操作をスムーズに行うことができるようになっている。

『源氏物語』読解を支援するこうしたさまざまな有益な機能に加えて、本コラムで『デジタル源氏物語』を採りあげた理由は、そのIIIFの活用の仕方である。『デジタル源氏物語』の「AI画像検索」には、各機関のサイトで公開されているIIIF対応の『源氏物語』写本の画像が集約されている。この集約の仕方にこのサイトの特徴がある。

複数の写本や版本によって伝承される古典作品を読み込むためには、それらを対比して異同を確認し、それを踏まえて作品によって表現されることを理解していくことが重要となる。しかし、それには、写本や版本を並べて異同を冒頭から確認していく必要があり、途中から確認しようとすると、どこが該当箇所かを探すのが困難になってしまう。一方、テキスト全文検索ができるようになると、ヒットした箇所についてその異同を確認したいというニーズが生じるが、従来は、非常に困難であった。しかし、もし途中から確認する場合であっても、対象資料中の該当箇所を自動的に検出できたなら、途中のみを確認することが容易になり、全文検索の意義が大きく高まることになる。この課題について、このサイトでは、完璧なものではないOCRを利用して、該当する可能性がある箇所を自動検出して候補をリストアップするという手法を実装することで一定の解決の道を提示した[2)]。ここで、IIIF 対応で画像が公開されていることで、各地の写本や版本の対応箇所を提示する際に、一つのプログラムで容易かつ効率的に実装できるようになっている。

さらにもう一つ、このサイトでは画像比較サービス「パタパタ顔比較」も提供しており、これも IIIF 対応で公開されたことによる効果の一つである。『源氏物語』に登場する人物と詠歌を百人一首風に編纂した『源氏百人一首』のうち、国文学研究資料館の国書データベースから公開されている大阪公立大学所蔵のものと奈良女子大学所蔵のものが対象となっている。この二つの資料は、ほぼ同じ版で刷られたとみられるものの、ごく一部の箇所が異なっている。目視で相違箇所を探すのは非常に大変だが、それを自動的に検出してくれるソフトウェアとして CODH（人文学オープンデータ共同利用センター）の「vdiff.js[3)]」（差読（Differential Reading）のための画像照合サービス）がある。これを用いると、以下のように二つの画像における相違箇所がハイライトされる。

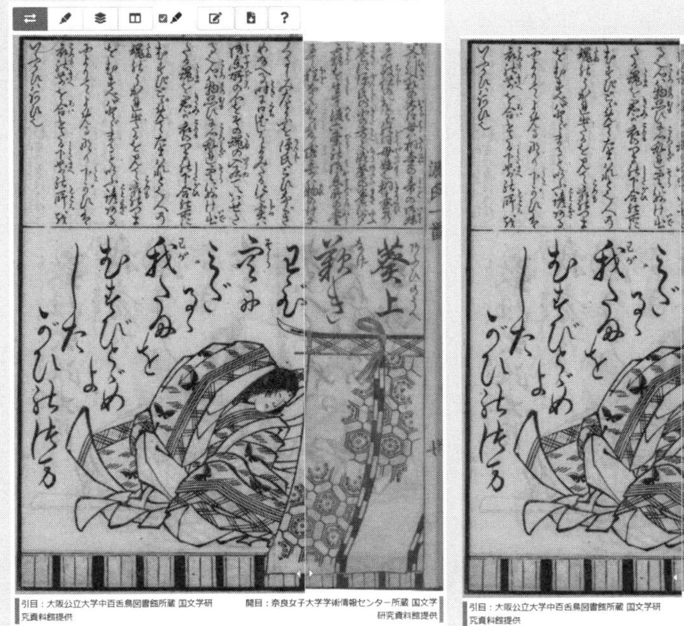

vdiff.js で画像を重ねて表示をスライドしてみた図。人物の顔に注目されたい。

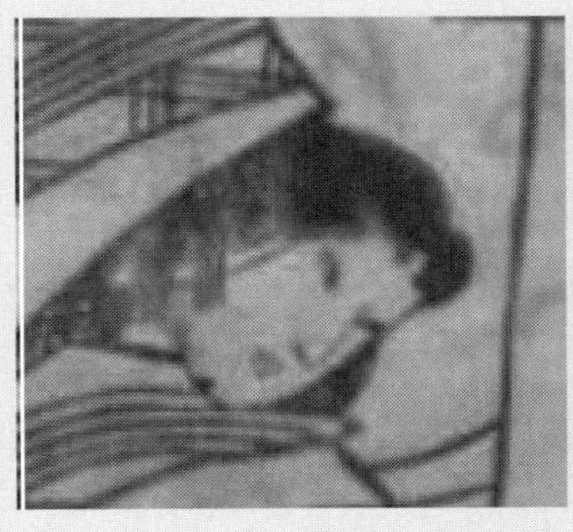

ハイライト表示された相違箇所を拡大。特に眼の部分が異なっている。

ここでもやはり、画像がIIIFで公開されていることによって、比較したりその結果を見やすい形で閲覧したりするためのソフトウェアの開発が容易になっている。そして、各地からIIIF対応で公開されている画像をこのソフトウェアに読み込ませて利用することが可能であることから、画像もソフトウェアも、その活用可能性が大きく広がっている。ここでもまた、IIIFの普及がもたらすよいサイクルが展開されているのである。

なお、このサイトの意義は、IIIFの活用を踏まえた技術的な側面にとどまらず、図書館における協働や教育利用の可能性をはじめとして、デジタル媒体の特性を活かした『源氏物語』への新しいアプローチを目指すさまざまな取り組が含まれている。ぜひ一度ご覧になってみていただきたい。

注

1　『デジタル源氏物語』https://genji.dl.itc.u-tokyo.ac.jp/

2　中村 覚，田村 隆，永崎 研宣．デジタル源氏物語（AI画像検索版）：くずし字OCRと編集距離を用いた写本・版本の比較支援システムの開発．研究報告人文科学とコンピュータ（CH）．2022，vol. 2022-CH-128，no. 13，pp. 1–8.

3　vdiff.js http://codh.rois.ac.jp/software/vdiffjs/

第7章

動画アノテーションツールELANとの連携

高橋洋成・本間淳・永崎研宣

1．はじめに

1-1．背景

Ethnologue（第25版）によれば、エチオピア連邦民主共和国では話し言葉として91言語が使用されている[1)]。これらのうち、エチオピア憲法は「アムハラ語を作業語とする」と定めるのみで公用語を規定してはいない。また、12ある州の中にはアムハラ語に加えて独自の作業語を定めるところもある。

このように多言語国家であるエチオピアでは、近年アムハラ語教育だけでなく母語教育（「母語の教育」「母語による教育」の両方）を推進する風潮が高まっている。しかし、91ある言語の半数以上は正書法の確立はおろか、十分な調査研究も未だなされていないのが現状である。

筆者（高橋）が属しているJAEL（Japan Association of Ethiopian Languages）は、エチオピア少数言語の調査研究を主とする研究者が集まっている。2018年度より、JAELはアディス・アベバ大学の言語研究者らと連携し、少数言語を母語とする人々のための教材開発プロジェクトを開始した。これまでJAELが蓄積してきた言語資料は話者の音声、映像、動画、その音訳、翻訳、語釈、語彙集、文法記述など多岐にわたる[2)]。今後これらをデジタル・アーカイブ化し、幅広い利活用のための基盤構築を目指していくが、教材作成はその成果の一つになる。

1-2．ELAN

母語教育教材の一つとして、動画に対して音訳、翻訳、語釈等の字幕を付けた「字幕付き動画」の作成を進めている。具体的にはELAN（EUDICO Linguistic Annotator）によって動画に音訳、翻訳等の注釈テキストを付与する作業を行っている[3)]。【図1】に示すように、ELANは音声の波形データを目視しながら複数層の注釈テキストを付与できる点にその特徴がある。音訳、翻訳等を同じ時間帯に重ねて付与することができ、さらに複数の話者に対してそれを行うこともできる。したがってモノローグにもダイアログにも対応可能である。

ただし、ELANには「字幕付き動画」そのものを作成する機能は備わっていない。ELANが

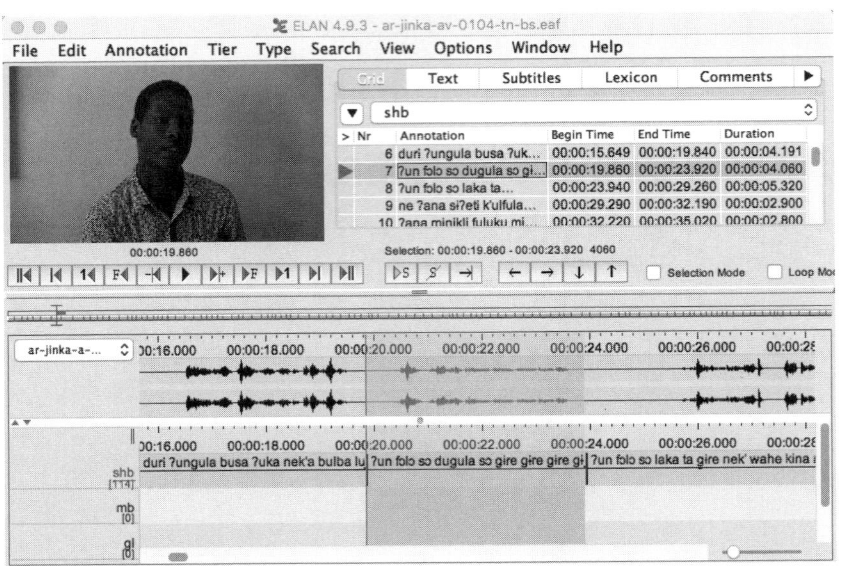

図 1　ELAN（音訳を入力中）

作成するのはあくまで注釈テキストであるが、それを多様な形式に変換・出力することは可能である。たとえば、Toolbox（Field Linguistics Toolbox）、FLEx（Fieldworks Language Explorer）、Praat など各種ツール用の形式や、SRT（SubRip Text）などの字幕形式として出力することはできる。

SRT 形式は近年の動画提供ウェブサイトで利用可能であることが多い。そのため、動画提供サイトをプラットフォームとした「字幕付き動画」教材、という方向性も考えられる。だが、動画教材としては単に「字幕付き動画」を再生するだけでなく、たとえば任意の語句が使われている場面を繰り返し再生するなど、字幕（注釈テキスト）と動画とが双方向に結び付くようなインターフェースの方がより望ましい。

1-3．IIIF

IIIF（International Image Interoperability Framework）に目を向けると、Presentation API 3.0（2020 年 6 月 3 日）から音声と動画をより適切に扱えるようにするタイムラインが導入された[4)]。また、IIIF Cookbook には動画に字幕を付与する Manifest の例も掲載されている[5)]。つまり IIIF ビューワのインターフェースを利用して「字幕付き動画」を提供する、という方向性が現実的なものとなった[6)]。

ただ 2021 年末の時点で、Presentation API 3.0 および動画の読み込みの両方に対応している IIIF ビューワには Universal Viewer と Mirador が存在していたものの[7)]、どちらにも動画上に字幕を容易に表示する機能は無かった。

Mirador での動画アノテーションに関しては、東京大学大学院人文社会系研究科附属次世代人文学開発センター人文情報学部門、一般財団法人人文情報学研究所、東京外国語大学アジア・アフリカ言語文化研究所、有限会社フェリックス・スタイルにより、「Mirador 動画アノテーション対応版」が 2020 年 12 月に公開されている[8)]。これは、注釈テキストに対応する動画上の領域を明瞭に視覚化することを実現したものである。

今回、筆者らは「Mirador 動画アノテーション対応版」を改良し、字幕の表示、および言語学習を想定したいくつかの機能追加を行った。

1-4．目的

「Mirador 動画アノテーション対応版」の改良を通し、目指す成果は次のとおりである。

- 学習者が特別なツールを導入することなく、一貫したインターフェースで字幕付き動画を操作できるプラットフォームを構築する。
- ELAN の注釈データを IIIF で利用するための方法論を構築する。

2．Mirador と ELAN の連携

2-1．Mirador

「Mirador 動画アノテーション対応版」の改良によって追加された機能について、具体的な箇所を【図 2】に示す。

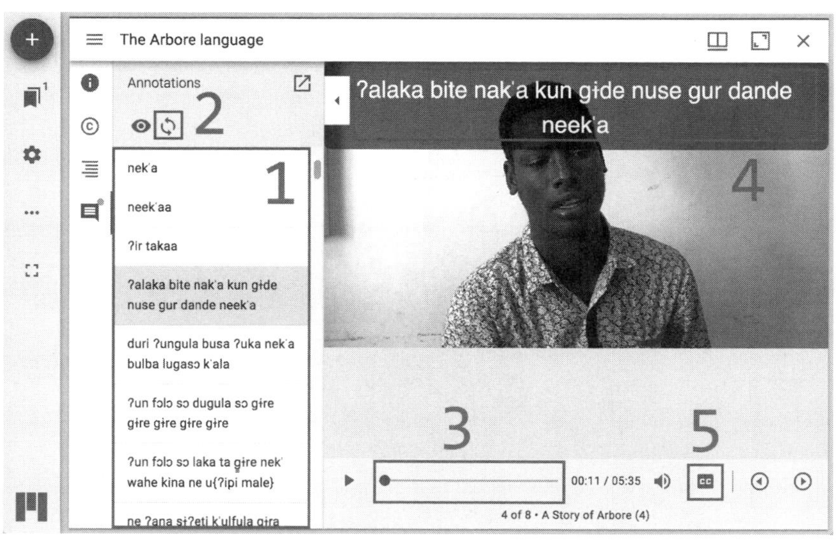

図 2　Mirador に追加された機能

1. 注釈サイドバーの自動スクロール

Mirador は注釈テキストをサイドバーに表示する。そこで、動画の再生時間に応じてサイドバーの注釈テキストを自動選択する機能を追加した。表示域の外にある注釈が選択された

場合はその注釈がサイドバー中央に来るよう自動スクロールされる。

2. 自動スクロールのオン・オフ

サイドバーの注釈テキスト一覧から特定の語句を探すような場合は自動スクロールがかえって妨げとなる。そこで自動スクロールのオン・オフを切り替えるボタンをサイドバーのヘッダ領域に設けた。

3. サイドバーとシークバーの双方向の連携

シークバーから再生箇所を選択したとき、その時間帯に対応する注釈テキストまでサイトバーが自動スクロールするよう機能追加を行った。すなわち、サイドバーの注釈テキストから再生箇所に飛ぶだけでなく、動画の再生箇所から注釈テキストに飛ぶという双方向の連携が可能になった。

4. WebVTT による字幕

Mirador は内部的に HTML の `video` 要素を生成する。また近年のウェブブラウザは `track` 要素を通して WebVTT などの字幕形式を利用することができる[9]。そこで Mirador に WebVTT ファイルを読み込ませ、動画上に字幕を表示する機能を追加した。

WebVTT は仕様上、スタイル記述によって字幕の位置やフォントなどを比較的柔軟に制御することが可能である【図 3】。ただし、実際にどのようなスタイル記述が可能であるかはウェブブラウザのサポート状況に依存する。

```
00:00:06.697 --> 00:00:09.131 line:0
neek'aa

00:00:06.697 --> 00:00:09.131 line:55%
<i>The lion</i>
```

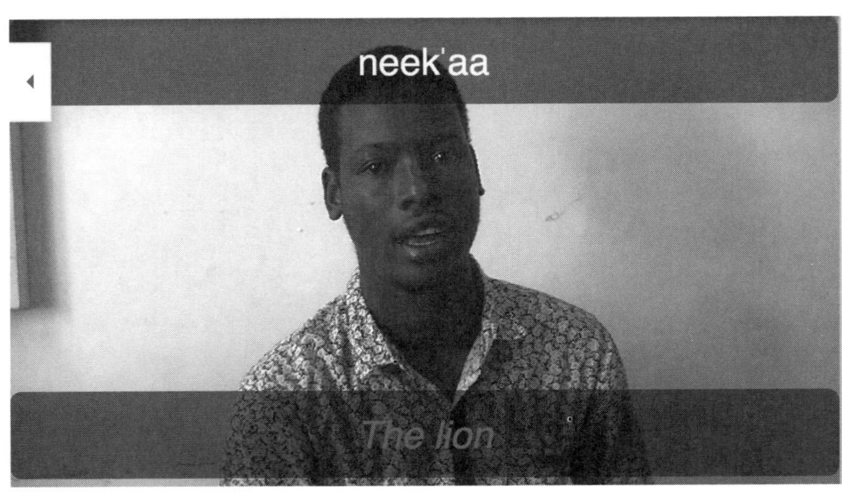

図 3　WebVTT 記述と動画上の字幕（音訳と翻訳）

5.　字幕のオン・オフ

WebVTTによる字幕のオン・オフを切り替えるボタンをシークバーの隣に設けた。なお現時点では音訳、翻訳等の字幕を個別に切り替えることはできない。

2-2. 字幕表示のためのIIIF記述

前項に挙げた改良項目から示唆されるように、Miradorのサイドバーに表示される注釈テキストと、WebVTTによって動画上に表示される字幕テキストとは、異なるリソースとして用意する必要がある。本項では具体的なIIIF記述について説明するが、その前にPresentation API 3.0のデータモデルを確認しておきたい。

Presentation API 3.0は以前のバージョンとはデータモデルがやや異なっており、以下のような特徴を持つ[10]。

- Manifestは複数のCanvasを持ちうる。
- Canvasは複数のAnnotationPageを持ちうる。AnnotationPageは常にCanvas上に置かれるもの(`items`プロパティに格納される)と、必要に応じて利用されるもの(`annotations`プロパティに格納されるもの）とに分けられる。
- AnnotationPageは複数のAnnotationを持ちうる。
- Annotationは実際のリソースを内包あるいは参照する。また`motivation`プロパティに【表1】のような値を持つことができる。

表1　motivationプロパティの値と意味

値	意味
painting	Canvasを構成するもの。
supplementing	Canvasに関連するもの。
その他	他の規格・仕様で定められたもの。

以上を踏まえると、動画、字幕テキスト（WebVTTファイル)、注釈テキストは次のように記述することになる。

Annotation	motivation	Canvas
動画	painting	items
WebVTT	supplementing	annotations
注釈テキスト	commenting	annotations

具体的には、Canvasの構造は次のとおりである。

```
{ "type"        : "Canvas",
  "id"          : "https://example.org/iiif/canvas/1"
  "items"       : [
    { "type"    : "AnnotationPage",
      "items"   : [ 動画 Annotation ]
    }
  ],
  "annotations" : [
    { "type"    : "AnnotationPage",
      "items"   : [ WebVTT Annotation ]
    },
    { "type"    : "AnnotationPage",
      "items"   : [ 注釈テキスト Annotation ]
    }
  ]
}
```

動画 Annotation の記述は次のとおりである。

```
{ "type"        : "Annotation",
  "motivation"  : "painting",
  "body"        : {
    "id"        :  動画-URI,
    "type"      : "Video",
    "format"    : "video/mp4",
  },
  "target"      : Canvas-URI#t=0,再生時間
}
```

WebVTT Annotation の記述は次のとおりである。なお、複数の WebVTT ファイルが参照された場合は先頭のみ読み込む。

```
{ "type"        : "Annotation",
  "motivation"  : "supplementing",
```

```
  "body"        : {
    "id"        : WebVTT ファイル-URI,
    "type"      : "Text",
    "format"    : "text/vtt",
  },
  "target"      : Canvas-URI
}
```

注釈テキスト Annotation の記述は以下のとおりである。一つの注釈テキストにつき一つの Annotation を設けるため、注釈テキストの数だけ同様の Annotation を用意する。

```
{ "type"        : "Annotation",
  "motivation"  : "commenting",
  "body"        : {
    "type"      : "TextualBody",
    "value"     : 注釈テキスト
  },
  "target"      : Canvas-URI#t=開始秒,終了秒
}
```

以上、動画上に字幕を表示させるための WebVTT ファイルと、注釈テキストをサイドバーに表示させるための IIIF 記述について説明した。完全な IIIF Manifest としては The Ethiopian Language Archive に置かれたファイルを参照されたい[11]。

2-3. 注釈テキストのエコシステム

本項では ELAN の注釈データを抽出し、IIIF をはじめとする各形式に変換する方法を説明する。

(1) EAF ⇒ IIIF、WebVTT

ELAN の注釈データは EAF（ELAN Annotation Format）と呼ばれる XML 形式で保存されている[12]。EAF の仕様は公開されており、主要部分のみ抜粋すると次のような構造をしている[13]。

```
<ANNOTATION_DOCUMENT ...>
  <HEADER TIME_UNITS="milliseconds" ...>
    ...
  </HEADER>
```

```
    <TIME_ORDER>
      <TIME_SLOT TIME_SLOT_ID="ts5"
                 TIME_VALUE="6697" />
      <TIME_SLOT TIME_SLOT_ID="ts6"
                 TIME_VALUE="9131" />
      ...
    </TIME_ORDER>
    <TIER TIER_ID="shb" ...>
      <ANNOTATION>
        <ALIGNABLE_ANNOTATION
            TIME_SLOT_REF1="ts5"
            TIME_SLOT_REF2="ts6">
          <ANNOTATION_VALUE>
            neek'aa
          </ANNOTATION_VALUE>
        </ALIGNABLE_ANNOTATION>
      </ANNOTATION>
      ...
    </TIER>
    ...
  </ANNOTATION_DOCUMENT>
```

注目すべきは次の点である。

- 注釈テキストに直接時間帯を埋め込むのではなく、時間ポイントの定義と注釈テキストとが分離されている。
- 時間ポイントは TIME_ORDER 要素内の TIME_SLOT 要素によって定義され、必ず ID を持つ。
- 注釈テキストは ALIGNABLE_ANNOTATION 要素の中に置かれる。また、開始時間を表す @TIME_SLOT_REF1、終了時間を表す @TIME_SLOT_REF2 はそれぞれの時間ポイントを ID 参照する。例では注釈テキスト neek'aa が、6,697 ミリ秒から 9,131 ミリ秒の時間帯に属することを表している。
- 注釈テキストは TIER 要素によってグループ化される。

したがって、IIIF の注釈テキスト Annotation へは次のように変換すればよい。Canvas 上の時間指定 t= は秒で指定することに注意されたい。

```
{ "type"          : "Annotation",
  "motivation"  : "commenting",
  "body"          : {
    "type"        : "TextualBody",
    "value"       : "nee'kaa"
  },
  "target"        : Canvas-URI#t=6.697,9.139
}
```

また、WebVTT 形式への変換も容易である。

```
WEBVTT


shb-1
00:00:06.697 --> 00:00:09.139
nee'kaa
```

(2) EAF ⇒ TEI

EAF 形式では時間ポイントの定義と注釈テキストとが分離されている。これにより、同じ時間ポイントを参照する複数の注釈テキストは、もし実際の時間値が変更されたとしても「同期」される。

同じような構造を採用しているのが、TEI（Text Encoding Initiative）形式における timeline 要素と when 要素である[14)]。時間ポイントは when 要素によって定義される。また注釈テキスト（下記の例では u 要素で表現）は開始時間と終了時間を ID で参照する。

したがって、EAF 形式から TEI 形式への変換は比較的容易である。

```
<TEI xmlns="http://www.tei-c.org/ns/1.0" ...>
  ...
  <text>
    <body>
      <timeline unit="ms">
        <when xml:id="ts5"
              absolute="00:00:06.697"/>
        <when xml:id="ts6"
```

```
            absolute="00:00:09.139"/>
      ...
    </timeline>
    <annotationBlock>
      <u start="#ts5" end="#ts6">
        nee'kaa
      </u>
      ...
    </annotationBlock>
  </body>
 </text>
</TEI>
```

(3）TTML ⇒ WebVTT

TTML（Timed Text Markup Language）は SMIL（Synchronized Multimedia Integration Language）から派生した字幕の規格である [15)]。

TTML は多様な表現が可能であるが、最も単純なのは次のように時間値を埋め込んだ注釈テキストを並べた形である。言わば WebVTT 形式をほぼそのまま XML 化したような形になる。

```
<tt xmlns="http://www.w3.org/ns/ttml">
  ...
  <body>
    <div region="shb">
      <p begin="00:00:06.697"
         end="00:00:09.670">
        nee'kaa
      </p>
      ...
    </div>
  </body>
</tt>
```

したがって、EAF 形式から TTML 形式に変換し、それから WebVTT 形式に変換すれば、TTML と WebVTT の両方の形式のデータを得ることができる。

(4) XML パイプライン

前項まで見てきたように、EAF 形式は IIIF 形式、WebVTT 形式へと比較的容易に変換可能であるのみならず、その過程において TEI 形式、TTML 形式など多くの副産物を得ることができる。言わば、多様なプラットフォームを見据えた「注釈テキストのエコシステム」の構築が可能だと思われる。

今回は「エコシステム」の可能性を探るため、次のようなパイプラインを考案した。

- ・EAF 形式を TTML 形式に変換し、そこから IIIF 形式と WebVTT 形式に変換する。
- ・EAF 形式を TEI 形式に変換し、HTML 形式に変換する。

より具体的には【図 4】のようになる。図における通常の四角形は XML 形式を表し、角丸の四角形は非 XML 形式を表す。四角形が重なっているものは複数のファイルを扱えるステップであることを表す。また、EAF 形式に含まれない情報は「設定パラメータ」として JSON 形式で与えた。

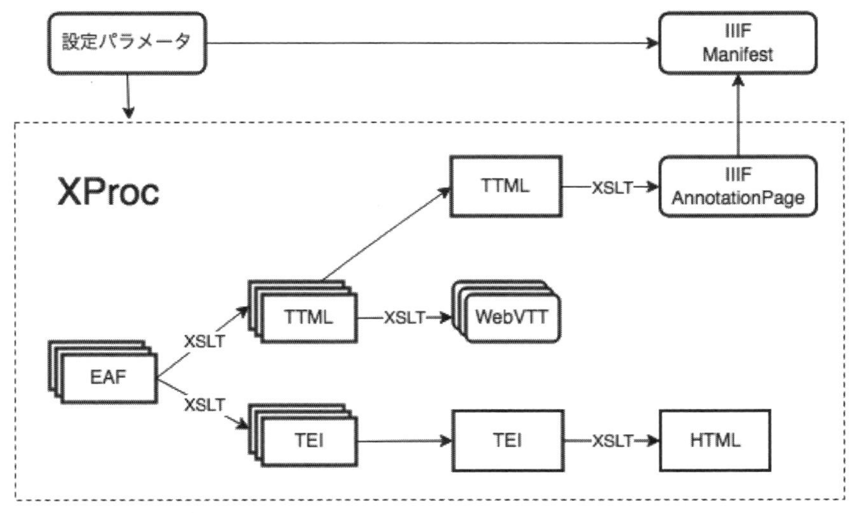

図 4　XML パイプライン

パイプラインの実装にあたっては、大部分が XML に関わるため XProc（XML Pipeline Language）を採用し、実行には XML Calabash（バージョン 1.4.1-100）を使用した[16),17)]。また、非 XML の領域および XProc/Calabash との連携部分、すなわち実質的な起動スクリプトを JavaScript で記述し、Node.js（バージョン 15.14.0）で実行した[18)]。

以上のパイプライン・スクリプトにより、複数の EAF ファイルをまとめて一つの IIIF Manifest に変換することに加え、さまざまな形式の字幕データや、人間可読な音訳、翻訳等のテキストを同時に生成することが可能になった。

3．おわりに

3-1．達成

「Mirador 動画アノテーション対応版」の改良を通して次のような成果が得られた。

- Mirador に自動スクロール機能の追加、サイドバーとシークバーの連携強化、字幕表示機能の追加を行った。
- 学習者は Mirador の一貫したインターフェースを用い、動画と字幕テキストの制御を直感的に行うことが可能になった。
- ELAN で作成された注釈データ（EAF 形式）から、IIIF Manifest、およびさまざまな形式の字幕データ、人間可読な電子テキストを同時に生成することが可能になった。これは、多様なプラットフォームを見据えた「注釈テキストのエコシステム」が可能であることを裏付けるものである。

3-2．今後の展望

本稿で論じた「Mirador 動画アノテーション対応版」の改良版については、JAEL のウェブページに情報を掲載している [19]。また、パイプライン・スクリプトによって生成された各種データと動画は、The Ethiopian Language Archive で利用することができる [20]。このウェブサイトは試験運用中であり、今後改めて大量の動画に耐えうるウェブサイト構築を進める予定である。

パイプライン・スクリプトも上記のページから得られる。現状のスクリプトはコマンドライン実行が必要であり、学習コストの高さが課題であるが、今後は上述したウェブサイト構築と連携し、動画と EAF ファイルのアップロード機能、ダウンロード機動を追加する予定である。

注

1　Eberhard, D. M., Simons, G. F., and Fennig, C. D.(eds.): Ethnologue: Languages of the World, SIL International, Dallas, Texas, twenty-fifth edition (2022). 入手先〈https://www.ethnologue.com/country/ET〉（参照 2022-04-28）.

2　Japan Association of Ethiopian Languages: Studies in Ethiopian Languages, JAEL (online). 入手先〈https://jael.info/SEL/〉（参照 2022-04-28）.

3　The Language Archive: ELAN, Max Planck Institute for Psycholinguistics (online). 入手先〈https://archive.mpi.nl/tla/elan〉（参照 2022-04-28）.

4　Appleby, M., Crane, T., Sanderson, R., Stroop, J. and Warner, S.: IIIF Presentation API 3.0, IIIF (online) (2020). 入手先〈https://iiif.io/api/presentation/3.0/〉（参照 2022-04-28）.

5　IIIF Community: Using Caption and Subtitle Files with Video Content, IIIF Cookbook (online). 入手先〈https://iiif.io/api/cookbook/recipe/0219-using-caption-file/〉（参照 2022-04-28）.

6　ELAN と IIIF の連携の試みには Graf et al. (2019) がある（Graf, J., Rau, F. and Blumtritt, J.: Optimizing

Interoperability of Language Resources with the Upcoming IIIF AV Specifications, Proceedings CLARIN Annual Conference 2019 (Simov, K. and Eskevich, M., eds.), Leipzig, Germany, pp. 142–145 (2019). 入手先〈https://www.clarin.eu/event/2019/clarin-annual-conference-2019-leipzig-germany〉). これは Image API 2.1 を動画用に拡張するものであり，本稿の目的とは異なるが注目すべき研究である.

7 Universal Viewer: Universal Viewer. 入手先〈http://universalviewer.io/〉（参照 2022-04-28）. Mirador: Mirador, 入手先〈https://projectmirador.org/〉（参照 2022-04-28）.

8 東京大学人文情報学：IIIF 動画アノテーション，東京大学人文情報学（オンライン）. 入手先〈https://dh.l.u-tokyo.ac.jp/activity/iiif/video-annotation〉（参照 2022-04-28）.

9 Pfeiffer, S.: WebVTT: The Web Video Text Tracks Format, W3C Candidate Recommendation (online) (2019). 入手先〈https://www.w3.org/TR/2019/CR-webvtt1-20190404/〉（参照 2022-04-28）.

10 Appleby, M., Crane, T., Sanderson, R., Stroop, J. and Warner, S.: IIIF Presentation API 3.0, IIIF (online) (2020). 入手先〈https://iiif.io/api/presentation/3.0/〉（参照 2022-04-28）.

11 Japan Association of Ethiopian Languages: The Ethiopian Language Archive, JAEL (online). 入手先〈https://dev.jael.info/documentation/〉（参照 2022-04-28）.

12 The Language Archive: ELAN Annotation Format: Schema version 3.0, Max Planck Institute for Psycholinguistics (online) (2017). 入手先〈https://www.mpi.nl/tools/elan/EAF_Annotation_ Format_3.0_and_ELAN.pdf〉（参照 2022-04-28）.

13 視認性のために敢えて空白を入れたため，例示のテキストデータの前後には，実際にはない空白が入っていることに注意されたい.

14 Text Encoding Initiative: Transcriptions of Speech, P5: Guidelines for Electronic Text Encoding and Interchange, Version 4.4.0 (online) (2022). 入手先〈https://tei-c.org/release/doc/tei-p5-doc/en/html/TS. html〉（参照 2022-04-28）.

15 2009 年までは TT AF（Timed Text Authoring Format）の DFXP（Distribution Format Exchange Profile）と呼ばれていたが，2010 年から TTML に名称が変更され，2018 年には TTML2 が W3C 勧告となった（Adams, G. and Concolato, C.: Timed Text Markup Language 2 (TTML2), W3C Recommendation (online) (2018). 入手先〈https://www.w3.org/TR/2018/REC-ttml2-20181108/〉（参照 2022-04-28））. 一方，HTML Living Standard を推進している WHATWG は 2010 年，SRT 形式を基盤とする簡易な字幕規格を WebSRT として提案し，後に WebVTT として W3C の勧告策定プロセスに載せた. WebVTT は現在は勧告候補である（Pfeiffer, S.: WebVTT: The Web Video Text Tracks Format, W3C Candidate Recommendation (online) (2019). 入手先〈https://www.w3.org/TR/2019/CR-webvtt1-20190404/〉（参照 2022-04-28））.

16 Walsh, N., Milowski, A. and Thompson, H. S.: XProc: An XML Pipeline Language, W3C Recommendation (online) (2010). 入手先〈http://www.w3.org/TR/2010/REC-xproc-20100511/〉（参照 2022-04-28）. Walsh, N.: Welcome to XML Calabash (2020). 入手先〈https://xmlcalabash.com/〉（参照 2022-04-28）.

17 XML Calabash は Oxygen XML Editor にも組み込まれている（SyncRO Soft SRL: XProc Support. Oxygen XML Editor. 入手先〈https://www.oxygenxml.com/xml_editor/xproc.html〉（参照 2022-04-28））.

18 OpenJS Foundation: Node.js, OpenJS Foundation (online). 入手先〈https://nodejs.org/〉（参照 2022-04-28）.

19 Japan Association of Ethiopian Languages: Mirador 3 動画アノテーション対応版，JAEL (online). 入手先〈https://dev.jael.info/mirador3va/〉（参照 2022-04-28）.

20 Japan Association of Ethiopian Languages: The Ethiopian Language Archive, JAEL (online). 入手先〈https://dev.jael.info/documentation/〉（参照 2022-04-28）.

COLUMN 7

IIIF ビューワを作ってみる

永崎研宣

0．はじめに

IIIF ビューワには、すでにいくつか、とても便利なものがあります。そして、それらに匹敵するものや凌駕するようなものを作るのは、やや無理があります。しかし、簡素なビューワがほしいとき、あるいは、自分のシステムに簡易なビューワを組み込みたい時など、独立した立派なビューワでなくても、ちょっとしたものを作れると便利なことがあります。また、そこまでいかずとも、IIIF がどういうものかを理解しようとするなら、画像も IIIF manifest も読み込む IIIF ビューワを作成することはかなりの効果が期待できます。本コラムでは、そのようなニーズに応えられるような、簡単な IIIF ビューワの作成について解説します。

1．画像ビューワの選定と組み込み

画像ビューワの選定と組み込みは、一連の作業のなかでは成果が出たという実感をもっとも得やすいものです。この解説に飽きが来ないようにするために画像ビューワの選定と組み込みをまずは取り組んでみたいと思います。

1-1．画像ビューワの選定

画像ビューワを自力で作るのはとても大変です。ですので、メジャーな IIIF ビューワでは、基本的に画像ビューワは既存のものを組み込むことが多いです。特によく使われるのは OpenSeadragon と Leaflet です。いずれ劣らぬ安定して多機能な画像ビューワであり、IIIF の画像を扱うこと、つまり IIIF Image API にも対応しているため、画像の拡大縮小などに関して何かをプログラミングしたりせずとも扱えるのが大きなメリットです。

OpenSeadragon を採用するか Leaflet を選定するか、というのは、いろいろな観点がありますが、基本的に、古地図を含めて地図に関することを扱うか、あるいはその可能性が大きい場合には Leaflet がおすすめです。それ以外の場合であれば、OpenSeadragon を選んでおくとよいでしょう。ここではとりあえず、OpenSeadragon の方で解説していきます。

1-2．OpenSeadragon の扱い方

OpenSeadragon は、JavaScript で書かれた画像表示のための高機能なライブラリです。元々はマイクロソフトが作成していたものがオープンソース化されて広く用いられるようになったものです。動作が非常に安定している点は、こういった開発においては大変ありがたいことですが、それを踏まえた上で、IIIF をはじめとする画像の拡大縮小が可能ないくつかの画像配信形式に対応しており、SVG や HTML の Canvas 要素等を用いて画像上に描画するプラグインがリリースされているなど、拡張性が高く、IIIF ビューワを開発するにあたっても、さまざまな付加機能を開発・追加できる可能性を秘めています。

OpenSeadragon を我々のビューワに組み込むためには、概ね以下のような手順が必要となります。

1. OpenSeadragon をダウンロードして任意の作業用フォルダに展開する。
2. OpenSeadragon をライブラリとして我々のビューワに読み込めるように HTML タグを記述する。
3. JavaScript を記述することで OpenSeadragon を用いた画像表示を我々のビューワで実現できるようにする。

1-3．OpenSeadragon で画像を表示してみる

習うより慣れろ、の精神で、まずは OpenSeadragon を用いた画像表示を簡素な HTML で実現してみましょう。まずは必要なファイルの準備です。

1-3-1．必要なファイルの準備

OpenSeadragon の公式サイト https://openseadragon.github.io/ から、ページ右上の「ZIP」アイコンをクリックして【図 1】、今回の我々のビューワを開発するためのフォルダに保存して展開しておきましょう。図 2 のように、フォルダができていることを確認しておいてください。

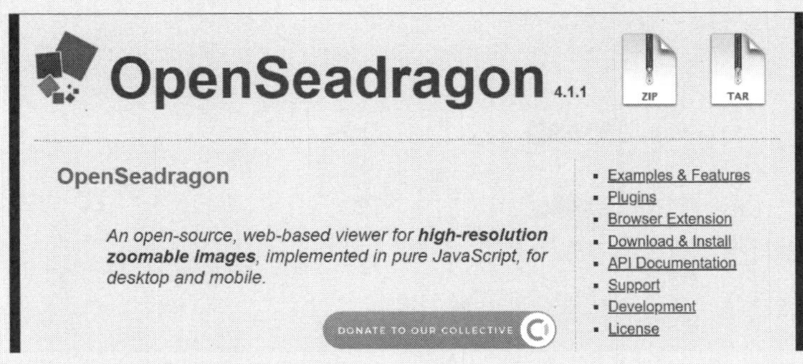

図 1　OpenSeadragon の公式サイト

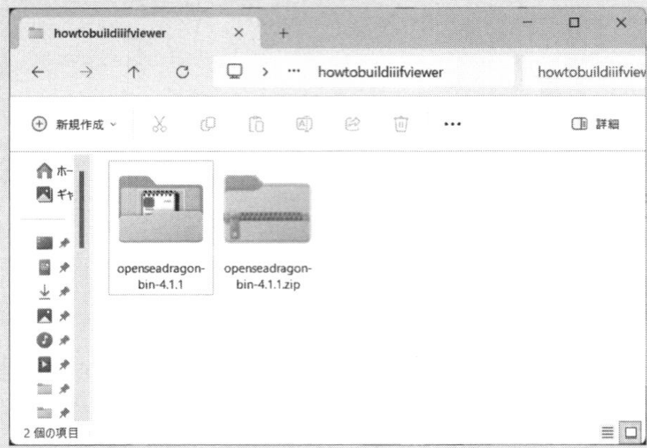

図 2　OpenSeadragon の zip ファイルを展開した状態

次に、HTML ファイルを作成します。これにはいろいろな方法がありますが、たとえば、「新規作成」⇒「テキストドキュメント」を選んで空のテキストファイルを作成【図 3】した後、ファイル名を「viewer.html」に変更すると【図 4】、比較的楽に作成できるでしょう。

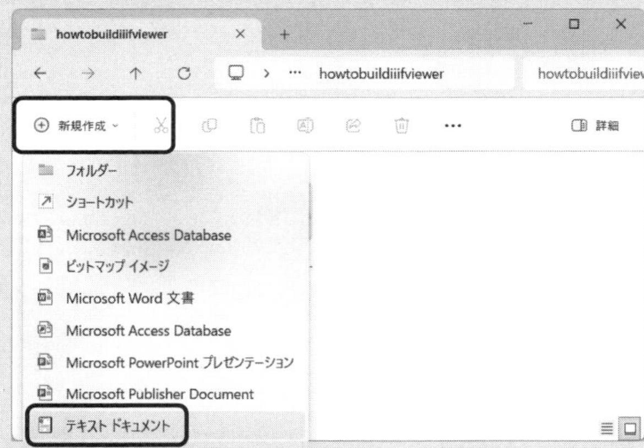

図 3　「新規作成」⇒「テキストドキュメント」を選択

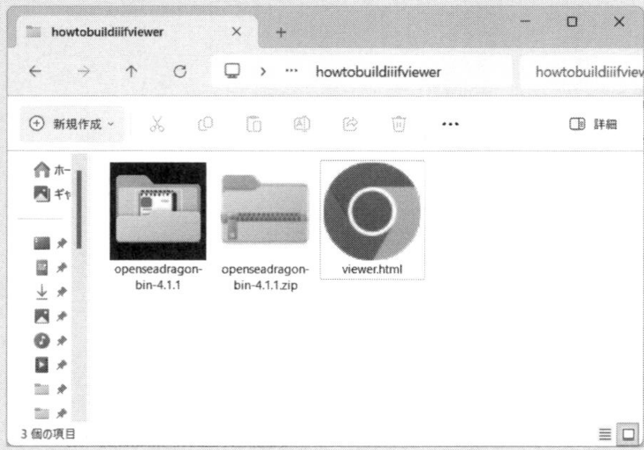

図 4　ファイル名を「viewer.html」に変更

これに加えて、テスト用に表示する画像が一つほしいですね。これは、適当な JPEG 画像を持ってきて同じフォルダに置いてください。ファイル名は「test.jpg」としてください【図 5】。

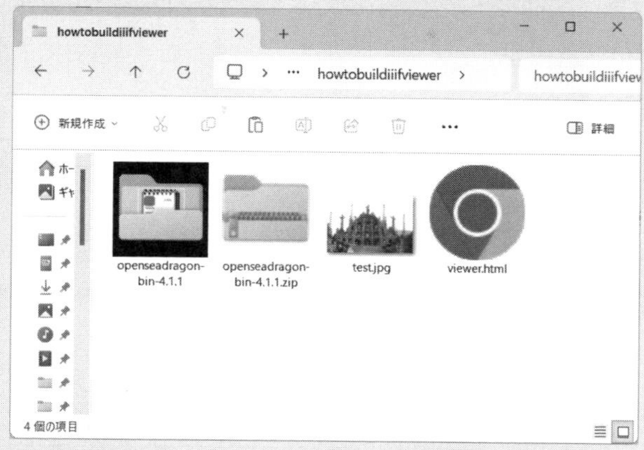

図 5　テスト用 JPEG 画像を持ってきたところ。

1-3-2．1 枚物の JPEG ファイルを OpenSeadragon で表示してみる

それでは、我々のビューワに向けた第一歩として、1 枚物の JPEG ファイルを OpenSeadragon で表示する HTML ファイルを作成してみましょう。これにはテキストエディタを利用することになります。メモ帳などでもできますが、ここではソフトウェア開発用に近年非常に広く使われるようになったフリーソフト VS Code[1] をおすすめしておきます。

viewer.html は、そのまま開くと Web ブラウザで開いてしまいますので、右クリックするなどして開くソフトウェアを指定するか、あるいは、エディタを開いてから「ファイルを開く」機能でこのファイルを開いてください。そうすると、ファイルが空であることが示されます。そこで、まずは今回必要となる HTML の骨組みとなるものを作成してみましょう【図 6】。

```
<!doctype html>
<html>
    <head>
        <meta charset="utf-8">
        <title>我々のIIIFビューワのタイトル</title>
        <style>

        </style>
        <script></script>
    </head>
    <body>
        我々のIIIFビューワ
    </body>
    <script>

    </script>
</html>
```

我々のIIIFビューワ

図 6　HTML の骨組み（左）とそれを Web ブラウザで表示した状態

図 6 は、ごく基本的な最小構成に近い HTML です。ヘッダと本文が、それぞれ <head> ～ </head> と <body> ～ </body> で囲まれ、ヘッダの中には文字エンコーディングの指定とタイトル、スタイルとスクリプトのタグがそれぞれ入っています。本文にはただ一文だけ書いてあります。

要注目なのは、本文終了の </body> の後に、さらにスクリプトタグ <script> ～ </script> が入っている点です。これは <body> の内容をすべて読み込んでから処理を始める必要がある場合に有効な書き方で、近年は主流になっているものです。今回利用する OpenSeadragon でもこのようにする必要があるための処置です。

図 6 においては、1 ～ 11 行目が文書のヘッダにあたる部分、12 ～ 15 行目は本文の部分、16 ～ 21 行目まではプログラムの部分です。

では、ここに、OpenSeadragon を組み込むためのごく簡素なスクリプトを書き込んでみましょう。図 7 で、書き込む内容を確認してみてください。

```
9           <script src="openseadragon-bin-4.1.1/openseadragon.min.js"></script>
10      </head>
11  <body>
12      <h1>我々のIIIFビューワ</h1>
13      <div id="myViewer" style="height: 500px"></div>
14  </body>
15  <script>
16      var viewer = OpenSeadragon({
17          id: "myViewer",
18          prefixUrl:     "openseadragon-bin-4.1.1/images/",
19          tileSources: {
20              type: 'image',
21              url:  'test.jpg'
22          }
23      });
24  </script>
```

図 7　1 枚物画像のために OpenSeadragon を簡素に組み込むスクリプト

図 7 の内容を確認してみましょう。

9 行目では、OpenSeadragon 自体の JavaScript ファイルを読み込んでいます。これは、src=”” の値として、そのファイルのパスを書いておきます。フォルダ（ディレクトリ）の区切りはスラッシュ（/）ですので、その点は気をつけましょう。

12 行目では、「我々の IIIF ビューワ」という文字列をタイトルとして表示するために <h1> ～ </h1> タグで囲んでいます。

13 行目では、OpenSeadragon のビューワを表示する場所を div タグで設定しています。まず、この div タグの場所でビューワを表示するようにスクリプトから指定できるようにするために、@id 属性を付与します。ここで値を「myViewer」としていますが、これはこのページの中でユニークであれば自由に設定できます（ただし XML のルールに基づく制約はあります。無難に済ませるには、冒頭の文字は半角英字で、その後は半角英数字を使ってください）。OpenSeadragon のビューワは、高さの設定が必須ですので、@sytle 属性で高さ（height）の値を 500px に設定しています。この高さは自由に設定しても基本的には問題ありません。ここでは横幅（width）を設定していないのでビューワの横幅はブラウザのウインドウサイズに応じて変化しますが、任意の値を設定することで横幅を決め打ちにすることもできます。

16 ～ 23 行目では、OpenSeadragon の初期設定を行って、それを変数 viewer で操作する、ということを指示しています。ここでは、キーと値をコロンでつなぎ、その組み合わせをカンマで区切る、という記述の仕方になっています。この記述方法は JavaScript では非常によく用いられ、Web でもスタンダードになっているデータ記述方法の一つです。では、この中についても少しみてみましょう。

17 行目では、ビューワを表示する場所として付与された 13 行目の div タグを id で指定しています。JavaScript では、このようにしてタグに付与した属性情報やタグ名等を使ってタグを操作するのが基本です。

18 行目の prefixUrl では、ビューワで使われるアイコン画像のフォルダのパスを書いておきます。

19 ～ 22 行目では、ビューワで表示する画像ファイルについての情報を記述しています。20 行目でタイプを image として、21 行目で対象となる画像ファイル名を指定しています。

これにより、図 8 のように、ビューワにテスト画像が表示されて拡大縮小ができるようになります。

図 8　1 枚物画像をビューワに表示させ（左）、拡大してみた例（右）

1-3-3．IIIF 画像を 1 枚だけ表示してみる

では次に、IIIF 画像を 1 枚だけ表示してみましょう。この場合、IIIF Image API に準拠した info.json ファイルの URL を指定することになります【図 9】。

図 9 では、19 行目の tileSources の値として [ ] に囲む形で info.json の URL が書かれています。この [ ] に囲まれているのは、配列形式であることを意味しています。つまり、複数の値（URL）が記述されることが前提となっています。（この URL は九州大学附属図書館所蔵資料のものです）。これを Web ブラウザで開くと図 10 のようになります。

```
16      var viewer = OpenSeadragon({
17          id: "myViewer",
18          prefixUrl:      "openseadragon-bin-4.1.1/images/",
19          tileSources:  ['https://catalog.lib.kyushu-u.ac.jp/image/iiif/1/820/411796/400922.tiff/info.json']
20      });
```

図 9　IIIF 対応画像を 1 枚表示するためのスクリプト

図 10 IIIF 対応画像を 1 枚だけビューワで表示させ（左）、拡大してみた例（右）

1-3-4．複数の IIIF 画像をページ遷移できるようにしてみる

IIIF ビューワなら、複数ページを遷移できるようにしなければなりませんね。そこで、まずは OpenSeadragon でその機能を試してみましょう【図 11】。

```
16      var viewer = OpenSeadragon({
17          id: "myViewer",
18          prefixUrl:      "openseadragon-bin-4.1.1/images/",
19          sequenceMode:  true,
20          initialPage: 0,
21          tileSources:
22          [
23              'https://catalog.lib.kyushu-u.ac.jp/image/iiif/1/820/411796/400922.tiff/info.json',
24              'https://catalog.lib.kyushu-u.ac.jp/image/iiif/1/820/411796/400919.tiff/info.json',
25              'https://imgsrv.dhii.jp/iiifimgs/msas/juban/cricket-01-05.tif/info.json'
26          ]
27      });
```

図 11　複数の IIIF 対応画像をページ遷移させるためのスクリプト

図 11 では、図 9 では 16 ～ 20 行目だったスクリプトに、改行を入れても差し支えない箇所に改行を入れて整理して、少し見やすくしています。19 行目には、ページ遷移を行うことを明示するために sequenceMode を true を値として記述しています。そして、20 行目では、最初に表示するページとして initialPage の値を 1 ページ目（0 から数える）として記述しています。その次の行の tileSources の値として書かれているのは 22 ～ 25 行目ですが、このうち 22 行目と 25 行目には、配列であることを示す括弧 [ ] をそれぞれ付与しています。そして、23 行目と 24 行目は、IIIF 対応画像の info.json の URL をシングルクオーテーションで囲み、カンマで区切っています。

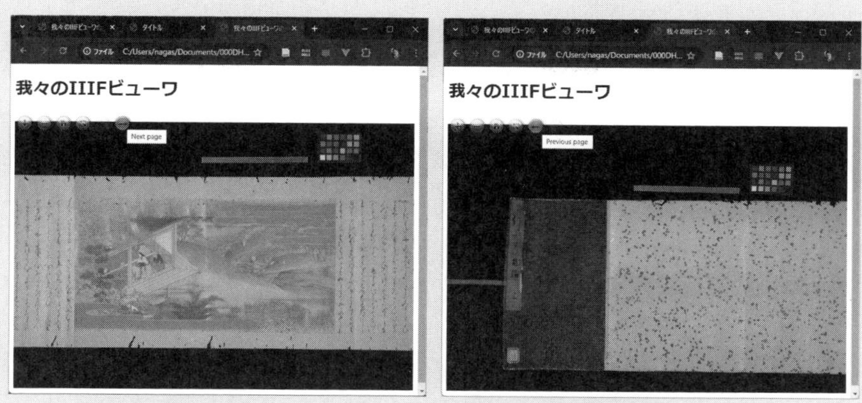

図 12　ページ遷移用のアイコンが表示され、ページ遷移した例。

さて、勘のよい読者はもうお気づきだと思いますが、どこのサイトのものであっても info.json の URL をここに列挙していけば一連の画像としてページ遷移して閲覧することが可能です。

ここまでで、とりあえず OpenSeadragon に提供してほしい最低限の機能の確認が終わりましたので、次は IIIF manifest の読み込みに進んでいきましょう。

2．IIIF manifest の処理

2-1．はじめに

IIIF ビューワは、IIIF manifest にまとめられたさまざまなコンテンツを見やすい形で表示することを目指すものです。すでに広く利用されているいくつかのメジャーな IIIF ビューワを見ればわかるように、用途やコンテンツの性質に応じてさまざまな表示の仕方があり得ます。ここでは、ごく単純な、複数の画像にメタデータが付与されている程度のシンプルなコンテンツを表示するビューワを目指します。

ここで留意すべき点として、IIIF manifest のフォーマットを定義する IIIF Presentation API のバージョンの問題があります。本稿執筆時点ではバージョン 2 系列が非常に広まっている一方で、バージョン 3 がリリースされてから少し時間が経っており、徐々にバージョン 3 が広まりつつあります。IIIF Presentation API に関しては、バージョン 2 と 3 の間には特に互換性はありません。バージョン名を宣言することができるため、それを明確に宣言しておくことによって処理を切り替えることはできます。ですので、バージョン 2 用とバージョン 3 用の処理系をそれぞれ開発してバージョン名に応じて切り替えればよいということになります。とはいえ、バージョン 2 については扱い方のガイドも多くあり、筆者もバージョン 2 向けの IIIF ビューワ開発のチュートリアルをブログに公開している[2)] ということもあり、今回はバージョン 3 に対応したチュートリアルとします。

2-2．開発作業のための準備

まずは開発作業のための準備をしていきます。先ほどと同じフォルダ（ディレクトリ）に、HTML ファイルを用意して、エディタで編集を開始しましょう。ここでは manifest.html というファイル名にしてみます【図 13】。

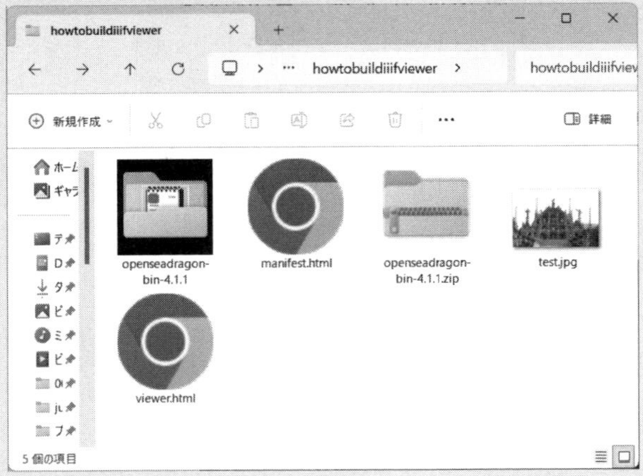

図 13　作業中のフォルダに新たに manifest.html を追加した例

2-2-1．HTML ファイルの作成と Web ブラウザの「コンソール」の使い方

ここからのスクリプト作成をうまく進めるために、処理途中のデータやエラーメッセージの確認をするための機能を使えるようにしましょう。そのために、まずは以下のような HTML ファイルを作成してみます【図 14】。

```
1   <!doctype html>
2   <html>
3       <head>
4           <meta charset="utf-8">
5           <title>我々のIIIFビューワのタイトル</title>
6           <style>
7
8           </style>
9           <script></script>
10      </head>
11      <body>
12          <h1>我々のIIIFビューワ</h1>
13      </body>
14      <script>
15          console.log('こんにちはみなさん！')
16      </script>
17  </html>
```

我々のIIIFビューワ

図 14　メッセージ表示のスクリプトを付加した HTML と Web ブラウザでの表示

全体として、先ほど viewer.html で作成開始した時のもの（図 6）とほとんど同じです。ただ、15 行目にメッセージ表示用のスクリプトが書き込まれています。この console.log( ) という命令によってメッセージ表示が行われます。このメッセージを表示するためには、たとえば Google Chrome の場合は、以下のように「その他のツール」⇒「デベロッパーツール」を選びます。（あるいは、Ctrl+Shift+i を同時に押す。）そして、開いたデベロッパーツールから「Console」を選びます【図 15】。

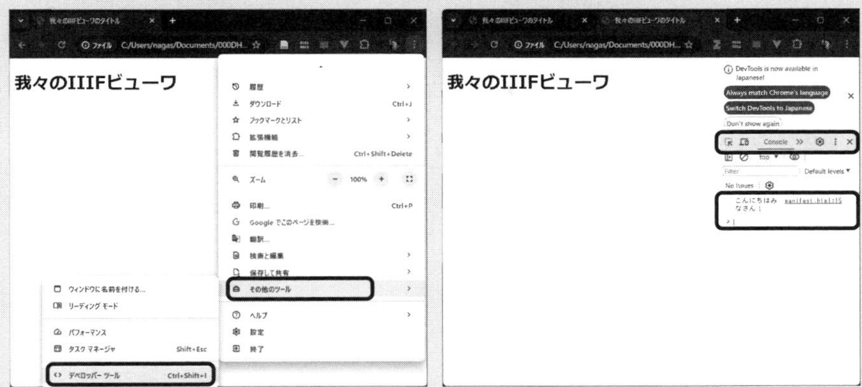

図 15　「デベロッパーツール」を開いて「Console」を表示させる例

このようにして、図 15 の右の画面の右側にある「Console」タブ以下で、console.log( ) で指定したメッセージが表示されているのが確認できます。このようにして、スクリプトの途中でデータがどのようになっているのか確認したい時や、処理のタイミングがどのようになっているか見ておきたい時など、この Console タブで確認できます。特に、作ったスクリプトがうまく動かない時にはこの機能は非常に有用ですので、覚えておいてください。

2-2-2.「どんなファイルを読み込んだのか」Web ブラウザで確認する方法

「デーベロッパーツール」は Console タブだけでなく、他にもさまざまな機能を持っています。全体として「Web ページを読み込んだ時のブラウザの状態」を確認できる機能と考えていただいてよいと思います。Console タブ以外に特に役立つ機能として「Network」タブがあります。これはタブの中から選択すれば利用できます。たとえば、先ほど作成した OpenSeadragon の HTML ファイルで「デベロッパーツール」を開いて「Network」タブを表示させてから再読み込みをしみてると、たくさんのファイルが読み込まれている様子を確認できます【図 16】。

「Network」タブでの読み込んだファイルの情報は、一行あたり一つのファイルで、読み込み時間をグラフで表示したり、ファイルのタイプやアクセスのステータスなどさまざまな情報が表示されるようになっています。OpenSeadragon の小さなアイコン画像であっても一つずつ表示されますので、このようなファイルを開くときはたくさんのやりとりが行われることになるのがわかると思います。うまくページが表示されなかったりスクリプトが動かなかったりする時にここを確認するとファイル読み込みが異様に遅くなったり失敗したりしていることなど、原因の確認ができる場合があり、時としてトラブル解消に大きく役に立つ場合があります。また、見ているサイトが IIIF 対応かどうかを手っ取り早く確認したい時も、ここで読み込まれる各種ファイルを見るとすぐにわかることがあります。

図 16　Network タブを利用して読み込んだファイルを確認する例

2-3．IIIF manifest を読み込んで処理してみる

では、このコンソールの利用を踏まえて、いよいよ IIIF manifest の読み込みに入りましょう。

2-3-1．IIIF manifest を読み込んでタイトル（label）とその言語名を表示してみる

IIIF manifest において、タイトルとしては「label」というキーが割り当てられています。そこで、今回利用している IIIF manifest の冒頭部分を見てみると、以下のようになっています。

```
1 {
2     "@context": "http://iiif.io/api/presentation/3/context.json",
3     "id": "https://catalog.lib.kyushu-u.ac.jp/image/manifest/1/820/411796.json",
4     "type": "Manifest",
5     "label":{
6         "none":["竹取物語絵巻"]
7     }, /label
```

図 17　九州大学附属図書館所蔵『竹取物語絵巻』画像の IIIF manifest の冒頭部分

ここでは、5 ～ 7 行目が label に関する情報です。IIIF Presentation API バージョン 3 から始まった記法ですが、label の値はさらに構造を持っていて、言語タグを付与することになっています。この場合、日本語 (ja) なので、"ja":["竹取物語絵巻"] という風に記述されているとありがたいところですが、このように" none" となっている場合、言語指定がないことになるので、どの言語でも表示できるように対応させる必要があります。

では、図 14 にて作成した manifest.html に、IIIF Presentation API バージョン 3 に対応した、この IIIF manifest の URL を読み込んで、タイトル（label）とその言語名を表示してみましょう【図 18】。

ここでは、15 ～ 28 行目が外部からファイルを読み込んで JavaScript で操作するためのスクリプトになっています。

```
14  <script>
15          const ajax = new XMLHttpRequest();
16          ajax.open('GET','https://catalog.lib.kyushu-u.ac.jp/image/manifest/1/820/411796.json',true);
17          ajax.onload = function(e){
18              if(ajax.readyState === 4){
19                  if(ajax.status === 200){
20                      const json = JSON.parse(ajax.responseText);
21                      for (var k in json.label){
22                          console.log(k)
23                          console.log(json.label[k][0])
24                      }
25                  }
26              }
27          }
28          ajax.send(null)
29  </script>
```

図 18　IIIF manifest を読み込んでタイトル等を表示する例

15 行目では、JavaScript を使って HTTP でのリクエストを行う機能を持つ API である XMLHttpRequest オブジェクトを呼び出して、「ajax」という変数に格納して処理することを宣言しています。

16 行目で open メソッドを用いてリクエストを初期化します。そして、GET メソッドを用いてデータを取得すること、今回取得する IIIF manifest の URL、それから、リクエストが非同期であることを true で指示します。

17 行目では、リクエストが完了した後の処理を設定します。そして、18, 19 行目ではリクエストが正常に完了したことを確認します。

20 行目では、リクエストに応じて Web サーバーから戻ってきたデータを ajax.responseText で受けて、これを JSON 形式としてパース（解析）しています。

21 ～ 24 行目では、IIIF manifest の「label」（作品等のタイトルに等しいもの）の値を for 文で取り出して、その言語情報とラベルをデベロッパーツールの Console に表示させまています。label の値は、さらに連想配列（Python で言う dict のようなもの）となっており、言語情報をキーとしています。そして、その値は配列 (Python で言う list のようなもの) として記述されています。それを取り出すために、連想配列を処理するための for 文と配列の一つ目を表示するための添字の [0] を用いています。

そうすると、図 19 のように、manifest.html の 22, 23 行目の console.log( ) を受けてその内容がデベロッパーツールの Console に表示されます。

一連のスクリプトにより、九州大学附属図書館が公開している竹取物語画像の IIIF manifest を取得してそのタイトルと言語情報を Console に表示できるようになりました。なお、この図 19 の例では、図 17 で

図 19　Console にラベルとラベルの言語情報が表示される例。

示したように言語情報が none となっているために、Console には none と表示されています。

2-3-2．Web ページ上にタイトルを表示する

タイトルを Console に表示するだけでは利用者から見えるとは言えません。そこで、<body> の中にタイトルを表示するための div タグを置くとともに、JavaScript で IIIF manifest から取得したタイトルをこの div タグに書き込むようにスクリプトを修正します。以下のタグとスクリプトを見てみましょう。

```
12            <h1>我々のIIIFビューワ</h1>
13            <div id="label"></div>
14        </body>
```

図 20　<body> の中に <div> を追加

```
22                        for (var k in json.label){
23                            title = json.label[k].join(" / ")
24                        }
25                        const label_el = document.getElementById('label')
26                        label_el.textContent = title
27                    }
```

図 21　タイトルを指定した div タグに書き込むスクリプトを追加

13 行目【図 20】では、値として label を持つ @id 属性を付与した div タグを追加しています。この label という id をターゲットとして、JavaScript で内容を操作します。

25 ～ 26 行目【図 21】では、25 行目で label という id を持つエレメントを指定して「label_el」として扱うことにします。そして、26 行目では、この label_el のテキストとして変数 title の内容（ここでは IIIF manifest の”label”の値）を代入しています。

この結果、図 22 のように、タイトルが表示されます。

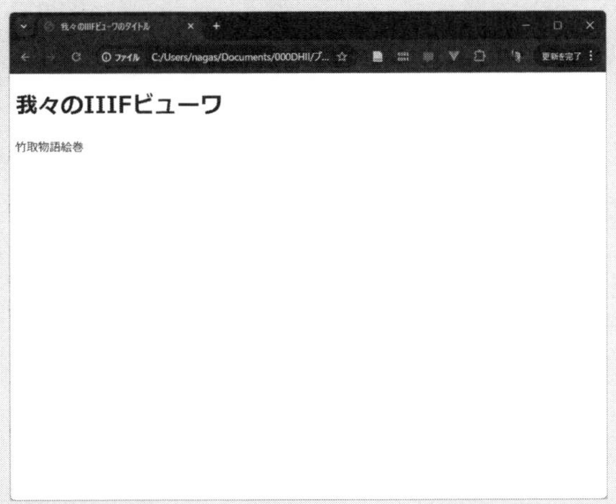

図 22　「竹取物語絵巻」のタイトルが表示された例

なお、このチュートリアルでは扱いませんが、同じ要領で、権利者や利用条件なども表示できますので、後ほど自分で試してみてください。

2-3-3．Metadata の項目をすべてリストする

では次に、IIIF manifest に含まれる metadata の項目を我々のビューワ上にリストしてみましょう。すでに IIIF manifest の JSON 形式のデータを読み込んでありますので、あとはそれを取り出して適当に HTML タグで整形して表示させるだけです。ただし、metadata の項目は、表示すべき内容が先ほどの label よりも深いところにありますので、for 文のなかでさらに for 文を用いる処理が必要になります。以下のタグとスクリプトを見てみましょう。

```
12          <h1>我々のIIIFビューワ</h1>
13          <h2><div id="label"></div></h2>
14          <div id="metadata"></div>
15      </body>
```

図 23　<div> タグの追加（と <h2> タグの追加）

```
26                  const label_el = document.getElementById('label')
27                  label_el.textContent = title
28                  const metadiv = document.getElementById('metadata')
29                  let metahtml = ''
30                  json.metadata.forEach(e2 => {
31                      metalabel = []
32                      metavalue = []
33                      for (var k in e2){
34                          for (var k2 in e2[k]){
35                              if (k == 'label'){
36                                  metalabel.push(e2[k][k2])
37                              }
38                              else if (k == 'value'){
39                                  metavalue.push(e2[k][k2])
40                              }
41                          }
42                      }
43                      metahtml += '<div>'+metalabel.join('/')+': '
44                      metahtml += metavalue.join('/')+'</div>'
45                  });
46                  metadiv.innerHTML = metahtml
47              }
```

図 24　metadata 項目を処理するためのスクリプトを追加

14 行目【図 23】に、metadata 項目を表示するための div タグを追加しています。また、本題とは少し外れますが（ですのでやらなくてもよいですが）、13 行目ではメタデータ項目との区別をしやすくするために、タイトルの div タグには h2 タグを追加しています。

28 ～ 46 行目【図 24】では、metadata 項目を処理するためのスクリプトが追加されています。この metadata 項目を IIIF manifest の JSON 形式で見てみると図 25 のようになっています。

```
    "metadata":[
        {
            "label":{
                "ja":["ソース"],
                "en":["Source"]
            }, /label
            "value":{
                "none":["<a href=¥"https://hdl.handle.net/2324/411796¥"
target=¥"_blank¥">https://hdl.handle.net/2324/411796</a>"]
            } /value
        }, /metadata[0]
```

図 25　今回の IIIF manifest の metadata 項目の冒頭部分

“metadata:” の直後の括弧が [ ]、つまり配列になっています。IIIF では metadata の中の項目名は定めておらず、配列形式で好きな項目を追加できるようになっています。ここでは、この JSON データを見ながらデータの処理について検討した結果、とりあえず図 24 のように、連想配列には for 文、配列には forEach を用いて、組み合わせて処理しています。

43 ～ 44 行目で、取得したデータに HTML タグをつけて整形して変数 metahtml に追記することを繰り返し、

46 行目では metahtml に溜め込まれた HTML タグを、innerHTML で div タグに表示させています。

これを Web ブラウザで表示させると図 26 のようになります。

図 26　メタデータをリストした例

2-3-4．スタイルを少しつけてみる

JavaScript で生成する HTML タグにも通常の HTML タグと同様にスタイルをつけることができます。

```
6         <style>
7             .metamenu{background-color:lightcyan}
8             #title{color:green}
9         </style>
```

図 27　スタイルの追加

```
44                            metahtml += '<div><span class="metamenu">'+metalabel.join('/')
45                            metahtml += ': </span>'+metavalue.join('/')+'</div>'
```

図 28　span タグによるクラスの追加

7 ～ 8 行目【図 27】で、metamenu というクラスをもつタグの内容に対して背景色を lightcyan にすることと、title という id 属性を持つタグに対して文字色を緑にするという指定をしています。

44 ～ 45 行目（【図 28】、ただし、図 24 では 43 ～ 44 行目にあたる）では、span タグを用いて metamenu クラスを項目名のみに付加しています。span タグは改行を伴わずにテキストにクラス等の属性やスタイルを付与することができるためここで用いています。これを表示させると図 29 のようになります。一番大きいタイトルの文字色が緑色になっていることと、メタデータの項目名に背景色がついていることを確認してください。

図 29　スタイルを設定した例

2-3-5．コンソールに各画像の id の一覧を表示させてみる

では次に、いよいよ画像 URL を取得することになりますが、ページに表示させる前に、とりあえず Console に表示させてみましょう。というのは、このような少しややこしい処理をする場合、動作がうまくいかなくなることがあるため、問題を早期に発見できるようにするためには、Console に表示させてから次に進むのが効率的です。

48 行目では、各画像の id を格納するための配列 imgurls を初期化しています。

49 ～ 53 行目では、forEach 文を用いて IIIF manifest に含まれる各画像の id を取得しつつ、51

行目で imgurls 配列にそれを追加していきます。

54 行目で、imgurls に蓄積された情報をすべて console.log に出力します。これがうまくいくと図 31 のようになります。

```
46  });
47  metadiv.innerHTML = metahtml
48  const imgurls = []
49  json.items.forEach(item =>{
50      item.items.forEach(item2 =>{
51          imgurls.push(item2.items[0].body.service[0].id)
52      })
53  })
54  console.log(imgurls)
```

図 30　IIIF manifest に含まれる各画像の id を抽出するスクリプトの追加

図 31　Console での各画像 id の表示結果の例

この Console での表示結果の小さな三角をクリックすると、Console 画面側の下の方に、図 32 のように各 id（URL）がリストされます。

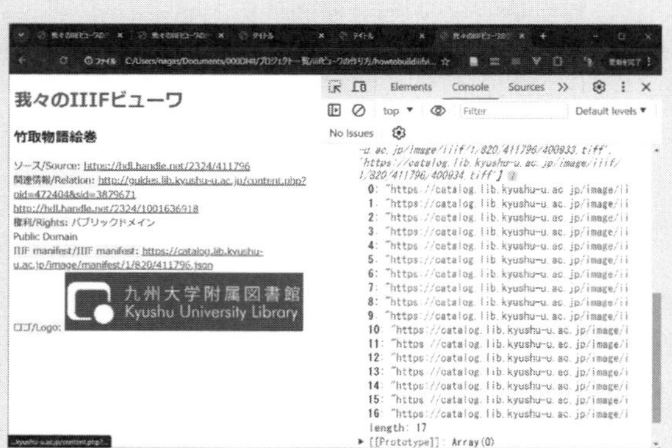

図 32　Console のリストを開いて表示した例

2-3-6．サムネイル画像を並べて表示

各画像の id がわかりましたので、IIIF Image API のルールに従って任意のサイズの画像を取得することができます。とりあえず、サムネイル画像を取得してみましょう。

```
13          <h1 id="title">我々のIIIFビューワ</h1>
14          <h2><div id="label"></div></h2>
15          <div id="metadata"></div>
16          <div id="thums"></div>
17      </body>
```

図 33　サムネイル画像を表示する場所に div を追加

```
50                  json.items.forEach(item =>{
51                      item.items.forEach(item2 =>{
52                          let imgtag = '<img src="'+item2.items[0].body.service[0].id
53                          imgtag += '/full/200,/0/default.jpg">'
54                          imgurls.push(imgtag)
55                      })
56                  })
57                  const thumsdiv = document.getElementById('thums')
58                  thumsdiv.innerHTML = imgurls.join("  ")
59              }
```

図 34　幅 200px の画像の URI を生成して img タグに組み込んでから div タグに表示する例

16 行目【図 33】では、サムネイル画像を表示する場所として、id 属性 thums を付与した div タグを記述しています。

52 ～ 54 行目【図 34】では、前回のスクリプトで単なる画像 id の URL だったものを、53 行目で幅 200px の JPEG 画像を取得できる IIIF Image API の URI としています。そして、52 ～ 53 行目で変数 imgtag に、この URI の画像を表示する img タグを代入し、54 行目で配列 imgurls に追加しています。

57 行目では、Web ページ上で id 属性に thums の値を持つタグ（エレメント）を thumsdiv で扱うと宣言した上で、

58 行目で、配列 imgurls の各要素を「 (HTML での空白)」二つで接続してから innerHTML を用いて、HTML タグも含めて thumsdiv が指示するエレメント上で表示させています。

この結果は、図 35 のようになるはずです。

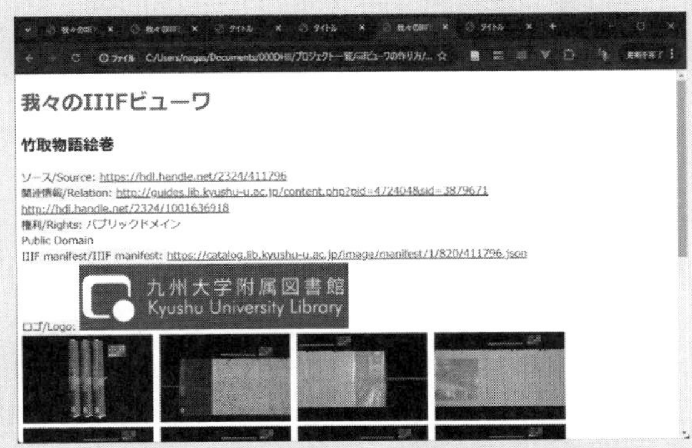

図 35　サムネイル画像をすべて表示させた例

というわけで、IIIF manifest から画像 id を取り出すことができました。あとは、図 11 のような形で OpenSeadragon に各画像 id を組み込むだけです。

3．OpenSeadragon との統合

ここまで作成してきた二つのものを統合すれば、IIIF ビューワの非常に簡素なものが作れるはずです。以下で、挑戦してみましょう。

3-1．OpenSeadragon を組み込んでみる

ここでは、図 34 までで作ってきたスクリプトに OpenSeadragon のスクリプトを組み込んでみることにします。といっても、おおむね、図 11 までに作ってきたスクリプトを組み込むことになります。

```
13          <h1 id="title">我々のIIIFビューワ</h1>
14          <h2><div id="label"></div></h2>
15          <div id="myViewer" style="height: 500px"></div>
16          <div id="metadata"></div>
17          <div id="thums"></div>
18      </body>
```

図 36　OpenSeadragon を組み込むためのタグの追加

```
19      <script>
20          const infojsons = [];
21          var viewer = OpenSeadragon({
22              id: "myViewer",
23              prefixUrl: "openseadragon-bin-4.1.1/images/",
24              sequenceMode: true,
25              initialPage: 0,
26              tileSources: []
27          })
28          const ajax = new XMLHttpRequest();
```

図 37　OpenSeadragon を起動させるスクリプトを追加

```
json.items.forEach(item =>{
    item.items.forEach(item2 =>{
        let imgtag = '<img src="'+item2.items[0].body.service[0].id
        imgtag += '/full/200,/0/default.jpg">'
        imgurls.push(imgtag)
        infojsons.push(item2.items[0].body.service[0].id + '/info.json')
    })
})
const thumsdiv = document.getElementById('thums')
thumsdiv.innerHTML = imgurls.join("  ")
viewer.open(infojsons)
```

図 38　info.json の URI を生成して OpenSeadragon に読み込ませるスクリプトを追加

15 行目【図 36】で、OpenSeadragon を組み込むためのタグを追加しています。

20 行目【図 37】では、info.json の URI を格納して OpenSeadragon に読み込ませるための配

列 infojsons を設定します。

21 ～ 27 行目【図 37】は、OpenSeadragon を起動させるスクリプトです。これは概ね図 11 までにやったことと同じですので、内容を理解したい人は戻って復習してください。

64 行目【図 38】は、画像 id に「info.json」を追加して IIIF Image API として読み込めるようにした上で、配列 infojsons に追記しています。

69 行目【図 38】では、配列 infojsons に格納した要素（＝各画像の info.json の URI）をまとめて OpenSeadragon（ここでは「viewer」として扱っている）に読み込ませます。

これで、OpenSeadragon 上で画像が拡大縮小可能な形で操作できてページめくりもでき、タイトルやメタデータ、サムネイル画像一覧と同時に表示されているはずです。見た目は概ね、図 39 のようになるはずです。

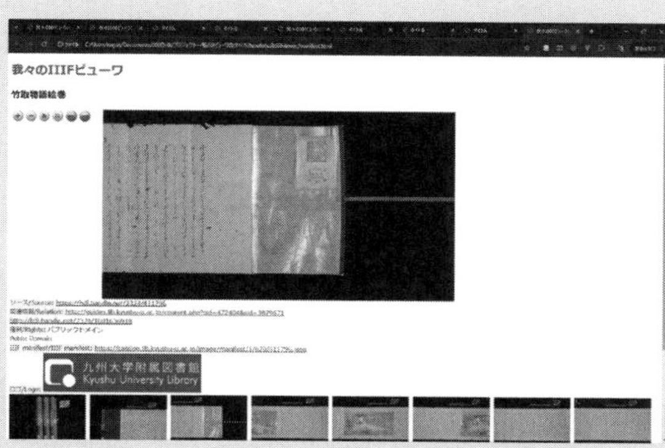

図 39　OpenSeadragon を組み込んだ例

3-1-1．サムネイル画像一覧からアクセスするには

ごく簡素な IIIF ビューワはできましが、これだけではまだいろいろ物足りない感じです。あれこれ追加したくなってしまうところですが、とりあえず、一つだけ、サムネイル画像一覧のどれかをクリックするとその頁画像を大きく表示できるようにするという機能を作ってみましょう。

```
59          });
60          metadiv.innerHTML = metatext;
61          var sn = 0;
62          json.items.forEach(item => {
63              item.items.forEach(item2 => {
64                  imgurls.push('<img class="thum" data-n="'+sn+'" src="' + item2.items[0].body.service[0].id + '/full/200,/0/default.jpg">')
65                  infojsons.push(item2.items[0].body.service[0].id + '/info.json');
66                  sn += 1;
67              });
68          });
```

図 40　サムネイル画像の img タグにクラス thum を与えて連番を data-n 属性で付与

OpenSeadragon でページ遷移をするためには、読み込みをした一連の画像の中で何番目のものかを知らせる必要があります。そこで、サムネイル画像をクリックした時に何番目のものかという情報を取得して、それを OpenSeadragon に渡してページ遷移する、ということになります。

59 行目【図 40】は、連番を付与するための変数を設定しています。最初は 0 ですね。

63 行目【図 40】では、thum をクラス属性で、連番を data-n 属性で付与しています。

```
71            viewer.open(infojsons)
72            var thumclass = document.querySelectorAll('.thum')
73            thumclass.forEach(function(element) {
74                element.addEventListener('click', function() {
75                    viewer.goToPage(this.getAttribute('data-n'));
76                });
77            });
78        }
```

図 41　サムネイル画像をクリックするとページ遷移するスクリプトの追加

72 ～ 77 行目は、thum クラスのすべてのタグに対して、クリックをしたら data-n 属性の値（数字）を取得してその数字を行き先ページとして OpenSeadragon に渡すというスクリプトです。querySelectorAll( ) は、CSS セレクタでエレメントを指定できますので、

72 行目では、.thum でクラスを指定して thumclass として扱えるようにして、

73 行目では thumclass のエレメントを forEach 文で繰り返し処理を始めます。

74 行目では、このエレメントに対して、click イベントがあれば次に指示する処理を行うように指示し、

75 行目では、クリックされた img タグの data-n 属性の値を取得して、OpenSeadragon の API である goToPage でそのページに遷移する、ということになります。

これにより、図 42 のように、サムネイル画像をクリックするとその画像の本体が OpenSeadragon 上に拡大縮小可能な形で表示されることになります。

図 42　サムネイル画像をクリックするとその画像が大きく表示される例

4．今後の発展に向けて

ここで作成したIIIFビューワは、ごく初歩的なものです。ここでの目標は、どちらかと言えば、この作成を通じてIIIFがどういうものかを知っていただく機会とすることでした。一応、HTML、CSS、JavaScriptを駆使すれば、ここからさまざまな機能を持つビューワを作成することができます。Bootstrap[3]に組み込むだけでも相当によい感じの見た目にすることもできるでしょう。筆者自身、このような感じでいろいろなビューワを開発してきました。特に、個人で楽しむだけであれば、こういったものの開発は、技術仕様の理解やスキルアップという意味でもとても有意義なものです。個人で作ったビューワで各地の画像を閲覧できるというのは、まさにIIIFの意義が体現されていると言っていいでしょう。

とはいえ、長期間の持続的なサービス提供を目指す必要がある場合には、セキュリティ対策等でアップデートが必要になる可能性がありますので、そのようなWebサービスに組み込もうという場合には、自分でアップデート作業やそれに伴う改修等を行う必要があることを充分に考慮した上で実施する必要があります。くれぐれもこの点は注意してください。

なお、今回のスクリプトの見本は、フォローアップサイト[4]に掲載されています。よくわからなくなったら、そちらもご覧になってみてください。

注

1　Visual Studio Code https://azure.microsoft.com/ja-jp/products/visual-studio-code

2　簡単なIIIFビューワを作ってみよう：まとめ
https://digitalnagasaki.hatenablog.com/entry/2019/05/04/202945

3　Bootstrap https://getbootstrap.jp/

4　IIIF入門本フォローアップサイト https://www.dhii.jp/dh/iiif/

あとがき

デジタルアーカイブ（以下、DAと略す）とは、人の営みの過程や成果を共有して思索を深め、生き方や社会をよりよくしていこうとする取り組みの一環と位置づけられるものであり、デジタル媒体の特性を活かすことで状況をさらによりよくし得ることに大きな期待がかけられている。DAを構築し提供する側のほとんどの人は、程度の差はあれ、その期待に応えようという使命感や義務感を持っているだろう。このような人々を、ここでは仮にデジタルアーカイブ構築者、略してDA構築者と呼んでおこう。

DA自体はデジタル技術の産物であり、かつ、明示的であれ潜在的であれ対象となる資料の価値によって成立しているものである。ただ闇雲にデジタル化して公開するというわけではなく、そこに何らかの価値が見いだされているからその対象となるのである。

そのような取り組みを実施するDA構築者には、技術面を担当する人もいれば、企画を担当する人、予算を確保する人、コンテンツをデジタル化する人、それらにメタデータや解説、アノテーションの付与を行う人など、さまざまな立場の人が含まれる。これらのいずれの人たちにもおそらく共通する関心事は、自らが構築に関わるDAがそれを取り巻く人々からの期待に応えられるものになるかどうか、ということだろう。

DAは、デジタル技術の発展に伴う機能の進歩への追随や、技術の陳腐化による持続可能性の問題などに関して、紙媒体の限定的だがわかりやすい機能性や持続可能性といった性質に比べると大きな課題を抱えている。DA構築者の問題に引き寄せるなら、構築しているDAに採用した技術やシステムは、数年先、十数年先、そしてさらにそのずっと先まで皆が適切に必要な情報を得られるように動作してくれるのか、そして、それは一般に期待されるような十分な利便性を提供し続けてくれるのか、という問題である。DA構築者が直面するこの種の問題は、典型的なDA構築者である筆者にとっても長らく重い課題であった。これを大幅に解決することになったのが、TEIガイドライン及びIIIFとの出会いであった。中でもIIIFがどのような意味を持ち、どのように課題解決につながり得るのか、ということについては、すでに本書で長く述べてきたとおりである。

TEIガイドラインについては一昨年に日本語の入門書として『人文学のためのテキストデータ構築入門』（文学通信）が刊行されたところだが、IIIFに関してはさまざまな媒体に部分的に紹介されているものの、一冊の本としてまとまったものがなかった。そこで、採用事例の広まってきた現在、一度入門書を刊行することでここから先の展開を考えるための一里塚とすることにした。そこで、株式会社文学通信社長の岡田圭介氏のご賛同をいただき、本書の編集者として大向一輝氏・西岡千文氏・橋本雄太氏・吉賀夏子氏及び筆者によって本書の構成が作成され、さらに広く執筆者を求め、現在の形となった。IIIF に関するあらゆる種類の事例を集められたわけではないが、編集会議での議論のおかげで、比較的幅広く集められたように思う。編集者諸氏に深く感謝したい。

本書における日本国内での IIIF の普及についての描写は、筆者の視点から書いたため、その背景について十分に言及できなかったが、筆者が IIIF に注目し始めた頃、日本の DA 政策を牽引する国立情報学研究所教授（当時）の高野明彦氏や日本の学術情報流通政策への多大な貢献者である京都大学図書館機構長（当時）の引原隆士氏といった方々もすでに IIIF をご存じであっただけでなく肯定的な姿勢を持っておられたことが、2016 年以降の国内での急速な普及に大きな力となったことは感謝とともに記しておきたい。これに加えて、本文中でも触れているが、東京大学大学院人文社会系研究科次世代人文学開発センター人文情報学部門長（当時）の下田正弘氏が IIIF の重要性を強く認識され、同部門が日本で初めて IIIF 協会の会員組織となったことは、DA の重要な規格を定める国際的なコミュニティにおける日本のプレゼンスを高めるだけでなく、その後陸続と国内の会員組織が増加していくきっかけをもたらしたという意味でも貴重なものであった。また、現在の国書データベースの前身である新日本古典籍総合データベースという、国文学研究資料館が運営していた日本最大級の古典籍データベースにおいて IIIF が比較的早期に採用されるにあたっては、同館教授の山本和明氏がその意義を理解し尽力してくださったことが大きかったと仄聞している。国立国会図書館デジタル・コレクションでの IIIF の採用にあたっては、数回に渡る講習会や打合せで IIIF の説明をさせていただくなかで、同館でこれに関わる様々な立場の方々が IIIF の意義に賛同し熱意を示してくださった。筆者からは IIIF 実装に関する同館の活動の全体がみえていたわけではないため、個々のお名前を具体的に挙げるのは難しいが、取りかかった後の確かさと迅速さには、その人材の厚みを感じさせるものがあった。また、この技術仕様が日本国内で広く一般に利用可能となるにあたっては、国立情報学研究所及び ROIS-DS 人文学オープンデータ共同利用センター教授の北本朝展氏、東京大学史料編纂所助教の中村覚氏、フェリックス・スタイルの本間淳氏をはじめ、多くの方々の技術的な貢献があったことも記しておきたい。そして、スタンフォード大学図書館をはじめとする国際的な IIIF コミュニティの方々からの有形無形の支援は、日本での IIIF の普及においてとても有益なものであった。

ここに至るまで、筆者が直接やりとりしただけでも、図書館・博物館・美術館・文書館・企業・大学・研究所など、さまざまな組織の多くの方々が、間接的・直接的な DA 構築者として各地で IIIF の導入に取り組んでくださった。筆者が知らないところでは、その何倍、何十倍もの人が本件に尽力してくださったことだろう。DA の構築をめぐり、そのようにしてさまざまな関係者が DA をよりよいものにするための国際的な規格の導入をめぐってそれぞれに取り組み、そのような営みの総体として多様なデータベース連携を可能とする環境が実現されていることは、日本の DA の将来的な明るい見通しを感じさせるものである。今後のさらなる広がりと発展を期待したい。

本書は、一般財団法人人文情報学研究所の監修により刊行されるものであり、研究所を支えてくださっている皆様には感謝すること至極である。これに加えて、本書の刊行に至る研究活動の一部はJSPS科研費JP23K28385, JP23H03696, JP23H00002, JP23K17500, JP20H05830の助成を受けており、深く感謝したい。最後に、筆者の活動をいつも支えてくださり、本書の企画を建設的に受け止め、オープンアクセス書籍として刊行までこぎ着けてくださった文学通信の岡田圭介氏と西内友美氏に心より感謝したい。

本書が日本のDAをより身近で利活用しやすいものにしていくだけでなく、さらに、国際的なネットワークの中でよりよく発展させていき、日本の国際的なプレゼンスを確かなものにしていくための一助となることを願っている。

慶應義塾大学文学部図書館・情報学専攻／一般財団法人人文情報学研究所　永崎研宣

用語解説

☞各論から専門用語を抄出し解説を付しました。

AJAX	AJAX（Asynchronous JavaScript and XML）通信とは、Web ページを再読み込みせずに、サーバーとデータを非同期でやり取りする技術である。これにより、ページ全体をリロードせず、ページの一部だけを更新できるため、ユーザーにとってよりよいブラウザ操作体験を提供する。主に JavaScript を使い、データは XML や JSON 形式で送受信する。（吉賀）
(Web) API	(Web) Application Programming Interface の略。Web サービスが格納するデータや機能の一部を、外部のサーバーから呼び出して二次利用できるようにするために Web サービス側が提供する仕組み。（永崎）
CDN	CDN（Content Delivery Network）とは、Web サイトの画像や動画などのコンテンツを、複数のサーバーに分散して配置する仕組みである。これにより、ユーザーが最も近いサーバーからコンテンツを受け取れるため、表示速度が速くなり、負荷分散によってサーバーの安定性も向上する。（吉賀）
CIDOC-CRM	CIDOC-CRM（Conceptual Reference Model）は、多種多様な文化財資料を統一的に管理するために考えだされた国際標準の概念モデルである。国際博物館会議（ICOM）国際ドキュメンテーション委員会（CIDOC）によって制定された。ある文化財がどのような概念で構成され、各メタデータがどの概念に紐づけられているのかがデータとして明確になることで、異なるデータセット間の統合や共有、再利用が容易になる。（吉賀）
CSS	CSS（Cascading Style Sheets）は、Web ページのデザインを設定するための言語である。HTML で作成した内容のレイアウトや色、フォントなどのスタイルを指定し、見た目を整える。これにより、同じ HTML 文書でも異なるデザインを適用でき、Web サイトのデザイン管理が簡単になる。（吉賀）
CUI	CUI（Character User Interface）とは、文字だけで操作を行うユーザーインターフェースである。コマンドラインとも呼ばれ、ユーザーがテキストコマンドを入力してコンピュータを操作する。CUI は、プログラムの実行やファイル管理など、効率的に多くの操作を行うことができる。（吉賀）
Docker	アプリケーションをその依存関係と共にパッケージ化し、異なる OS 環境であっても一貫して実行できるようにするコンテナ技術。これにより、開発環境と本番環境の差異をなくし、効率的な導入と拡張が可能になる。コンテナは軽量で高速なため、リソースの節約と迅速な起動が実現できる。（吉賀）
GitHub	ソフトウェア開発プロジェクトを管理・共有するための Web プラットフォーム。Git というバージョン管理システムを基盤にしており、開発者はコードの履歴を追跡し、共同で開発を進めることができる。（吉賀）
GUI	GUI（Graphical User Interface）とは、利用者が視覚的な要素を使ってコンピュータを操作する仕組みである。アイコン、ボタン、ウィンドウなどをクリックあるいはタッチすることで操作でき、直感的に使えるため初心者にもわかりやすい。（吉賀）
HTML	Hyper Text Markup Language の略。Web ページを記述するためのマークアップ言語。タグや属性を付与することで構造や見た目を制御する。（永崎）

ISAD(G)	ISAD(G)（General International Standard Archival Description）とは、アーカイブ資料を一貫して記述するための国際標準である。アーカイブの管理と利用を促進するため、主に物理的な資料のタイトル、作成者、日付、内容、物理的特徴などを体系的に記述するルールを提供する。この標準により、異なるアーカイブ間で情報の共有と検索が容易になる。（吉賀）
ISO/IEC 10646	文字コードの国際標準規格。ISO と IEC が定める規格であり世界中の文字に一意な符号を割り当てることを目指して策定されている。業界標準規格である Unicode はこれと互換性を有しており、国際的に広く用いられている。（永崎）
JavaScript	元々は Web ブラウザ上で動作するプログラミング言語。Web のサイトやシステムの開発に用いられ、特にインタラクティブな Web サイトの仕組みを用意する場合によく用いられる。IIIF ビューワのほとんどはこの言語で書かれている。（永崎）
JSON	JavaScript Object Notation の略。データ記述言語の一つであり、JavaScript におけるデータ交換用フォーマット。近年は、Web でのデータ交換のために広く利用されており IIIF の各種 API でも採用されている。（永崎）
JSON-LD	JavaScript Object Notation for Linked Data の略。 JSON フォーマットを利用して構造化データとしての Linked Data を記述する手法である。（永崎）
Linked Open Data	Linked Data は、あるデータそのものとその他のデータとの関係をリンク（URI、URL など）で表現したデータ。Open Data は誰もが自由に利用できるライセンスが付与されたデータ。Linked Open Data は Linked Data と Open Data の両方の性質を兼ね揃えたデータを指す。（吉賀）
N-gram	N-gram とは、連続する N 個の単語や文字の集まりを意味する。たとえば、「今日は晴れです」という文の 2-gram（バイグラム）を文字単位で分けるならば「今日」「日は」「は晴」「晴れ」「れで」「です」となる。N-gram は形態素解析と異なり、文法や語彙に依存せずにテキストのパターンを抽出できるため、未知の単語や誤字脱字があっても処理が可能である。一方、形態素解析は文を形態素に分割し、それぞれの品詞や意味を解析する手法であり、文法的な構造や単語の意味をより正確に捉えるため、精度の高い解析が必要な場合に有利である。（吉賀）
OAI-PMH	OAI-PMH（Open Archives Initiative Protocol for Metadata Harvesting）とは、デジタルリポジトリやアーカイブからメタデータを収集（ハーベスティング）するための標準プロトコルである。OAI-PMH は、データプロバイダとサービスプロバイダの間でメタデータのやり取りを容易にし、互換性のある形式での収集と共有を可能にする。（吉賀）
OAIS 参照モデル	OAIS 参照モデル（Reference Model for an Open Archival Information System）とは、デジタル情報を長期保存するために制定された国際標準の枠組みである。情報の収集、保存、管理、アクセス提供のプロセスを規定し、アーカイブシステムの設計と運用に役立つ。このモデルにより、異なる機関が統一された方法でデジタル情報を保存し、将来にわたってアクセス可能にすることができる。（吉賀）
Python	簡潔で読みやすい文法を持つプログラミング言語。初心者から専門家まで幅広いユーザーに使われており、テキスト分析、人工知能、機械学習など多様な分野で活用されている。また、豊富なライブラリと大規模なコミュニティに支えられている。（吉賀）
RDF	RDF（Resource Description Framework）は、ある二つのデータの関係を表現する W3C 標準の枠組み。たとえば、データ 1 とデータ 2 があるとき、URI で示されたデータ 1 はデータ 2（URI または値）と「ある属性」でつながっていることをグラフ型の三つ組で表現する。この形式は、データ間の関係を明確に記述することを可能にし、異なるデータソース間のリンクと相互運用性を高める。RDF は、セマンティック Web や Linked Open Data を具体化する仕組みとして広く利用されている。（吉賀）

Representational State Transfer(REST)	さまざまなアプリケーションやサービスがデータを送受信し連携することを可能にするために、あらかじめ統一された方式でデータを簡単に操作（取得、作成、更新、削除）できるようにする仕組み。Web API において広く用いられている。（吉賀）
ResourceSync	OAI-PMH の後継となる二つのウェブサーバの間でコンテンツの同期を行うためのプロトコルである。OAI-PMH がメタデータを同期の対象としているのに対して、ResourceSync は URI をもつあらゆるウェブ上のリソースを対象とする。Web で広く利用されている Sitemap プロトコルに基づいて実装されており、幅広い使用例に適している。（西岡）
TEI/XML	TEI（Text Encoding Initiative）協会が策定する、人文学を中心とするテキスト構造化のためのデータ形式。現在は XML（Extensible Markup Language）技術に基づき実装されており、主に西洋諸国では人文学のデータ形式として広く用いられている。（永崎）
UI	UI（User Interface）とは、ユーザーがコンピュータやアプリケーションを操作するための仕組みである。画面のレイアウトやボタン、メニューなどの視覚的要素と、マウスやタッチパネルなど入力装置の操作方法を含む。使いやすさや見やすさが重要で、よい UI はユーザーの体験を向上させる。（吉賀）
Unicode	符号化された文字集合の業界標準規格。ISO/IEC 10646 と互換性を有している。国際的なテキストデータの互換性実現を目指しており、Web では標準として用いられている。（永崎）
URI	Uniform Resource Identifier の略。Web 上のあらゆるリソースや抽象的な概念を識別するための記号列であり、特定の Web ページへのアクセス先を示す URL（Uniform Resource Locator）は URI の下位概念にあたる。（大向）
Web Annotation	W3C が定めた規格であり、Web 上のリソースに対して注釈を付与するとともに、その注釈も Web で共有することを可能とするもの。（永崎）
アノテーション	注釈のこと。IIIF の文脈では、画像やテキストに対するものなど、さまざまなタイプの注記が含まれる。（永崎）
形態素解析	自然文を単語や形態素（意味を持つ言語の最小単位）に分割し、その各部分の品詞や意味を解析する技術。形態素解析は、自然言語処理の基本技術であり、テキストの意味理解や機械翻訳、情報検索、テキストマイニングなど、多くの応用において重要な役割を果たす。（吉賀）
セマンティック Web	1998 年にティム・バーナーズ＝リーが提唱した、Web の高度化を目指す取り組み。これを実現するために、Web ページの意味を扱うための標準規格やツールの開発が W3C を通じて行われた。（永崎）
データセット	関連するデータの集合体であり、特定のテーマや目的に基づいて構造化されたデータの集まりを指す。（吉賀）
メタデータ	ある物事の特徴を表す情報を記述するデータ。たとえば、書籍のメタデータには、タイトル、著者、発行年、出版社、ISBN などが含まれる。メタデータはデータの整理、検索、管理を容易にし、その内容や構造、作成方法に関する情報を提供する。（吉賀）

執筆者一覧（掲載順）

永崎研宣（ながさき・きよのり）

慶應義塾大学・教授／一般財団法人人文情報学研究所主席研究員（兼任）。専門は仏教学・人文情報学。主な著書・論文に、京都大学人文科学研究所共同研究班編・永崎研宣『日本の文化をデジタル世界に伝える』（樹村房、2019年）、「仏典研究とテキスト構造化」（『印度学仏教学研究』72（2）、2024年、725-730頁）、“Contexts of Digital Humanities in Japan”, *Digital Humanities and Scholarly Research Trends in the Asia-Pacific*, 2019, pp.71-90. など。

大向一輝（おおむかい・いっき）

東京大学大学院・准教授。専門は人文情報学、ウェブ情報学、学術コミュニケーション。主な著書・論文に、『ウェブがわかる本』（岩波書店、2007年）、『ウェブらしさを考える本』（丸善出版、2012年、共著）、「オープンサイエンスと研究データ共有」（『心理学評論』61（1）、2018年）、「アーカイブの技術史」（『デジタル時代のアーカイブ系譜学』みすず書房、2022年）など。

西岡千文（にしおか・ちふみ）

京都大学・准教授。専門は学術情報流通、オープンサイエンス。主な著書・論文に、Nishioka, C., & Nagasaki, K., “Understanding IIIF image usage based on server log analysis”, *Digital Scholarship in the Humanities*, 36 (Supplement_2), 2021, ii210-ii221.、西岡千文, 亀田尭宙, & 佐藤翔.「日本の学術出版物におけるオープン・サイテーションの分析」（『情報知識学会誌』30（1）、2020年、3-20頁）、Nishioka, C., Färber, M., & Saier, T., “How does author affiliation affect preprint citation count? analyzing citation bias at the institution and country level”, *In Proceedings of the 22nd ACM/IEEE Joint Conference on Digital Libraries*, no. 28, 2022, pp. 1-8. など。

吉賀夏子（よしが・なつこ）

大阪大学大学院・准教授。専門はDigital Humanities。主な著書・論文に、「シチズン・サイエンスと機械学習による歴史資料の内容理解支援」（『情報の科学と技術』73, no. 11、2023年、500-506頁）、吉賀夏子・堀良彰・只木進一・永崎研宣・伊藤昭弘「郷土に残存する江戸期古記録の機械可読化を目的とした市民参加および機械学習による固有表現抽出」（『情報処理学会論文誌』63, no. 2、2022年、310-323頁）、吉賀夏子・只木進一「古典籍書誌データ構造に対応したLinked Dataへの半自動変換」（『情報処理学会論文誌』59, no. 2、2018年、257-266頁）など。

本間淳（ほんま・じゅん）

フェリックス・スタイル取締役。デジタルアーカイブ学会第4回学会賞実践賞および学術賞（基盤・システム）受賞。「IIIF Curation Platform」中心的開発者、「Mirador 3（IIIF動画アノテーション対応版）」共同開発者、「Open in IIIF Viewer」開発者。「縦書きビューワ」「変体仮名の画像認識システム」「vdiff.js」「蔵書印ツールコレクション」「そあん（soan）」「TEI古典籍ビューワ」など、デジタルアーカイブの利活用に資するフリーソフトウェアの開発に携わっている。

鈴木親彦（すずき・ちかひこ）

群馬県立女子大学・准教授。専門は人文情報学・文化資源学。主な著書・論文に、『共振するデジタル人文学とデジタルアーカイブ』（責任編集、勉誠出版、2023 年、デジタルアーカイブ学会賞学術賞（著書）受賞）、「IIIF Curation Platform : 利用者・研究者主導の画像キュレーションを可能にする IIIF プラットフォーム」（『西洋史学』275 号、2023 年、56-59 頁）、鈴木親彦・髙岸輝・本間淳・Alexis Mermet・北本朝展「日本中世絵巻における性差の描き分けー IIIF Curation Platform を活用した GM 法による『遊行上人縁起絵巻』の様式分析」（『じんもんこん 2020 論文集』2020 年、67-74 頁、情報処理学会 山下記念研究賞受賞）など。

橋本雄太（はしもと・ゆうた）

国立歴史民俗博物館・准教授。専門は人文情報学。主な著書・論文に、「AI 文字認識とクラウドソーシングを組み合わせた歴史資料の大規模テキスト化」（『人工知能学会誌』35（6）、2020 年 11 月、754-760 頁）、“The Kuzushiji Project: Developing a Mobile Learning Application for Reading Early Modern Japanese Texts”, *Digial Humanities Quarterly*, 11(1), 2017. 2. など。

三原鉄也（みはら・てつや）

筑波大学助教。専門はメタデータ、マンガ・メディア芸術のデータ整備、デジタルアーカイブ。主な著書・論文に、三原鉄也・永森光晴・杉本重雄「マンガメタデータフレームワークに基づくディジタルマンガのアクセスと制作の支援ーディジタル環境におけるマンガのメタデータの有効性の考察ー」（『電子情報通信学会論文誌 A』J98-A 巻 1 号、2015 年 1 月、29-40 頁 ）、Mihara Tetsuya, Mitsuharu Nagamori, Shigeo Sugimoto, “A Metadata-Centric Approach to a Production and Browsing Platform of Manga”, *The Outreach of Digital Libraries: A Globalized Resource Network.* ICADL 2012. Lecture Notes in Computer Science (Springer, Cham), Vol.7634, 2012, pp.87-96. など。

高橋洋成（たかはし・よな）

東京外国語大学・特任研究員。専門は歴史言語学、記述言語学（特にヘブライ語を中心とするセム諸語、エチオピア・オモ諸語）、人文情報学。主な著書・論文に、「聖書ヘブライ語の「極性疑問ー応答表現」に見る焦点構造」（『New 聖書翻訳』9、2023 年、3–30 頁）、“A Small Dictionary of Hamar with Some Notes on Banna and Karo”, *Studies in Ethiopian Languages*, 4, 2015, pp. 35–75、「言語の多面性を織り込んだ言語資料のデジタルネットワーク」（『人文科学とコンピュータシンポジウム論文集』8、2013 年、39–44 頁）など。

監修

一般財団法人人文情報学研究所
2010年、SAT大蔵経テキストデータベースの運用を支援しつつ、これを基礎とする仏教学のためのデジタル研究環境構築を目指し、人文情報学的知見を開発して人文知の宝庫である仏教の研究を推進し、さらに、これをとおして人文学全体を振興するとともに、広く人類精神文化の発展に寄与する目的をもって設立された研究所。仏教経典研究部門、仏教写本研究部門、人文情報学研究部門の三部門を擁する。これらの各部門における研究活動に加えて、2011年より月刊の無料メールマガジン『人文情報学月報』を発行し、日本デジタル・ヒューマニティーズ学会の事務局を引き受ける等、人文情報学に関わる情報共有と連携を重点事項の一つと位置づけて取り組みを続けている。ハンブルク大学、国文学研究資料館等と連携協定を結んでいる。
東京都文京区本郷5-26-4-11F　TEL:03-6801-8411　FAX:03-6801-8412
https://www.dhii.jp/

編者

大向一輝
永崎研宣
西岡千文
橋本雄太
吉賀夏子

IIIF［トリプルアイエフ］で拓くデジタルアーカイブ
コンテンツの可能性を世界につなぐ

2024（令和6）年7月31日　第1版第1刷発行

ISBN978-4-86766-057-7　C0004

発行所　株式会社 文学通信

〒113-0022　東京都文京区千駄木2-31-3 サンウッド文京千駄木フラッツ1階101
電話 03-5939-9027　Fax 03-5939-9094
メール info@bungaku-report.com ウェブ https://bungaku-report.com

発行人　岡田圭介
印刷・製本　モリモト印刷
本文組版　株式会社STELLA

ご意見・ご感想はこちらからも送れます。上記のQRコードを読み取ってください。

一般財団法人人文情報学研究所（監修）
石田友梨／大向一輝／小風綾乃／永崎研宣／
宮川　創／渡邉要一郎（編）

人文学のためのテキストデータ構築入門
TEI ガイドラインに準拠した取り組みにむけて

より効果的にテキストデータを蓄積・共有し、広く世界につなげるために、人文学研究においてテキストデータはこれからどう作っていけばいいのか。私たちの読みを残し、共有し、たどれるようにする、あるいはどう読んだかを次世代に継承するためには、どういう処理や方法が必要なのか。今後の人文学研究にとって必須のテキストデータ構築の方法を、丁寧に解説、紹介していく書。

ISBN978-4-909658-84-5 C0020 ｜ B5 判・並製・424 頁｜定価：本体 3,000 円（税別）｜ 2022 年 8 月刊

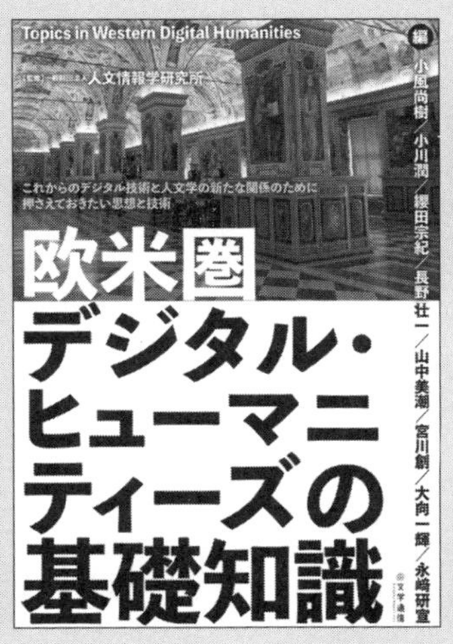

一般財団法人人文情報学研究所（監修）
小風尚樹／小川　潤／纓田宗紀／長野壮一／
山中美潮／宮川　創／大向一輝／永崎研宣（編）

欧米圏デジタル・ヒューマニティーズの基礎知識

西洋世界におけるデジタル・ヒューマニティーズの研究・教育の主流を形成しているのは欧米圏の組織やプロジェクトが多いが、言語の壁や情報技術の進歩の速さのため、あるいは西洋研究の文脈での知識が必要であるといった事情から、日本で西洋世界のデジタル・ヒューマニティーズに関する情報を入手するための手だてはいまだ乏しい。この問題意識のもと、メールマガジン『人文情報学月報』に掲載された記事を加筆・修正、西洋世界におけるデジタル・ヒューマニティーズの研究・教育の成果を知る本。

ISBN978-4-909658-58-6 C0020 ｜ A5 判・並製・496 頁｜定価：本体 2,800 円（税別）｜ 2021 年 7 月刊

下田正弘・永崎研宣（編）

デジタル学術空間の作り方
仏教学から提起する次世代人文学のモデル

ライブラリアン、コンピュータサイエンティスト、人文学者 … 複数のプレイヤーによって共同で創りあげる、デジタル学術空間という「知」のかつてない新たな形態に、これまでどう対応してきたのか。そしてこれから、どうデジタル学術空間を創っていくのか。仏教学から提起する書。今後の人文学の展開には、日々生まれつつあるデジタル学知との対話が不可欠なものとなった現在、私たちは何をどう創り未来へと進むのか。その良きガイドになる書。

ISBN978-4-909658-19-7 C0004 ｜ A5 判・並製・384 頁｜定価：本体 2,800 円（税別）｜ 2019 年 12 月刊

盛田帝子／ロバート・ヒューイ（編）
盛田帝子／松本　大／飯倉洋一（校注訳）

江戸の王朝文化復興

ホノルル美術館所蔵レイン文庫『十番虫合絵巻』を読む

なぜ平安時代を復活させようとしたか。
江戸時代、王朝文化を研究し、憧れ、復興しようとする人々が現れる。
王朝文化に憧れた彼らが、業平に仮託された男が都を思いながら
「名にし負はばいざ言問はむ都鳥わが思ふ人はありやなしやと」（『伊勢物語』第九段）
と詠んだ隅田川のほとりで再興したのが、「十番虫合」であり、
本書で紹介するホノルル美術館所蔵『十番虫合絵巻』は、「十番虫合」に出座していた
三島景雄が記録し編修した絵巻物である。

果たして「十番虫合」とは何だったのか。
どこまでが事前に計画されたもので、どこまでが当座的なものだったのか。
彼らは日本の古えを復興しようと努力していたが、それは腐敗した徳川幕府と
日本の危機に対処する無能さに対する暗黙の批判であったのだろうか。
古典知の凝縮された『十番虫合絵巻』から、一体何がわかるのか。

ISBN978-4-86766-041-6 C0095 ｜ A5 判・並製・384 頁｜定価：本体 2,800 円（税別）｜ 2024 年 4 月刊

十番虫合絵巻研究会『十番虫合絵巻』サイト
https://juban-mushi-awase.dhii.jp/